# Ochenta melodías de pasión en amarillo

Título original:
*EIGHTY DAYS YELLOW*

Diseño de cubierta:
GRAEME LANGHORNE / ORIONBOOKS

Imágenes:
© SHUTTERSTOCK y © ISTOCKPHOTO

Adaptación de cubierta:
ROMI SANMARTÍ


Benito Castro, 6
28028 MADRID
emaeva@maeva.es
www.maeva.es

ISBN: 978-84-15532-50-7
Depósito legal: M-691-2013

Fotomecánica: Gráficas 4, S. A.
Impresión y encuadernación: Huertas, S. A.
Impreso en España / Printed in Spain

La madera utilizada para elaborar las páginas de este libro procede de bosques sujetos a un programa de gestión sostenible. Certificado por SGS según N.º: SGS-PEFC / COC-0634.

Vina Jackson

# Ochenta melodías de pasión en amarillo

Déjate arrastrar por el juego de la seducción

*Traducción:*

ESTHER ROIG

MAEVA

# 1

## *Una chica y su violín*

La culpa la tiene Vivaldi.

Más concretamente, mi CD de *Las cuatro estaciones* de Vivaldi. Ahora está boca abajo en la mesilla de noche, junto al cuerpo de mi novio, que ronca suavemente.

Tuvimos una pelea cuando Darren llegó a casa a las tres de la madrugada después de un viaje de negocios y me encontró tumbada en el suelo de madera del cuarto de estar, desnuda, con el concierto sonando todo lo alto que permite su sistema de sonido envolvente. A todo volumen.

El movimiento *presto* del «Verano», el concierto número 2 en sol menor, estaba alcanzando su punto culminante, cuando de repente Darren abrió la puerta.

No me di cuenta de que había vuelto hasta que noté cómo la suela de su zapato se apoyaba sobre mi hombro derecho y me daba pataditas. Abrí los ojos y lo vi inclinado sobre mí. Luego me di cuenta de que había encendido las luces y de que el CD había enmudecido abruptamente.

–¿Se puede saber qué haces? –dijo.

–Escuchar música –contesté con un hilillo de voz.

–¡Eso ya lo oigo! ¡Lo he oído desde la calle! –gritó.

Darren había estado en Los Ángeles y, para alguien que acababa de hacer un vuelo tan largo, parecía muy descansado. Todavía llevaba parte de su traje de ejecutivo: una camisa blanca impoluta, cinturón de piel, pantalones azul marino a rayas muy finas; la americana a juego colgada del brazo. Aún agarraba el asa de su maleta con ruedas. Aunque por el volumen de la música yo no me había enterado, debía de estar lloviendo fuera, porque la maleta estaba empapada y goteaba por los lados sobre el suelo, junto a mi muslo. Darren tenía los bajos del pantalón mojados y pegados a las pantorrillas, donde no habría alcanzado la protección del paraguas.

Volví la cabeza hacia su zapato y me topé con un par de dedos de pantorrilla húmeda. Olía a almizcle, en parte a sudor, en parte a lluvia, y también a betún y a cuero. Unas cuantas gotas cayeron desde su zapato a mi brazo.

Vivaldi siempre ha ejercido un efecto muy particular en mí, y ni la hora ni la cara de enfado de Darren lograron enfriar la sensación que invadió súbitamente mi cuerpo y que hacía hervir la sangre de mis venas tal y como lo había hecho la música.

Me giré dejando que su zapato siguiera pisando levemente mi brazo derecho y subí la mano izquierda por la pernera de su pantalón.

Retrocedió inmediatamente, como si le hubiera quemado, y meneó la cabeza.

–¡Por Dios, Summer!

Arrastró la maleta y la dejó pegada a la pared, junto al estante de los CDs, quitó *Las cuatro estaciones* del reproductor y luego se fue a su habitación. Me planteé levantarme y seguirlo, pero decidí que no. Mientras estuviera desnuda no tenía ninguna posibilidad de ganar en una discusión con Darren. Confiaba en que si me quedaba tumbada y quieta, con la esperanza de que mi cuerpo desnudo se mimetizara con el suelo de madera si yacía horizontalmente en lugar de ponerme de pie, mi invisibilidad apaciguaría su ira.

Darren colgó la americana y oí el ruido de la puerta del armario al abrirse y el familiar golpeteo de las perchas de madera. En los seis meses que llevábamos juntos, no le había visto ni una sola vez tirar un abrigo encima de una silla o dejarlo en el respaldo de un sofá, como haría cualquier persona normal. Él colgaba la americana directamente en el armario, luego se sentaba para descalzarse, después se quitaba los gemelos, se desabrochaba la camisa y, acto seguido, la metía en el cesto de la ropa sucia. A continuación, se desprendía del cinturón y lo colgaba en la barra del armario, junto a otra media docena de cinturones de diferentes y discretas tonalidades de azul marino, negro y marrón. Usaba calzoncillos de diseño del estilo que más me gusta en los hombres, unos pantaloncitos de algodón elástico con una cinturilla ancha. Me encantaba cómo se le ajustaban al cuerpo; le quedaban tentadoramente prietos, aunque para mi decepción siempre se echaba algo por encima y nunca se paseaba por la casa en ropa interior. La desnudez ofendía a Darren.

Nos conocimos en verano en un concierto que para mí significaba mucho. Uno de los violinistas incluidos en el programa se puso enfermo y, en el último minuto, me llamaron para tocar en la orquesta una pieza de Arvo Pärt que odiaba. La encontraba espasmódica y monótona, pero con tal de tocar música clásica en un escenario real, aunque fuera un escenario pequeño, habría interpretado a Justin Bieber y conseguido que pareciera que estaba disfrutando. Darren estaba entre el público y se quedó entusiasmado. Tenía debilidad por las pelirrojas. Más tarde me dijo que el ángulo del escenario le impedía verme la cara, pero que tenía una estupenda vista de la parte superior de mi cabeza. Me dijo que mi cabello resplandecía a la luz del escenario como si estuviera en llamas. Compró una botella de champán y utilizó sus contactos con los organizadores del concierto para venir a verme entre bastidores.

No me gusta el champán, pero me lo bebí de todos modos, porque Darren era alto y guapo y lo más parecido que he tenido en mi vida a un fan auténtico.

Le pregunté qué habría hecho si me hubieran faltado los dientes delanteros o si no hubiera sido su tipo en cualquier otro aspecto, y me contestó que habría probado suerte con la percusionista, que no era pelirroja pero sí muy guapa.

Unas horas después, estaba borracha y tumbada boca arriba en su habitación de Ealing, preguntándome cómo había acabado en la cama con un hombre que antes de echarse encima de mí había colgado la americana y había colocado sus zapatos cuidadosamente en su sitio. De todos modos, tenía un buen miembro y un piso bonito, y aunque al final resultó que detestaba toda la música que a mí me encantaba, pasamos juntos casi todos los fines de semanas de los meses siguientes. Por desgracia, a mi modo de ver, no dedicamos buena parte de ese tiempo a estar en la cama, y sí a ver exposiciones de arte muy intelectuales que a mí no me gustaban y que, estaba convencida de ello, Darren no entendía.

Los hombres que me veían tocar en locales convencionales de música clásica, en lugar de pubs y estaciones de metro, solían cometer el mismo error que cometió Darren: atribuirme todos los rasgos que asociaban con una violinista clásica. Debía ser educada, convencional, culta, sofisticada, femenina y distinguida, y tener el armario lleno de vestidos de noche sencillos y elegantes para lucir en el escenario, ninguno de ellos vulgar ni demasiado escotado.

Llevaría zapatos de tacón no muy alto y caminaría inconsciente del efecto que producían mis esbeltos tobillos.

En realidad, solo tenía un vestido largo negro formal para los conciertos, que compré por diez libras en una tienda de Brick Lane y que había llevado a arreglar a una costurera. Era de terciopelo, poco escotado por delante y mucho por detrás, pero el día que conocí a Darren estaba en la tintorería, así que tuve que comprarme un vestido ceñido en Selfridges con la tarjeta de crédito, y esconder las etiquetas bajo la ropa interior. Por suerte, Darren era un amante pulcro y no había dejado manchas ni en mí ni en el vestido, que pude devolver al día siguiente.

Yo tenía mi propio piso, donde dormía durante la semana, en un edificio de apartamentos de Whitechapel. Era un piso amueblado, o más bien una habitación grande, con una cama individual de buen tamaño, una barra que hacía las veces de armario, un pequeño lavabo, una nevera y una cocina. El baño estaba en el rellano. Lo compartía con otros cuatro inquilinos, con los que tropezaba de vez en cuando pero a los que generalmente no veía.

A pesar de la situación y del edificio destartalado, no habría podido permitirme pagar ese alquiler de no haber llegado a un acuerdo con el inquilino oficial, a quien conocí una noche en un bar tras una visita nocturna al British Museum. Nunca me aclaró por qué estaba dispuesto a alquilar la habitación por menos de lo que él pagaba. Yo imaginaba que bajo el suelo de madera había un cadáver o un alijo de polvo blanco. Y por las noches, cuando estaba acostada, a menudo esperaba oír los pasos rápidos de los Geos en el rellano.

Darren no había estado nunca en mi piso, en parte porque me daba la impresión de que sería incapaz de poner los pies en él sin desinfectar previamente toda la finca, y en parte porque me gustaba tener una porción de mi vida que me perteneciera solo a mí. Supongo que en el fondo sabía que nuestra relación no iba a durar, y no quería vérmelas con un amante despechado que se pusiera a lanzar piedras a mi ventana en mitad de la noche.

Más de una vez me había propuesto que me mudara con él y ahorrara el dinero que gastaba en el alquiler para comprar un violín mejor o pagarme más clases de música, pero yo me negaba. No soporto vivir con nadie, y menos con mis amantes, y preferiría ganar dinero pluriempleada en una esquina a que me mantuviera un novio.

Oí el suave chasquido de su caja de gemelos al cerrarse, cerré los ojos y apreté las piernas intentando volverme invisible.

Regresó al salón y pasó por mi lado camino de la cocina. Oí el chorro del grifo del fregadero, el suave siseo del gas al encenderse y, unos minutos después, el silbido del hervidor. Darren tenía uno de esos hervidores modernos pero con forma antigua que había que calentar al fuego hasta que silbaba. Nunca entendí por qué no se compraba uno eléctrico, pero él aseguraba que el agua sabía mejor, y que un buen té debía hacerse hirviendo el agua como es debido. No bebo té. Solo el olor me pone enferma. Tomo café, pero Darren se negaba a preparármelo después de las siete, porque me desvelaba, y decía que mi agitación nocturna no le dejaba dormir.

Me relajé en el suelo, controlando la respiración, haciendo un esfuerzo de concentración para permanecer perfectamente inmóvil, como un cadáver, y fingí que estaba en otra parte.

–Cuando te pones así no puedo hablar contigo, Summer. –Su voz llegó de la cocina, incorpórea. Era una de las cosas que más me gustaban de él, la sonoridad de su acento de colegio privado, a veces suave y cálido, y otras frío y duro. Sentí un calor repentino entre los muslos y apreté las piernas con toda la fuerza que pude, recordando que Darren había puesto una toalla debajo la única vez que nos enrollamos en el suelo del salón. No soportaba el desorden.

–¿Así, cómo? –contesté, sin abrir los ojos.

–¡Así! ¡Desnuda y tumbada en el suelo como si estuvieras majara! Levántate y ponte algo, joder.

Tomó los últimos sorbos de su taza de té y, oyendo cómo el té bajaba suavemente por su garganta, me imaginé cómo sería que se arrodillara con su boca entre mis piernas. Solo de pensarlo me ruboricé.

Darren casi nunca bajaba entre mis piernas a menos que me hubiera duchado cinco minutos antes, y aun entonces sus lametones eran inciertos, y el dedo sustituía a la lengua a la mínima posibilidad que se le presentaba de hacerlo educadamente. Prefería utilizar solo un dedo y no reaccionó bien la vez que bajé mi mano e intenté guiar dos dedos más de su mano dentro de mí.

–¡Por favor, Summer! –exclamó–. Si sigues así, se te ensanchará un montón.

Entonces se fue a la cocina a lavarse las manos con lavavajillas antes de volver a la cama y dormirse dándome la espalda mientras yo contemplaba el techo. Por los vigorosos sonidos de las salpicaduras, parecía que se estuviera lavando hasta los codos, como un veterinario en prácticas segundos antes de ayudar a nacer a un ternero, o un sacerdote a punto de realizar un sacrificio.

Nunca más intenté animarlo a utilizar más de un dedo.

Darren dejó la taza en el fregadero y pasó por mi lado camino del dormitorio. Esperé un momento a que desapareciera de mi vista antes de levantarme, avergonzada con la idea de lo que debía parecerle desnuda en el suelo, aunque para entonces ya había salido totalmente de mi ensueño inducido por Vivaldi y empezaba a sentir las extremidades doloridas y frías.

–Cuando quieras ven a la cama –gritó.

Escuché cómo se desnudaba y se metía en la cama, me puse la ropa interior y esperé a que su respiración se apaciguara antes de meterme bajo las sábanas.

La primera vez que escuché *Las cuatro estaciones* de Vivaldi tenía cuatro años. Mi madre y mis hermanos habían ido a pasar el fin de semana con la abuela. Yo me había negado a marcharme sin mi padre, que no podía ir porque tenía que trabajar. Me agarré a él y aullé mientras mis padres intentaban meterme en el coche, hasta que se dieron por vencidos y permitieron que me quedara.

En lugar de dejarme en la guardería, mi padre me llevó con él a trabajar. Pasé tres días magníficos de libertad casi total correteando por su taller, trepando por las pilas de neumáticos y aspirando el olor a goma mientras lo veía levantar con el gato coches de otras personas y deslizarse debajo de modo que solo se le veían las piernas y la cintura. Siempre me quedaba cerca porque me daba un miedo terrible que un día el gato fallara y el coche le cayera encima y lo partiera por la mitad. No sé si era arrogancia o estupidez, pero incluso a aquella edad creía que sería capaz de salvarlo, que con la cantidad de adrenalina suficiente sería capaz de sostener la carrocería del coche unos segundos para que mi padre pudiera escapar.

Cuando terminaba el trabajo, subíamos a su camioneta y volvíamos a casa, parando para comprar un helado por el camino, a pesar de que normalmente no me estuviera permitido tomar el postre antes de la cena. Mi padre siempre lo pedía de ron y pasas, mientras que yo elegía un sabor diferente cada vez, o a veces dos medias bolas de dos clases distintas.

Una noche que no podía dormir fui al salón y lo encontré tumbado boca arriba a oscuras, como si estuviera dormido, pero respirando normalmente. Había metido en casa el tocadiscos del garaje y oí el suave chirrido de la aguja a cada vuelta sobre el disco.

–Hola, hija –dijo.

–¿Qué haces? –pregunté.

–Escucho música –contestó, como si fuera lo más normal del mundo.

Me eché a su lado para sentir el calor de su cuerpo cerca de mí y el suave aroma de caucho nuevo mezclado con un jabón fuerte de manos. Cerré los ojos y permanecí inmóvil, hasta que el suelo pronto desapareció y lo único que existía en el mundo era yo, suspendida en la oscuridad, y el sonido de *Las cuatro estaciones* de Vivaldi en el tocadiscos.

Más tarde, le pedí a mi padre que pusiera el disco una y otra vez, quizá porque creí que me habían llamado Summer (Verano) por uno de los movimientos, una teoría que mis padres nunca confirmaron.

Mi entusiasmo fue tal que por mi cumpleaños mi padre me compró un violín y me apuntó a unas clases. Siempre había sido una niña más bien impaciente y autónoma, de las que no parecen predispuestas a hacer cursos extraescolares o aprender música, pero estaba deseando, más que nada en el mundo, tocar algo que me hiciera volar, como aquella primera noche que escuché a Vivaldi. De modo que, en cuanto puse mis manitas sobre el arco y el instrumento, ensayé todas las horas del día.

A mi madre empezó a preocuparle que me estuviera obsesionando, y quiso quitarme el violín, alejarlo de mí una temporada, para que me dedicara al resto de mis tareas escolares, y quizá también hiciera algún amigo, pero me negué en rotundo a soltar mi instrumento. Con el arco en la mano, me sentía como si fuera a despegar en cualquier momento. Sin él no era nada, un mero cuerpo como cualquier otro, soldado a la tierra como una piedra.

Avancé rápidamente por los niveles básicos de la música, y a los nueve años tocaba muy por encima de la capacidad que mi asombrada profesora de música de la escuela podía concebir.

Mi padre me apuntó a más clases con el señor Hendrik van der Vliet, un holandés mayor que vivía a dos calles de nuestra casa y apenas salía. Era un hombre alto y exageradamente flaco, que se movía sin gracia, como si estuviera atado a unos hilos, desplazando una sustancia que fuera más densa que el aire, como un saltamontes nadando en miel. Cuando agarraba el violín, su cuerpo se volvía líquido. Observar los movimientos de su brazo era como observar las olas del mar. La música fluía dentro y fuera de él como una marea.

A diferencia de la señora Drummond, la profesora de música de la escuela, que se mostraba asombrada y desconfiada ante mis progresos, el señor Van der Vliet era inconmovible. Apenas hablaba y nunca sonreía. Aunque mi pueblo, Te Aroha, tenía pocos habitantes, muy poca gente lo conocía y, que yo supiera, no tenía más alumnos que yo. Mi padre me contó que había tocado con la Orquesta Real Concertgebouw de Ámsterdam bajo la dirección de Bernard Haitink y que abandonó su carrera de músico y se fue a vivir a Nueva Zelanda cuando conoció a una neozelandesa en uno de sus conciertos. Ella murió en un accidente de tráfico el día que yo nací.

Como Hendrik, mi padre era un hombre callado, pero interesado en las personas, y conocía a todo el mundo en Te Aroha. Tarde o temprano, incluso a la persona más huraña se le acababa pinchando una rueda, ya estuviera montada en un coche, en una moto o en un cortacésped, y mi padre, que tenía fama de aceptar hasta la reparación más insignificante, dedicaba bastante tiempo a hacer trabajos para los habitantes del pueblo, incluido Hendrik, que un día entró en su taller para que le arreglara una rueda de la bici y salió con una alumna de violín.

Yo sentía una curiosa lealtad hacia el señor Van der Vliet, como si de algún modo fuera la responsable de su felicidad, al haber llegado al mundo el mismo día que su esposa lo había abandonado. Me sentía obligada a complacerlo, y bajo su tutela ensayaba y ensayaba hasta que los brazos me dolían y tenía las puntas de los dedos en carne viva.

En la escuela, ni tenía muchos amigos ni era una proscrita. Sacaba notas siempre alrededor de la media y pasaba desapercibida en todos los sentidos, menos en música, donde mis clases extraescolares y mi aptitud me situaban muy por delante de mis compañeros. Durante la hora de música, la señora Drummond me ignoraba, quizá temiendo que mis conocimientos despertaran los celos de mis compañeros o les hicieran sentir ineptos.

Cada noche iba al garaje y tocaba el violín, o escuchaba discos, normalmente a oscuras, navegando mentalmente por el canon clásico. A veces mi padre me acompañaba. No solíamos hablar, pero yo siempre me sentía unida a él a través de la experiencia compartida de escuchar, o quizá por nuestra mutua rareza.

Evitaba las fiestas y no me relacionaba mucho. En consecuencia, las experiencias sexuales con chicos de mi edad eran limitadas. Sin embargo, incluso antes de entrar en la adolescencia, sentía un desasosiego interno que representaba el inicio precoz de lo que más adelante sería un considerable apetito sexual. Tocar el violín parecía agudizar mis sentidos. Era como si las distracciones se ahogaran en el sonido y todo lo que no fueran las sensaciones de mi cuerpo desapareciera en la periferia de mi percepción. Al entrar en la adolescencia empecé a asociar esta sensación con la excitación. No entendía por qué me excitaba tan fácilmente, ni por qué la música ejercía un efecto tan poderoso sobre mí. Siempre me preocupó que mi deseo sexual fuera anormalmente alto.

El señor Van der Vliet me trataba más como si fuera un instrumento que una persona. Me colocaba los brazos en posición o me ponía una mano en la espalda para enderezarme la columna, como si estuviera hecha de madera y no de carne. Parecía totalmente inconsciente de su contacto, como si yo fuera una extensión de su propio cuerpo. Siempre fue absolutamente casto, y a pesar de esto, de su edad y de su olor ligeramente agrio y su cara huesuda, empecé a sentir algo por él. Era de una altura insólita, más alto que mi padre, quizá metro noventa y cinco, y me miraba desde muy arriba. Al final de mi desarrollo, yo medía metro sesenta y cuatro. A los trece años, mi cabeza apenas le llegaba al torso.

Empecé a esperar con ilusión nuestras clases por razones que no eran solo el placer de perfeccionar mi forma de tocar. De vez en cuando fingía ejecutar mal una nota o hacía un movimiento patoso con mi muñeca con la esperanza de que me tocara la mano para corregirme.

–Summer –me dijo un día en voz baja–, si sigues haciendo eso no te daré más clases.

No volví a tocar una nota falsa.

Hasta aquella noche, unas horas antes de que Darren y yo nos peleáramos por *Las cuatro estaciones*.

Había estado en un bar de Camden Town, tocando con un grupo con aspiraciones de banda de rock blues, cuando de repente se me paralizaron los dedos y me salté una nota. Ninguno de los miembros de la banda se dio cuenta, y aparte de un grupo de fans incondicionales que estaban allí por Chris, el cantante y guitarrista, la mayor parte del público no nos hacía ningún caso. Era un miércoles por la noche, y la clientela era peor que la de los borrachos de la noche del sábado, porque, aparte de los seguidores del grupo, los clientes habían ido al bar a tomar una cerveza y charlar tranquilamente y no prestaban atención a la música. Chris me dijo que no debía preocuparme.

Él tocaba la viola además de la guitarra, aunque había abandonado bastante el primer instrumento para intentar crear una música más comercial con el segundo. Ambos éramos músicos de cuerda de vocación y por este motivo habíamos congeniado muy bien.

–A todos nos pasa algún día, cariño –dijo.

Pero a mí no. Me sentía humillada.

Dejé a la banda en el pub sin tomar una copa con ellos y fui al metro para ir a Ealing, al piso de Darren, del que tenía llave. Me había confundido con el horario de su avión, y creía que viajaría en el vuelo nocturno y llegaría más tarde, por la mañana, e iría directamente a la oficina sin pasar por casa, lo que me daba la oportunidad de dormir en una cama cómoda toda la noche y escuchar un poco de música. Otro de los motivos por los que seguía saliendo con él era la calidad de su equipo de música, y que tuviera suficiente espacio en el suelo del salón para tumbarse. Era una de las pocas personas que conocía que todavía tenía un equipo estéreo, con reproductor de CDs, y en mi piso no había espacio suficiente para tumbarse en el suelo, a menos que metiera la cabeza en el armario de la cocina.

Tras unas horas escuchando a Vivaldi, concluí que aquella relación, por agradable que fuera en general, estaba estrangulando mi impulso creativo. Seis meses de arte encorsetado, música encorsetada, barbacoas encorsetadas con otras parejas encorsetadas y sexo encorsetado me habían dejado con la sensación de estar atada a una cadena que yo misma me había puesto al cuello, con un nudo.

Debía encontrar la manera de soltarme.

Normalmente Darren tenía el sueño ligero, pero después de un vuelo desde Los Ángeles tomaba Nytol para evitar el *jet lag.* Vi el envoltorio brillando en la soledad de la papelera. Incluso a las cuatro de la madrugada, se había molestado en tirarlo en lugar de dejarlo sobre la mesilla hasta el día siguiente.

El CD de Vivaldi estaba boca abajo junto a la lámpara. Para Darren, dejar un CD fuera del estuche era la máxima expresión de protesta. A pesar del Nytol, me sorprendía que hubiera conseguido dormirse, con el CD a la intemperie, ensuciándose.

Me levanté antes de que amaneciera, habiendo dormido solo un par de horas, y le dejé una nota en la cocina: «Perdona por el ruido. Que duermas bien. Ya te llamaré, etc.», escribí.

Tomé la Central line del metro en dirección al West End sin saber muy bien adónde iba. Mi piso siempre estaba hecho un asco, y no me gustaba ensayar allí demasiado a menudo porque las paredes eran finas y me preocupaba que los inquilinos de los apartamentos contiguos se cansaran del ruido, por agradable que a mí me pareciera. Mis manos estaban deseando tocar, aunque solo fuera para desahogar las emociones que había ido acumulando desde la noche anterior.

El metro estaba lleno a rebosar cuando llegué a Shepherd's Bush. Me había quedado en un extremo del vagón, apoyada contra uno de los asientos tapizados, al lado de la puerta, porque era más fácil que sentarse con el estuche del violín entre las piernas. Estaba aplastada por una multitud de oficinistas sudados, que abarrotaban aún más el vagón en cada nueva estación, y todos parecían tremendamente infelices.

Todavía llevaba puesto el vestido largo negro de terciopelo de la actuación de la noche anterior, con unas Dr Martens de piel de color cereza. En las actuaciones de música clásica me ponía tacones, pero prefería volver a casa con las botas porque sentía que añadían un contoneo amenazador a mi paso cuando caminaba por el East End a altas horas de la noche. Me enderecé, con la barbilla alta, imaginando que, vestida así, la mayoría de la gente del vagón o al menos los que podían verme entre la multitud, sospechaban que volvía a casa después de un ligue de una noche.

A la mierda. Ojalá estuviera volviendo a casa después de un ligue de una noche. Con los viajes que hacía Darren, y yo que tocaba en todas las actuaciones que me ofrecían, llevábamos casi un mes sin tener relaciones sexuales. Y cuando las teníamos, casi nunca me corría, y si lo hacía era tras unas caricias apresuradas y avergonzadas con las que yo intentaba alcanzar el orgasmo mientras me preocupaba que mi masturbación después de un polvo le hiciera sentir incompetente. Aún así, a pesar de todo, me masturbaba, porque era o eso o pasar las siguientes veinticuatro horas con los nervios a flor de piel y sintiéndome desdichada.

En Marble Arch subió un obrero de la construcción. Para entonces el extremo del vagón estaba abarrotado, y los demás pasajeros pusieron mala cara cuando intentó hacerse sitio junto a la puerta, frente a mí. Era alto, con extremidades musculosas y gruesas, y tuvo que agacharse un poco para que las puertas pudieran cerrarse.

–Hagan sitio, por favor –gritó un pasajero con una voz cortés, pero tensa.

Nadie se movió.

Soy una persona educada y moví el estuche del violín para hacer sitio, dejando mi cuerpo libre de obstáculos y directamente frente al hombre musculoso.

El tren arrancó con una sacudida, desequilibrando a los pasajeros. El hombre salió disparado hacia delante y yo enderecé la espalda para no perder el equilibrio. Por un momento sentí su pecho apretándose contra mí. Llevaba una camiseta de algodón de manga larga, un chaleco de seguridad y vaqueros lavados a la piedra. No estaba gordo, pero era robusto, como un jugador de rugby fuera de temporada, estaba estrujado en el vagón con el brazo estirado para agarrar la barra del techo, y todo lo que llevaba parecía irle ligeramente pequeño.

Cerré los ojos y me imaginé cómo sería debajo de los vaqueros. No había podido verlo por debajo de la cintura al entrar, pero la mano que agarraba la barra del techo era grande y gruesa, así que supuse que lo mismo podía aplicarse al bulto de los vaqueros.

Entramos en Bond Street y una rubia menuda con una expresión decidida en la cara, se dispuso a entrar a la fuerza.

Un pensamiento fugaz: ¿saldría el tren de nuevo de la estación con una sacudida?

Lo hizo.

«Musculitos» cayó contra mí y, sintiéndome atrevida, empujé hacia delante los muslos con fuerza y noté que su cuerpo se ponía tenso. La rubia empezó a retorcerse intentando sacar un libro del bolso y clavó el codo en la espalda del obrero de la construcción. El hombre se acercó más a mí para hacerle sitio, o quizá simplemente le gustaba la proximidad de nuestros cuerpos.

Apreté más fuerte los muslos.

El vagón dio otra sacudida.

Se relajó.

Ahora su cuerpo estaba firmemente pegado contra el mío, y envalentonada por nuestra aparentemente fortuita proximidad, me apoyé solo un poquito, empujando la pelvis hacia fuera de manera que el botón de sus vaqueros hiciera presión contra mi sexo.

Soltó la mano de la barra del techo y la apoyó en la pared por encima de mi hombro, de modo que estábamos prácticamente abrazados. Me imaginé que sentía su respiración entrecortada y el corazón acelerado, aunque cualquier ruido que hubiera hecho se habría apagado con el sonido del tren corriendo por el túnel.

Me latía el corazón con fuerza y sentí una punzada súbita de miedo, pensando que había ido demasiado lejos. ¿Qué haría si me dirigía la palabra? ¿O si me besaba? Me pregunté cómo sería sentir su lengua en mi boca, si sería bueno besando, si era la clase de hombre que metería y sacaría la lengua de forma horrible, como un lagarto, o si sería de los que me apartaría los cabellos y me besaría lentamente, como si me saboreara.

Sentí una humedad cálida entre las piernas y me di cuenta, con una mezcla de vergüenza y placer, de que se me habían mojado las bragas. Por suerte había resistido el deseo de salir en plan fugitiva aquella mañana y había encontrado unas bragas en casa de Darren.

Musculitos estaba volviendo la cara hacia mí, intentando mirarme a los ojos, y yo mantuve la mirada baja y el rostro impasible, como si la presión de su cuerpo contra el mío no tuviera nada de especial y aquella fuera mi forma habitual de viajar en el metro.

Temiéndome lo que sucedería si continuaba mucho más tiempo atrapada entre la pared del vagón y aquel hombre, me agaché para pasar por debajo de su brazo y bajé del vagón en Chancery Lane sin mirar atrás. Momentáneamente me pregunté si me seguiría. Yo llevaba un vestido; Chancery Lane era una estación poco transitada; tras nuestro intercambio en el vagón, podía proponer toda clase de gestas anónimas y eróticas. Pero el tren se marchó y el tiarrón se fue con él.

Tenía la intención de doblar a la izquierda al salir de la estación y dirigirme a un restaurante francés de la esquina donde hacían los mejores huevos Benedict que había probado desde que me fui de Nueva Zelanda. La primera vez que comí allí, le dije al chef que preparaba el desayuno más delicioso de Londres, y él me contestó que ya lo sabía. Entiendo por qué a los londinenses no les caen bien los franceses; son unos engreídos, pero a mí me gustan, y volvía siempre que podía al mismo restaurante para comer unos huevos Benedict.

Pero aquella vez estaba demasiado aturullada para recordar el camino y doblé a la derecha en lugar de a la izquierda. De todos modos el restaurante francés no abría hasta las nueve. Podía encontrar un lugar tranquilo en Grey's Inn Gardens, quizá tocar un poco antes de volver al restaurante.

Bajando por la calle y buscando el camino que llevaba al parque, me di cuenta de que estaba delante de un club de *striptease* al que fui pocas semanas después de llegar a Inglaterra. Había ido con una amiga, una chica con quien trabajé un tiempo mientras viajaba por el Territorio del Norte de Australia y con la que coincidí de nuevo en un albergue de juventud la primera noche que estuve en Londres. Ella había oído que bailar era la forma más fácil de ganar dinero en la ciudad. Trabajabas en locales sórdidos un par de meses más o menos y luego ya encontrabas empleo en uno de los bares elegantes de Mayfair, donde las celebridades y los futbolistas te metían fajos de billetes en el tanga como si fueran confeti.

Charlotte me había llevado con ella a inspeccionar el local y ver si podía encontrar empleo. Me decepcionó que el hombre que nos recibió en la entrada con moqueta roja no nos llevara a una habitación llena de mujeres escasamente vestidas meneando las caderas sino que nos llevara a su despacho, que estaba detrás de una puerta, en un lateral.

Le preguntó a Charlotte qué experiencia tenía; ninguna, exceptuando cuando se subía a bailar a las mesas en los clubes nocturnos. Después la miró de arriba abajo, como un yóquey evaluando un caballo en una subasta.

Entonces me miró a mí de arriba abajo.

–¿Tú también buscas trabajo, guapa?

–No, gracias –contesté–. Ya tengo. Solo la acompaño.

–Aquí no toca nadie a nadie. Si intentan algo los echamos inmediatamente –añadió, esperanzado.

Negué con la cabeza.

Si hubiera considerado brevemente vender mi cuerpo por dinero, si no fuera por los riesgos que comporta, habría preferido la prostitución. No sé por qué, pero me parecía más honesto. El *striptease* lo veía como algo artificioso. ¿Por qué ir tan lejos y no llegar hasta el final? En cualquier caso, decidí que necesitaba las noches libres para las actuaciones, y necesitaba un empleo que me dejara suficiente energía para ensayar.

Charlotte duró aproximadamente un mes en el club de Holborn antes de que la echaran porque una de las chicas la denunció por salir del local con dos clientes.

Una pareja joven. Con el aspecto más inocente que te puedas imaginar, dijo Charlotte. Habían ido al local tarde, una noche de viernes, el chico más contento que unas castañuelas y la chica excitada y asustadiza como si no hubiera visto el cuerpo de otra mujer en su vida. El chico se había ofrecido a pagar por un baile, y su novia echó un vistazo y eligió a Charlotte. Quizá porque todavía no había comprado ropa de *stripper* como Dios manda ni se había puesto uñas postizas como las demás chicas. Era lo que hacía diferente a Charlotte. Era la única *stripper* que no lo parecía.

La chica se había excitado claramente a los pocos segundos. Su novio estaba colorado como un tomate. Charlotte se divertía pervirtiendo la inocencia y le halagaba la respuesta de los jóvenes a los movimientos de su cuerpo.

Se inclinó hacia delante, llenando el escaso espacio que quedaba entre ellos.

–¿Queréis venir a mi casa? –les susurró al oído.

Tras ruborizarse un poco más, ambos aceptaron, subieron los tres a un taxi negro y fueron al piso de Vauxhall. La propuesta de Charlotte de ir a casa de ellos en lugar de a la suya había sido rechazada inmediatamente.

La cara de su compañero de piso era un poema, dijo Charlotte, cuando abrió la puerta de su dormitorio por la mañana, sin llamar, para dejarle una taza de té y la encontró en la cama no con un desconocido sino con dos.

Ya no veía mucho a Charlotte últimamente. Londres tenía tendencia a tragarse a las personas, y mantener el contacto con la gente nunca había sido mi fuerte. Pero del club sí me acordaba.

El local de *striptease* no estaba, como podía esperarse, en un callejón oscuro, sino en plena calle principal, entre un Pret à Manger y una tienda de deportes. Unas puertas más abajo había un restaurante italiano donde fui una vez con un amigo, una cena memorable porque quemé la carta sin querer al sostenerla sobre la vela que habían colocado en el centro de la mesa.

La entrada estaba ligeramente oculta y el letrero de encima no era de neón ni estaba encendido, pero si mirabas el lugar directamente, desde el cristal mate al nombre ridículo –Cariñitos– no había forma de confundirlo con algo que no fuera un club de *striptease*.

Empujada por una curiosidad repentina, apreté más fuerte el violín bajo el brazo, y empujé la puerta.

Estaba cerrada. Con llave. Seguramente no era tan raro que no estuviera abierto a las ocho y media de la mañana de un jueves. Pero yo volví a empujar la puerta, esperando que se abriera.

Nada.

Dos hombres pasaron lentamente en una camioneta blanca y bajaron la ventanilla.

–Vuelve a la hora del almuerzo, guapa –gritó uno de ellos.

La expresión de su cara era más de simpatía que de atracción. Con mi vestido negro, y el maquillaje de roquera de la noche anterior, probablemente parecía una chica desesperada por encontrar un empleo. ¿Y si lo era, qué?

Ya estaba hambrienta y tenía la boca seca. Me empezaban a doler los brazos. Apretaba fuerte el estuche del violín contra el costado, un tic que tenía cuando estaba preocupada o estresada. No me apetecía ir al restaurante francés sin ducharme y con la ropa del día anterior. No quería que el chef pensara que era una palurda.

Tomé de nuevo el metro a Whitechapel, fui caminando a mi piso, me quité el vestido y me metí en la cama. Puse la alarma del despertador a las tres, para poder tocar en el metro durante las aglomeraciones de la tarde.

Incluso los peores días, los días que sentía las manos torpes como si estuvieran llenas de salchichas y la cabeza llena de pegamento, encontraba la manera de tocar en algún lugar, aunque fuera en un parque con las palomas de público. No era tanto porque fuera ambiciosa, o porque quisiera hacer una carrera musical, aunque por supuesto soñaba con que me descubrieran y me contrataran y con tocar en el Lincoln Center o en el Royal Festival Hall. Simplemente no podía evitarlo.

Me desperté a las tres sintiéndome descansada y mucho más positiva. Tengo un carácter optimista. Se necesita cierto grado de locura, una actitud muy animada o un poco de cada para trasladarte a la otra punta del mundo sin más que una maleta, una cuenta corriente vacía y un sueño. Mis bajones no duraban mucho.

Mi armario está lleno de ropa diferente para tocar en la calle, la mayor parte comprada en mercadillos y en eBay, porque no tengo mucho dinero. Casi nunca me pongo vaqueros, porque con una cintura proporcionalmente mucho más estrecha que las caderas, probarme pantalones me resulta tedioso, y por eso llevo faldas y vestidos casi siempre. Tengo un par de vaqueros cortados para cuando toco música country, pero aquel día sentía que era día de Vivaldi y Vivaldi exige un aspecto más clásico. El vestido negro de terciopelo habría sido mi primera opción, pero estaba arrugado en una pila en el suelo donde lo había tirado por la mañana, y necesitaba llevarlo otra vez a la tintorería. Así que elegí una falda negra hasta la rodilla, con un poco de cola, y una blusa de seda color crema, con un cuello delicado de encaje, que compré en una tienda de segunda mano, la misma de donde había salido el vestido. Me puse medias opacas y unas botas con cordones hasta los tobillos y tacones bajos. Esperaba que el efecto general fuera un poco recatado, victoriano gótico, el estilo que me gustaba y que Darren detestaba; él creía que lo *vintage* era para los aspirantes a modernos que no se duchaban.

Cuando llegué a Tottenham Court Road, la estación donde tenía un lugar reservado para tocar, el metro ya empezaba a estar atestado. Me instalé en mi zona, contra la pared del fondo, frente a la primera serie de escaleras mecánicas. Había leído un estudio en una revista que decía que la gente estaba más dispuesta a dar dinero a los músicos callejeros si tenía unos minutos para decidirse. Así que era útil que estuviera situada donde los pasajeros pudieran verme mientras bajaban por la escalera mecánica y darles tiempo para sacar la cartera antes de pasar delante de mí. Tampoco estaba en medio de su camino, que era lo que parecían preferir los londinenses; les gustaba pensar que habían decidido desviarse para echar dinero en mi estuche.

Sabía que debía mirar a los ojos y sonreír y dar las gracias a las personas que echaban monedas, pero normalmente estaba tan perdida en mi música que a menudo me olvidaba. Cuando tocaba Vivaldi, era imposible que conectara con nadie. Si hubiera sonado una alarma en la estación, probablemente no me habría enterado. Me llevé el violín a la barbilla y a los pocos minutos los pasajeros desaparecieron. Tottenham Court Road desapareció. Estábamos solo Vivaldi y yo, hasta el infinito.

Toqué hasta que los brazos me dolieron y el estómago empezó a quejarse, ambas claras señales de que era más tarde del tiempo que había pensado quedarme. Llegué a casa a las diez.

Hasta la mañana siguiente no conté mis ganancias y no descubrí un billete rojo nuevo pulcramente metido en un pequeño desgarro del forro de la funda de terciopelo. Alguien me había dejado cincuenta libras.

# 2

## *Un hombre y sus deseos*

Las mareas de casualidades se mueven de formas curiosas. A veces sentía que toda su vida había fluido como un río, en un curso tortuoso demasiado a menudo dictado por acontecimientos o personas llegados a su vida por azar, y que nunca había estado realmente al mando. Simplemente se había dejado llevar desde la infancia, la adolescencia y las primeras batallas hasta llegar a las aguas plácidas de la mediana edad, como un borracho que se embarca en mares desconocidos. Pero, en realidad, ¿no estaban todos en el mismo barco? Tal vez él solo demostrara ser mejor navegante, y las tormentas no habían sido demasiado feroces por el camino.

La clase de aquel día se había alargado: demasiadas preguntas de los estudiantes interrumpiendo su exposición. Tampoco representaba un problema para él. Cuanto más preguntaran, cuanto más dudaran, mejor. Significaba que estaban atentos, interesados en el tema. No era siempre así. Aquel año tenía un buen grupo. La proporción justa de estudiantes extranjeros y nacionales para formar una mezcla exigente, que a su vez lo mantenía alerta y despierto. A diferencia de tantos otros profesores, variaba mucho sus clases de un curso a otro, aunque solo fuera para esquivar la trampa del aburrimiento y la repetición. Aquel semestre sus seminarios de literatura comparada exploraban la recurrencia del suicidio y el elemento de la muerte en los escritores de las décadas de 1930 y 1940. Estudiaban las novelas del norteamericano F. Scott Fitzgerald; del francés, a menudo erróneamente etiquetado como fascista, Drieu La Rochelle y del autor italiano Cesare Pavese. No era un tema especialmente alegre, pero parecía tocar la fibra a la mayor parte de su público, sobre todo a las mujeres. Se imaginaba que la culpa era de Sylvia Plath. Mientras no guiara a demasiadas de ellas en dirección al horno de gas para emularla, pensó sonriendo por dentro.

No necesitaba el empleo. Diez años antes, tras el fallecimiento de su padre, recibió una buena suma como herencia. No se lo esperaba. Nunca habían tenido una buena relación, y siempre dio por supuesto que sus hermanos, con quienes no mantenía un contacto regular ni tenía mucho en común, lo heredarían todo. Fue una sorpresa agradable. Una encrucijada invisible más en el camino de la vida.

Después de clase tenía cita con un par de estudiantes en su despacho, para organizar futuras tutorías y responder preguntas, y se le fue el día. Había pensado ir a ver una película de estreno en el Curzon West End, a última hora de la tarde, pero ya no llegaba. Tampoco era importante, podía ir durante el fin de semana.

Su móvil vibró y sonó, arrastrándose como un cangrejo sobre la lisa superficie de la mesa. Respondió. Era un mensaje.

«¿Te apetece quedar? C.»

Dominik suspiró. ¿Debía o no debía?

Llevaba un año viéndose con Claudia y ya no estaba seguro de lo que sentía por ella y por todo el asunto. Teóricamente no corría ningún peligro porque empezaron a salir una vez que ella dejó de ser su alumna. Pensó que duraría unos días. Así que la cuestión ética estaba resuelta, pero ya no estaba seguro de querer seguir con la relación.

Decidió no responderle inmediatamente. Darse un tiempo para reflexionar. Recogió la chaqueta de piel negra gastada del colgador de la pared, metió los libros y las carpetas de la clase en la bolsa de lona y salió a la calle. Con la cremallera subida hasta el cuello para protegerse del viento gélido que subía del río, se dirigió hacia el metro. Estaba oscureciendo, se imponía el tono gris metálico apagado del otoño londinense. Se sentía amenazado por las multitudes de la hora punta que descendían apresuradas, riadas de pasajeros dirigiéndose en todas direcciones, rozándole anónimamente en su estela. Normalmente, a esas horas estaría ya lejos del centro. Era un poco como ver otra faceta de la ciudad, una dimensión singular, en la que el mundo robótico del trabajo estaba en alza, pesada, plomiza, fuera de lugar. Dominik tomó sin pensárselo el periódico gratuito de la tarde que le ofrecían y entró en la estación.

Claudia era alemana, no era pelirroja auténtica y era estupenda en la cama. El cuerpo le olía a menudo al aceite de coco de la crema aromática que usaba para hidratar la piel. Tras una noche entera con ella en la cama, Dominik normalmente acababa con un ligero dolor de cabeza debido al fuerte olor. Tampoco pasaban muchas noches enteras juntos. Hacían el amor, charlaban un poco y se despedían hasta la próxima. Era ese tipo de relación. Sin ataduras, sin preguntas, sin exclusividades. Satisfacían necesidades mutuas, casi tenía una virtud higiénica. Era una relación en la que se había encontrado sin querer; sin duda ella le mandó señales, una luz verde o algo parecido, al principio, y Dominik se dejó llevar sabiendo que no había tomado conscientemente la iniciativa. Esas cosas suelen pasar.

El tren se detuvo mientras él soñaba despierto. Allí debía hacer transbordo a la Northern line, a través de un laberinto de pasillos. Detestaba aquel metro, pero la lealtad a sus años previos menos adinerados le impedía la mayor parte de los días tomar un taxi para ir y volver de clase. Se habría llevado el coche, sin importarle pagar la tarifa del peaje del centro, de no ser por la falta de aparcamientos en la universidad y en la zona colindante, además del habitual e irritante embotellamiento en Finchley Road.

Los olores conocidos de la hora punta –sudor, resignación y depresión– le agredieron los sentidos mientras se dirigía a la escalera mecánica, y un sonido lejano de música llegó a sus oídos.

El camarero les había llevado los cafés fuera. El café doble habitual de Dominik y un capuchino más sofisticado con algún añadido seudoitaliano para Claudia. Había encendido un cigarrillo después de pedirle permiso, aunque Dominik no fumara.

–¿Estás contenta con el curso, entonces? –preguntó.

–Mucho –confirmó ella.

–¿Y ahora qué piensas hacer? ¿Quedarte en Londres y seguir estudiando?

–Es probable.

Claudia tenía los ojos verdes y llevaba los cabellos rojizos oscuros recogidos en un moño francés, si es que todavía se llamaba así. Sobre la frente le caía un flequillo poco tupido.

–Me gustaría hacer un doctorado, pero todavía no me siento preparada. Podría dar clase en alguna parte. Enseñar alemán. Me lo han pedido varias personas.

–¿No literatura? –preguntó Dominik.

–No lo creo –respondió Claudia.

–Lástima.

–¿Por qué? –preguntó ella, con una sonrisa inquisitiva.
–Creo que lo harías muy bien.
–¿En serio?
–En serio.
–Eres muy amable.

Dominik tomó un sorbo de café. Estaba caliente, era fuerte y dulce. Le había puesto cuatro terrones y lo había agitado con ganas, borrando su sabor amargo.

–Ni hablar.

–A mí me encantaban tus clases –añadió Claudia, bajando los ojos y casi pestañeando, aunque no podía estar seguro debido a la penumbra húmeda del café. A lo mejor se lo había imaginado.

–Siempre hacías buenas preguntas, demostrabas que tenías una buena comprensión del tema.

–Tienes una gran pasión... por los libros –comentó ella rápidamente.

–Eso espero –dijo Dominik.

Claudia levantó la cabeza de nuevo y él notó que tenía la piel enrojecida hasta su espectacular escote, donde un sujetador blanco levantaba y exponía las curvas suaves y brillantes de sus pechos constreñidos. Siempre llevaba camisetas blancas ceñidas, estrechas en la cintura, que realzaban su opulencia.

La señal era inconfundible. Claudia le había propuesto quedar para tomar algo para eso. Ya no tenía que ver con propósitos académicos. Ya era evidente.

Dominik contuvo la respiración un instante mientras consideraba la situación. Vaya, era muy atractiva, y –un pensamiento cruzó su mente de refilón– hacía un par de décadas que no se acostaba con una alemana; entonces era un adolescente y Christel tenía diez años más que él, un abismo generacional en esa época para su percepción ignorante. Después de aquello había disfrutado de muchas nacionalidades femeninas en una investigación informal por la geografía del placer. ¿Por qué no?

Dominik movió una mano lentamente por la madera de la mesa y rozó los dedos extendidos de Claudia. Uñas largas y afiladas pintadas de escarlata, dos anillos gruesos, uno con un pequeño diamante.

La chica se miró la mano y respondió a la pregunta no formulada.

–Estoy prometida desde hace un año. Él está en Alemania. Viene a verme de vez en cuando. Pero ya no estoy segura de que vayamos en serio. Por si te lo preguntabas.

Dominik disfrutaba de cómo el acento alemán de Claudia modulaba sus palabras.

–Ya. –Las palmas de la mano de la chica estaban anormalmente calientes.

–¿Tú no llevas anillos? –preguntó.

–No –dijo Dominik.

Una hora más tarde, estaban en el dormitorio de ella en Shoreditch. El ruido de los clientes de los clubes nocturnos de Hoxton, que hablaban con voz fuerte en la acera, se filtraba por la ventana abierta.

–Permíteme –dijo.

Se besaron. El aliento de ella era un cóctel de tabaco, capuchino, lascivia y calor que le subía del estómago. El aliento de ella deteniéndose mientras las manos de él se paseaban por su cintura y le apretaba el torso contra sus pechos, con los pezones endurecidos apuntándole, delatando su excitación. El aliento de ella sobre la piel del cuello de él mientras su lengua le exploraba sensualmente la oreja izquierda, a la vez que le acariciaba el lóbulo y después lo lamía por dentro provocando que se tensara de placer y expectación. Claudia cerró los ojos.

Empezó a desabrocharle los botones de la blusa blanca y ella contuvo la respiración. La fina tela estaba tan tensa que a Dominik le extrañó que pudiera respirar. Botón tras botón, liberando la suavidad de su piel, con cada sucesiva abertura la blusa se abría un poco más, abandonándose a la liberación. Sus pechos transmitían una alegría espectacular. Colinas pronunciadas en las que podía hundirse, aunque generalmente le gustaran ejemplos de opulencia menos expansivos. Claudia era una muchacha grande, empezando por su personalidad, su exuberancia natural, hasta cada una de las curvas de su cuerpo.

La mano de la chica se paró en la parte delantera, ahora exageradamente abultada, de sus pantalones. Dominik retrocedió un paso, sin ninguna prisa por ser «liberado».

Dominik extendió una mano hacia Claudia, enroscó un par de dedos en sus cabellos de color fuego y encontró la ligera resistencia de docenas de horquillas que sujetaban la delicada forma del moño. Suspiró. Comenzó a retirar cada horquilla con movimientos lentos y deliberados, soltando mechones enteros cada vez, observando cómo se soltaban y le caían sobre los hombros, posándose apaciblemente sobre las tensas y finas tiras del sujetador.

Estos eran los momentos para los que vivía. La quietud antes de la tormenta. El ritual de desvelar. Sabiendo que se había alcanzado el punto de no retorno, que se había traspasado, que la penetración era inevitable. Dominik quería saborear cada momento, alargarlo al máximo, imprimir cada recuerdo en sus neuronas, visiones completamente nuevas que recorrían el camino desde las puntas de los dedos por todo su cuerpo, a lo largo de su erección, hasta su cerebro, donde quedaría grabado para siempre. La clase de recuerdos con los que podía regalarse toda la vida.

Respiró profundamente y captó el olor desconocido y débil del aceite de coco.

–¿Qué perfume llevas? –preguntó, intrigado por aquella fragancia poco habitual.

–Ah, eso –dijo Claudia con una sonrisa insinuante–. No es un perfume, es una crema. Me doy un masaje con ella cada mañana. Me mantiene la piel suave. ¿No te gusta?

–Es rara, lo reconozco –contestó, y después de reflexionar, añadió–: Eres tú.

Se acostumbraría enseguida. Era curioso que cada mujer oliera de forma diferente, como una firma, un equilibrio sensorial delicado de aroma natural, perfumes y aceites artificiales, dulces y agrios.

Claudia se desabrochó el sujetador y sus pechos se desbordaron, sorprendentemente altos y firmes. La mano de Dominik bajó hasta los pezones marrón oscuro y turgentes. Un día en el futuro, disfrutaría pellizcándolos con las horquillas para que se endurecieran y contemplaría en los ojos húmedos de Claudia el dolor y el placer que aquello le provocaba.

–A menudo, durante tus clases, te pillaba mirándome, ¿sabes? –comentó.

–¿Ah, sí?

–Pues sí –confirmó ella con una sonrisa.

–Si tú lo dices –añadió Dominik, en un tono malicioso.

¿Cómo podía no mirarla? Siempre llevaba la falda más corta y siempre se sentaba en la primera fila del aula, cruzando y descruzando las piernas enfundadas en medias con un abandono alegre y despreocupado, observando apaciblemente la mirada errante de Dominik con una sonrisa enigmática en sus labios carnosos.

–Veamos, entonces –dijo Dominik.

La observó mientras bajaba la cremallera de la falda con estampado Burberry, la dejaba caer al suelo y salía del círculo de tela todavía con las botas marrones de piel hasta la rodilla. Tenía los muslos gruesos, pero su corpulencia estaba en consonancia, con los pechos desnudos al aire como mástiles imperiosos, vestida únicamente con las bragas negras hasta la cintura, medias hasta la mitad del muslo y botas bien lustradas; tenía un aire a amazona guerrera. Feroz pero dócil. Agresiva pero dispuesta a ceder. Se miraron a los ojos.

–Tú –ordenó ella.

Dominik se desabrochó la camisa, la dejó caer al suelo enmoquetado, mientras ella lo observaba atentamente.

Una sonrisa cómplice se paseó por los labios de Claudia, mientras Dominik permanecía impasible, instándola silenciosamente con los ojos a seguir desnudándose.

Claudia se agachó para bajar la cremallera de las botas y se las quitó rápidamente, una detrás de otra. Enrolló el fino nailon de las medias hasta los tobillos y se las quitó. Cuando estaba a punto de bajarse las bragas Dominik levantó una mano.

–Espera –dijo.

Ella se detuvo.

Se acercó a Claudia, se puso detrás de ella y se arrodilló a la vez que metía un dedo por debajo de la tela elástica de la ropa interior, admirando la solidez y la perfección de las nalgas desde su perspectiva, las pecas salpicadas aquí y allá en el panorama de la espalda desnuda. Tiró con un gesto hacia abajo, dejando a la vista el paisaje blanco de las nalgas firmes. La agarró por una pantorrilla y ella se deshizo de las bragas, que él arrugó en un puño y lanzó lejos.

Se levantó y se quedó de pie delante de ella, que ya estaba totalmente desnuda.

–Date la vuelta –pidió Dominik.

Iba totalmente depilada, y su abertura se mostraba insólitamente gruesa, claramente delimitada, una línea geométrica y recta de finas cordilleras de carne enfrentadas.

Alargó un dedo hacia la entrepierna. Sintió el calor que irradiaba. Introdujo el dedo con seguridad. Estaba muy húmeda.

La miró a los ojos, buscando el deseo.

–Fóllame –dijo Claudia.

–Creía que no me lo pedirías nunca.

Desde lejos, avanzando por el pasillo que conducía al andén de la Northern line, acompañado de la multitud de la hora punta como si fuera un prisionero estrechamente custodiado, le llegaron los acordes de una melodía conocida.

El sonido de un violín que perforaba el ruido sofocado de los pasajeros vespertinos llegó hasta él, más fuerte a cada paso, hasta que Dominik reconoció que alguien tocaba la segunda sección de *Las cuatro estaciones* de Vivaldi, aunque solo fuera la parte del violín principal, sin el acompañamiento de toda la orquesta como contrapunto del concierto. Pero el tono era tan agudo que no requería el apoyo de una orquesta. Apresuró el paso, dejando que la música fluyera dentro de sus oídos atentos.

En la encrucijada de cuatro túneles, en un espacio más abierto, donde una hilera de ascensores engullía riadas de pasajeros al tiempo que otros escupían a otras tantas hacia las profundidades del sistema de transporte, había una chica tocando su instrumento con los ojos cerrados. Los cabellos rojizos le caían sobre los hombros, como un halo, electrizados.

Dominik se paró con dificultad, impidiendo el paso a los demás pasajeros, hasta que consiguió refugiarse en una esquina donde el flujo de la hora punta no le interrumpía, y pudo estudiar con más atención a la intérprete. No, no estaba enchufada a nada. La riqueza del sonido se debía únicamente a la acústica de la zona y al vigoroso *glissando* de su arco contra las cuerdas.

Qué buena es, por Dios, pensó Dominik.

Hacía mucho tiempo que no escuchaba atentamente una pieza clásica. Cuando era pequeño, su madre le había comprado un abono de temporada a unos conciertos que se celebraban los sábados por la mañana en el Théâtre du Châtelet de París, donde destinaron a su padre y la familia vivió toda una década. Durante seis meses, en conciertos matutinos que servían como ensayo para la interpretación de verdad de la noche para un público adulto, la orquesta y los solistas invitados ofrecieron una maravillosa introducción al mundo y al repertorio de la música clásica. A Dominik le pareció fascinante, y años más tarde gastó gran parte de su escaso dinero en comprar discos –todavía era la época gloriosa del vinilo: Tchaikovsky, Grieg, Mendelssohn, Rachmaninov, Berlioz y Prokofiev eran los dioses de su panteón personal– para gran regocijo de su padre. Tardaría más de una década en graduarse en música rock, cuando Bob Dylan se inició con la guitarra eléctrica y Dominik también empezó a llevar el pelo más largo, imitándolo, siempre un poco rezagado en las tendencias musicales y sociológicas. Hasta entonces había seguido escuchando música clásica en la radio del coche. Le aportaba serenidad, le despejaba la mente, diluía las demasiado numerosas irritaciones que la carretera provocaba a su temperamento impaciente.

Los ojos de la joven estaban cerrados mientras se mecía suavemente sobre uno y otro pie, fundiéndose con la melodía. Llevaba una falda negra hasta la rodilla y una blusa blanquecina de estilo victoriano que brillaba ligeramente a la luz artificial subterránea; la tela fluyendo sobre la forma desconocida de su cuerpo. A Dominik lo sedujo inmediatamente la exquisita palidez de su piel y la fragilidad de la muñeca de la chica al mover el arco cadenciosamente con el violín apretado contra el cuello.

El violín parecía viejo, remendado en dos lugares distintos con cinta, en las últimas, pero el color de la madera conjuntaba perfectamente con el color de la melena rojiza de la joven intérprete.

Dominik se quedó escuchando cinco minutos, sin ser consciente del paso del tiempo, ignorando el continuo fluir de pasajeros hacia sus vidas y actividades anónimas, contemplando a la violinista con cautivada atención mientras ella tocaba las intricadas melodías de Vivaldi con entusiasmo y total falta de interés por el entorno y el público involuntario o el forro raído de terciopelo del estuche del violín, a sus pies en el suelo, donde se acumulaban poco a poco las monedas, a pesar de que ningún transeúnte hiciera ninguna contribución mientras Dominik estuvo presente, todo oídos y completamente fascinado.

La chica no abrió los ojos ni una sola vez, perdida en su trance, la mente engullida en el mundo de la música, volando con las alas de la canción.

Dominik también cerró los ojos, intentando inconscientemente reunirse con ella en ese otro mundo que ella se había fabricado, donde la melodía borraba las formas de la realidad. Pero los volvía a abrir una y otra vez, deseoso de ver cómo se movía el cuerpo de la chica con movimientos casi imperceptibles, con todos los tendones de los músculos invisibles intentando llegar al éxtasis. Cómo le habría gustado saber qué sentía la chica en aquel momento, en su mente y en su cuerpo.

Estaba a punto de llegar al final del *allegro* del «Invierno». Dominik sacó la cartera del bolsillo interior de la chaqueta de piel y buscó un billete. Antes de ir a la universidad, por la mañana, había pasado por un cajero. Dudó brevemente entre un billete de veinte y uno de cincuenta, miró a la joven pelirroja y siguió la incipiente ola de movimiento que recorría todo su cuerpo mientras la muñeca lanzaba el arco en un ángulo insólito hacia las cuerdas del instrumento una vez más. Por un instante, la seda de su blusa se puso tan tensa que parecía a punto de rasgarse, tirando sobre el sujetador negro que se transparentaba debajo.

Dominik sintió una tensión en la entrepierna y no precisamente por la música. Agarró el billete de cincuenta libras y lo dejó rápidamente en el estuche del violín, escondiéndolo bajo una capa de monedas para que no llamara la atención de algún transeúnte, todo sin que la joven, que estaba totalmente entregada a la música, se diera cuenta de nada.

Se alejó justo cuando la melodía se detuvo con un acorde, el ruido habitual del metro prevaleció de nuevo y los apresurados pasajeros siguieron circulando en todas direcciones.

Más tarde, una vez en casa, se echó en el sofá, escuchando una grabación de los conciertos de Vivaldi que había encontrado en los estantes, un CD que no sacaba del estuche desde hacía años. Ni siquiera recordaba haberlo comprado; tal vez venía de regalo con alguna revista.

Recordó los ojos cerrados de la mujer –¿de qué color serían?– mientras se dejaba llevar por la música, el gesto del tobillo dentro de la bota, e imaginó cómo olería. Su mente se desbocó, evocando la vulva de Claudia, su profundidad, sus dedos explorándola, su pene martilleándola, la vez que le había pedido que le metiera el puño y cómo se ajustó a su interior húmedo, y el sonido de sus gemidos, el gritito en la punta de la lengua, y cómo le había clavado las uñas en la piel sensible de la espalda en un arrebato salvaje. Respiró hondo y decidió que la próxima vez que se follara a Claudia, pondría aquella música. Sin duda. Pero en su cabeza no era Claudia a quien se estaba follando.

Al día siguiente no tenía clase; se había organizado el calendario para dar todas las clases de la semana en dos días. Sin embargo, al llegar la hora punta salió de casa impulsivamente y fue hasta la estación de Tottenham Court Road. Quería volver a ver a la joven intérprete. Tal vez descubrir de qué color eran sus ojos. Descubrir qué otras piezas de música tenía en el repertorio. Si se vestía de otro modo dependiendo de la elección de la música.

Pero no estaba. En el sitio de la chica había un chico con los cabellos largos y grasientos, que se movía con pedantería, primero tocando mal «Wonderwall» y después infligiendo una versión aún peor del «Roxanne» de Police a los insensibles pasajeros.

Dominik maldijo en voz baja.

Durante los siguientes cinco días volvió a la estación. Esperanzado.

Pero solo encontró una sucesión de músicos callejeros que tocaban Dylan y los Eagles, con más o menos éxito, o cantaban melodías de ópera con acompañamiento orquestal grabado. Nunca la violinista. Sabía que los músicos callejeros tenían lugares y horas convenidos, pero no tenía forma de descubrir cuál era el horario de la chica. Quizá fuera una intérprete ocasional y no volviera a aparecer por allí.

Finalmente, llamó a Claudia.

Fue como un polvo de venganza, como si tuviera que castigarla por no ser otra, colocándola autoritariamente a cuatro patas y poseyéndola con más brusquedad de lo normal. Ella no dijo nada, pero él se dio cuenta de que no le había gustado. Sujetándole los brazos a la espalda, apretándole brutalmente las muñecas y penetrándola hasta lo más profundo, ignorando su sequedad, deleitándose con el fuego ardiente de sus entrañas mientras empujaba con la precisión de un metrónomo, contemplando perversamente cómo cedía su culo ante la intensa presión que él aplicaba, una visión obscena en la que se regodeaba desvergonzadamente. De haber estado dotado con una tercera mano, habría tirado cruelmente de sus cabellos hacia atrás al mismo tiempo. ¿Por qué se enfadaba tanto a veces? Claudia no le había hecho nada.

Tal vez se estaba cansando de ella y había llegado el momento de cambiar. ¿A quién?

–¿Disfrutas haciéndome daño? –le preguntó Claudia más tarde mientras tomaban algo en la cama, agotados, sudorosos y angustiados.

–A veces sí –respondió Dominik.

–¿Sabes que no me importa, verdad? –dijo ella.

–Lo sé –reconoció con un suspiro–. A lo mejor lo hago por eso. Pero ¿eso significa que te gusta? –preguntó.

–No estoy segura.

Volvió a instalarse el habitual silencio después del sexo que a menudo los separaba y se durmieron. Por la mañana ella se marchó temprano, dejando una nota de disculpa sobre una entrevista pendiente, y unos cuantos cabellos rojizos sobre la almohada para recordar a Dominik que había pasado la noche en su cama.

Durante un mes Dominik no puso ningún CD de música clásica cuando estaba en casa solo. No le parecía bien. Se acercaba el final de curso y sentía la necesidad de volver a viajar. ¿Ámsterdam? ¿Venecia? ¿Otro continente? ¿Seattle? ¿Nueva Orleans? De algún modo aquellos destinos con los que antes había disfrutado ya no le parecían atractivos. Era una sensación inquietante que había experimentado muy pocas veces.

Claudia había vuelto a Hannover para pasar unas semanas con su familia y él no sentía la necesidad de salir a buscar a otra mujer para pasar el rato, y no había nadie de su pasado con quien deseara volver a quedar. Tampoco le apetecía ver a los amigos o la familia. Hubo días que incluso llegó a la conclusión de que sus poderes de seducción lo habían abandonado con destino desconocido.

Un día que iba a ver una película al National Film Theatre, en el South Bank, aceptó un periódico gratuito de un vendedor apostado ante la entrada de la estación de Waterloo y sin pensar lo guardó doblado en la bolsa de lona y se olvidó de él hasta el día siguiente por la tarde.

Cuando abrió el periódico, Dominik encontró un artículo breve de noticias locales que no habían salido en el *Guardian* de la mañana, en una sección denominada «Noticias del metro», que normalmente contaba anécdotas curiosas de objetos perdidos o historias absurdas sobre animales domésticos y aglomeraciones de hora punta.

Una violinista callejera se había visto envuelta sin querer en una pelea el día anterior mientras tocaba en la estación de Tottenham Court Road. Un grupo de hinchas borrachos de un equipo de fútbol regional que pasaba por allí camino de un partido en Wembley se enzarzó en una gran pelea en la que las autoridades del transporte de Londres se vieron obligadas a intervenir, y aunque ella se mantuvo al margen, la empujaron con violencia y se le cayó el instrumento, con el que uno de los contendientes tropezó; al parecer, el violín estaba completamente inservible.

Dominik leyó rápidamente el breve artículo dos veces, apresurándose para llegar al final. La mujer se llamaba Summer. Summer Zahova. A pesar del apellido de Europa del Este era de Nueva Zelanda.

Tenía que ser ella.

Tottenham Court Road, violín... ¿quién podía ser si no?

Era poco probable que siguiera tocando si se había quedado sin violín, así que las posibilidades de volver a verla, y menos oírla tocar, se habían evaporado.

Dominik estrujó el periódico con el puño sin darse cuenta y lo lanzó con furia.

Al menos tenía un nombre: Summer.

Reflexionó y recordó que hacía unos años había asediado discretamente a una examante a través de Internet, con el único fin de descubrir qué había sido de ella y cómo era su vida. Un asedio unilateral, en realidad, porque la chica no llegó a enterarse de su discreta vigilancia.

Fue al estudio, encendió el ordenador e introdujo en Google el nombre de la joven intérprete. Salieron pocos resultados, pero descubrió que tenía cuenta en Facebook.

La foto de la página de su Facebook era corriente y parecía un poco antigua, pero la reconoció de inmediato. Quizá se la hizo en Nueva Zelanda, lo que le llevó a especular sobre cuánto tiempo llevaría en Londres, o en Inglaterra.

En actitud relajada y sin la agonía de tocar el violín, su boca estaba pintada de rojo brillante, y Dominik no pudo evitar imaginar cómo sería que su erección estuviera rodeada por aquellos labios tan ferozmente suculentos.

La página de Summer Zahova tenía el acceso limitado y Dominik no pudo ver su muro, ni siquiera la lista de sus amigos; los detalles personales eran escasos, solo el nombre y la ciudad de origen y Londres como lugar de residencia, más un interés declarado tanto por hombres como mujeres, así como una lista de compositores clásicos y alguno pop entre sus preferidos. No se mencionaban libros o películas; era evidente que no dedicaba mucho tiempo al Facebook.

Pero Dominik encontró la forma de «entrar».

Aquella noche, después de sospesar multitud de pros y contras, regresó al ensordecedor silencio de la pantalla del ordenador, se conectó a Facebook y creó una cuenta nueva con un nombre falso y un mínimo de detalles personales que hacían que, en comparación, la página de Summer pareciera comunicativa. Dudó sobre la foto que debía poner, considerando la posibilidad de descargar una imagen de alguien con una máscara veneciana de carnaval, pero al final dejó vacío el hueco de la foto. Habría sido demasiado melodramático. El texto en sí ya le parecía suficientemente intrigante y enigmático.

A continuación, enfundado en su nuevo personaje, tecleó un mensaje para Summer:

> Querida Summer Zahova:
>
> Sentí mucho enterarme de tu accidente. Soy un gran admirador de tu música, y para asegurarme de que seguirás ensayando me gustaría regalarte un violín nuevo.
>
> ¿Estarías dispuesta a aceptar mi reto y mis condiciones?

Dejó el mensaje sin firmar aposta y pulsó «enviar».

# 3

## *Una chica y su trasero*

Me quedé mirando los pedazos de mi violín con una curiosa sensación de distancia.

Sin el instrumento en las manos, me sentía como si yo no estuviera realmente presente, como si hubiera observado la escena desde arriba. Disociación, decía mi psicólogo del instituto, cuando intentaba explicarle cómo me sentía sin un violín. Yo prefería pensar en mis peculiares vuelos mentales dentro y fuera de la música como una forma de magia, aunque imaginara que mi capacidad para desaparecer en la melodía en realidad solo era una conciencia agudizada de una parte de mi cerebro, consecuencia de una forma concentrada de deseo.

Habría llorado si hubiera sido de las que lloran. No es que no me angustiara por nada, más bien que tenía una forma distinta de afrontar las emociones: los sentimientos penetraban en mi cuerpo y normalmente se exteriorizaban a través del arco del violín o de alguna forma física de expresión, como la ira, el sexo emocional o haciendo largos sin descanso en alguna de las piscinas al aire libre de Londres.

–Lo siento, cielo –tartamudeó uno de los borrachos, tambaleándose hacia mí y lanzándome el aliento cargado de alcohol a la cara.

Se jugaba un partido de fútbol en algún lugar de la ciudad y dos grupos de hinchas con las camisetas respectivas de sus equipos, se habían enfrentado en la estación camino del partido. El altercado se desató a pocos metros de donde yo estaba tocando. Como siempre, estaba tan sumida en la música que no oí el comentario que uno de los bandos había hecho al otro para encender la mecha. Ni siquiera me enteré de la pelea hasta que un cuerpo rechoncho me cayó encima, lanzando mi violín contra la pared y volcando el estuche y desparramando las monedas, como canicas en un patio de colegio.

La estación de Tottenham Court Road siempre está llena y hay mucho personal del metro. Un par de guardias robustos separaron a los aficionados enardecidos y los amenazaron con llamar a la Policía. El fuego se apagó rápidamente y los hombres desaparecieron como ratas en los intestinos de la estación, corriendo por las escaleras mecánicas y los túneles, quizá conscientes de que si se quedaban más tiempo llegarían tarde al partido, o podían arrestarlos.

Me senté apoyada en la pared donde antes estaba tocando «Bittersweet Symphony» y abracé los dos pedazos de mi violín contra el pecho como si fuera un bebé. No era un violín caro, pero tenía un tono precioso y lo echaría de menos. Mi padre lo compró en una tienda de segunda mano de Te Aroha y me lo había regalado hacía cinco años, en Navidad. Prefiero los violines de segunda mano, y mi padre era especialista en localizarlos; miraba una pila de objetos inútiles y detectaba el instrumento que todavía podía servir. Tenía la costumbre de comprarme instrumentos, tal como mi madre y mi hermana me compraban ropa y libros que creían que me gustarían. Y siempre fueron perfectos. Me gustaba imaginar quién lo habría tocado antes que yo, cómo lo habría sujetado, la cantidad de manos cariñosas por las que habría pasado, a cada propietario dejando algo de su propia historia, algo de amor, algo de pérdida y algo de locura en el cuerpo del instrumento, emociones que yo podía arrancar de las cuerdas.

El violín había viajado conmigo por toda Nueva Zelanda, y después por todo el mundo. Estaba en las últimas, eso sí; había tenido que remendarlo en dos sitios con cinta por culpa de los golpes recibidos durante el largo viaje a Londres, pero el sonido seguía siendo auténtico, y se ajustaba perfectamente a mis brazos. Encontrarle sustituto sería una pesadilla. A pesar de la insistencia de Darren, no había llegado a asegurarlo. No podía permitirme un instrumento nuevo de calidad, ni siquiera un instrumento viejo de calidad. Buscar una ganga en el mercado podía llevarme semanas y no me sentía capaz de comprar un violín en eBay sin tenerlo antes en las manos y escuchar el tono.

Me sentía como una pordiosera caminando por la estación y recogiendo las monedas que se habían desparramado, con el violín destrozado en la mano. Uno de los agentes del metro me pidió mis datos, para redactar el informe, y se molestó al comprobar que no podía darle ninguna información sobre lo sucedido.

–No tiene un gran talento para la observación –dijo con sarcasmo.

–No –contesté, mirándole las manos rechonchas mientras pasaba las hojas de su cuaderno. Cada uno de sus dedos era pálido y corto, como algo que no te gustaría encontrar en el plato de una fiesta clavado en un mondadientes de cóctel. Tenía las manos de una persona que no tocaba ningún instrumento ni interrumpía peleas muy a menudo.

La verdad es que detesto el fútbol, aunque no lo reconocería nunca ante un inglés. Como norma, los futbolistas son demasiado guapos para mi gusto. En los partidos de rugby, al menos podía olvidarme del deporte y concentrarme en los muslos gruesos y musculosos de los delanteros, en los pantaloncitos cortos que se subían y estaban a punto de dejar a la vista las nalgas exquisitamente firmes. Yo no practico ningún deporte de grupo y prefiero dedicarme a nadar, correr y a levantar pesas yo sola en el gimnasio, para mantener los brazos en forma y resistir las largas horas de sujetar el instrumento.

Finalmente terminé de recoger mis ganancias, guardé los pedazos rotos del violín en el estuche y hui de la mirada observadora de los agentes del metro.

No había recogido más de diez libras en monedas de los pasajeros antes de que los gamberros me rompieran el violín. Hacía un mes que el misterioso transeúnte dejó un billete de cincuenta en mi estuche. Todavía lo conservaba, bien guardado en mi cajón de la ropa interior, aunque Dios sabe la necesidad que tenía de gastarlo. Había aumentado las horas que trabajaba en el restaurante a media jornada, pero no me salía una actuación pagada desde hacía semanas, y a pesar de sobrevivir a base de café y fideos precocinados, para pagar el alquiler del último mes había tenido que recurrir a mis ahorros.

Desde la pelea por el CD de Vivaldi solo había visto a Darren una vez, y le conté, probablemente de mala manera, que no me iba muy bien y que necesitaba aparcar nuestra relación para concentrarme en la música.

–¿Rompes conmigo para estar con un violín?

Darren parecía incrédulo. Era rico, guapo y estaba en edad de tener hijos; nadie había roto nunca con él.

–Solo es un paréntesis.

Se lo dije mirando la pata reluciente de uno de sus taburetes de diseño de acero inoxidable. No podía mirarlo a los ojos.

–No existen los paréntesis en las relaciones, Summer. ¿Estás saliendo con otro? ¿Es Chris? ¿El del grupo?

Me agarró las manos.

–Vaya, qué frías tienes las manos –dijo.

Las miré. Las manos siempre han sido la parte que más me gusta de mí. Tengo los dedos pálidos, largos y muy esbeltos, de pianista, como dice mi madre.

Sentí un súbito afecto por Darren y me volví para pasarle la mano por sus abundantes cabellos y darle un tirón a un mechón.

–Au –se quejó–, no hagas eso.

Se inclinó y me besó. Tenía los labios secos, me rozó con suavidad. No intentó atraerme hacia él. Su boca sabía a té. Me sentí mareada inmediatamente.

Lo aparté y me levanté, dispuesta a recoger el estuche del violín, mi bolsa con ropa y un cepillo de dientes, las pocas cosas que guardaba en un cajón de su piso.

–No me digas que rechazas una proposición sexual –se burló Darren.

–No me encuentro bien –dije.

–Bueno, por primera vez en la vida, la señorita Summer Zahova tiene dolor de cabeza.

Se había puesto de pie y apoyaba las manos en las caderas, como una madre reprendiendo a un niño petulante.

Recogí la bolsa y el estuche, me di la vuelta y me marché. Llevaba la ropa que menos le gustaba a Darren: botas Converse rojas de media caña, vaqueros cortos sobre medias opacas y una camiseta con una calavera, y mientras abría la puerta del piso, me sentí más yo misma de lo que me había sentido en meses, como si me hubieran quitado un peso de encima.

–Summer... –Corrió detrás de mí y me agarró un brazo mientras salía por la puerta, obligándome a volverme de cara a él–. Te llamaré, ¿de acuerdo? –dijo.

–Muy bien. –Me marché sin mirar atrás, imaginando que me observaba desaparecer por la escalera. Oí el chasquido del pestillo de la puerta al llegar al rellano de la planta baja, fuera de su vista.

Desde entonces me llamaba de vez en cuando, al principio cada noche, y después dos o tres veces a la semana, mientras yo, por mi parte, ignoraba todos sus mensajes. Un par de veces me llamó a las tres de la madrugada, borracho, y dejó mensajes confusos en el contestador.

–Te echo de menos, preciosa.

Nunca me había llamado «preciosa»; de hecho, aseguraba que detestaba la palabra, y empecé a preguntarme si realmente le había llegado a conocer.

No tenía ninguna intención de llamar a Darren precisamente entonces, aunque supiera que aprovecharía la oportunidad para comprarme un violín nuevo. Odiaba el viejo; según él, parecía de mala calidad y no era adecuado para un violinista clásico. También odiaba que tocara en la calle, porque lo consideraba indigno de mí, aunque yo sabía que lo que más le preocupaba era mi seguridad. ¿Lo ves?, me diría.

Me quedé en el semáforo delante de la estación, mirando el tráfico y los peatones que se apresuraban en todas direcciones, e intenté decidir qué podía hacer. No había hecho muchos amigos en Londres, aparte de un par de parejas con las que salíamos Darren y yo. Íbamos a cenas y a inauguraciones de galerías, y aunque fueran simpáticos, eran amigos de él más que míos. Aunque hubiera querido llamarlos no tenía sus números. Darren siempre organizaba nuestra vida social, yo me limitaba a seguirlo. Saqué el móvil del bolsillo y repasé los números de la agenda. Pensé en llamar a Chris. Era músico, lo entendería, y después se enfadaría si se enteraba de que no le había llamado, pero no me apetecía recibir muestras de simpatía o compasión. Cualquiera de las dos emociones podía hacer que me derrumbara, y entonces no serviría para nada y sería incapaz de resolver la situación.

Charlotte. Del club de *striptease*.

Hacía un año que no la veía y no había sabido nada de ella en todo ese tiempo aparte de algunos posts en Facebook, pero confiaba en que al menos Charlotte me animara y me hiciera olvidar la catástrofe del violín.

Pulsé «llamar».

Sonó el teléfono. Respondió una voz masculina, sensual, adormilada, como si lo hubieran despertado de una forma muy agradable.

–¿Hola? –dije.

Me esforcé por oír a través del ruido del tráfico.

–Perdona –dije–, creo que me he equivocado de número. Quiero hablar con Charlotte.

–Ah, está aquí –dijo el hombre–. Pero ahora no se puede poner.

–¿Puedo hablar con ella? ¿Puedes decirle que soy Summer?

–Ah... Summer, a Charlotte le encantaría hablar contigo pero..., bueno, tiene la boca llena.

Oí risitas y un roce y después la voz de Charlotte al teléfono.

–¡Summer, guapísima! –exclamó–. ¡Cuánto tiempo!

Más roces y después un gemido suave a través del receptor.

–¿Charlotte? ¿Sigues ahí?

Otro gemido. Más roces.

–No cuelgues, no cuelgues –dijo–, espera un momento. –El sonido apagado de una mano sobre el receptor y, de fondo, una risita masculina gutural y grave–. Para –dijo ella en un susurro–. Summer es amiga mía. –Entonces volvió–. Perdona, chica –dijo–. Jasper intentaba distraerme. ¿Cómo estás, cielo? Ha pasado mucho tiempo.

Los imaginé juntos en la cama y sentí una punzada de envidia. Charlotte era la única chica que conocía cuya capacidad sexual parecía rivalizar con la mía, y era muy abierta con el tema, no como yo. Desprendía vitalidad. Tenía la energía del aire después de una tormenta tropical, todo calor húmedo y exuberancia.

Recordé un día que fuimos a comprar un vibrador al Soho, unas horas antes de la entrevista para el club de *striptease* de Chancery Lane. Yo estaba un poco avergonzada y me quedé a su lado sin saber qué hacer, observando cómo ella elegía tranquilamente juguetes de todas las formas y medidas y los frotaba contra la suave piel del interior de la muñeca para probar la sensación.

Incluso había abordado al aburrido dependiente y le había pedido pilas, y se las había puesto a dos juguetes parecidos, pero ligeramente diferentes, con habilidad. Uno de ellos tenía la parte delantera plana, y el otro, diseñado para estimular el clítoris cuando estaba en marcha, un apéndice en la punta. Se pasó uno de los juguetes vibrátiles por el brazo con suavidad, y después el otro antes de volver a hablar con el dependiente.

–¿Cuál cree que es mejor? –preguntó.

Él la miró como si fuera una marciana, llegada a su tienda de otro planeta. Yo sentí que la tierra temblaba bajo mis pies y deseé que me tragara.

–No... Lo... Sé –dijo él, haciendo una pausa entre cada palabra por si ella no le comprendía.

–¿Por qué no? –insistió Charlotte, sin dejarse desanimar por el tono hosco–. ¿No trabaja aquí?

–No tengo vagina.

Charlotte sacó la tarjeta de crédito y se quedó con los dos, imaginando que pronto ganaría suficiente dinero con el *striptease* para pagar la factura.

Salimos de la tienda y Charlotte se detuvo bruscamente frente a uno de esos lavabos públicos en forma de nave espacial, de los que se abren apretando un botón, y que yo sospechaba que no se utilizaban a menudo para lo que estaban diseñados.

–No te importa, ¿verdad? –dijo y entró y apretó el botón para cerrar la puerta antes de que yo tuviera tiempo de responder.

Me quedé fuera, ruborizándome como una loca mientras me la imaginaba de pie en el cubículo con las bragas bajadas hasta las rodillas, introduciéndose el vibrador y frotándose el clítoris con aquel apéndice.

A los cinco minutos salió del lavabo sonriendo.

–El plano es mejor –comentó–. ¿Quieres probarlo? He comprado toallitas y jabón. Y lubricante.

–No, no hace falta. Gracias –contesté, preguntándome qué pensaría la gente que pasaba por la calle si nos oía. Sorprendentemente, la idea de Charlotte masturbándose en el lavabo me había excitado. No pensaba decírselo, pero no habría necesitado lubricante.

–Como quieras –dijo tan tranquila, guardando los vibradores en el bolso.

A pesar del violín roto en el estuche y de lo que me dolía el corazón solo de pensarlo, imaginarme a Charlotte probablemente desnuda al otro extremo del teléfono, con las largas y bronceadas piernas abiertas despreocupadamente sobre la cama bajo la mirada observadora de Jasper, me excitó.

–Estoy bien –mentí, y después le conté lo que había sucedido en la estación.

–¡Dios mío! Pobrecilla. Ven. Echaré a Jasper de la cama.

Me dio la dirección y una hora después estaba sentada en un columpio en el salón de su piso de Notting Hill, tomando un café doble en una taza y un plato de porcelana fina. Desde la última vez que la había visto sin duda la suerte de Charlotte había cambiado para mejor.

–Lo del baile te ha ido bien, por lo que veo –observé mirando el amplio interior del apartamento, los suelos de madera bruñida y la gran pantalla de televisión en la pared.

–Cielos, no –dijo, apagando la cafetera–. Fue horroroso. No gané nada y volvieron a despedirme.

Pasó un dedo por el asa de su tacita y se sentó en el sofá. Sospechaba que sus largos y lisos cabellos castaños eran el resultado de unas extensiones, pero me alegré de ver que todavía no llevaba uñas postizas. Charlotte no era tímida, pero tenía clase.

–He estado jugando a póquer en línea –dijo, señalando con la cabeza la mesa y un gran Mac en un rincón de la habitación–. He ganado una fortuna.

Una puerta, probablemente del baño, se abrió en el pasillo y salió una nube de vapor. Una sonrisa lánguida iluminó la cara de Charlotte, que volvió la cabeza al oír el ruido.

–Es Jasper –dijo–. Se estaba duchando.

–¿Hace mucho que salís?

–Bastante –contestó con una sonrisa, al mismo tiempo que él entraba en el salón.

Era uno de los hombres más guapos que había visto en mi vida. Con los cabellos oscuros y abundantes, todavía húmedos por la ducha; los muslos prietos enfundados en unos vaqueros, una camisa informal de manga corta, todos los botones desabrochados dejando a la vista los abdominales esculpidos y un fino sendero de pelos que bajaban hacia la entrepierna. Se quedó en silencio junto a la cocina, secándose los cabellos con una toalla con una sola mano, como si esperara algo.

–Voy a despedir a este guaperas –dijo Charlotte con un guiño, y se levantó del sofá.

Vi cómo sacaba un fajo de billetes de un sobre que había encima de la librería y lo ponía en la mano de Jasper. Él dobló los billetes y los guardó discretamente en el bolsillo de atrás de los vaqueros sin contarlos.

–Gracias –dijo Jasper–. Ha sido un placer.

–El placer ha sido todo mío –contestó ella, abriendo la puerta del piso y besándole afectuosamente en ambas mejillas antes de que se marchara.

»Siempre he querido decirle a un hombre una cosa así –dijo, al volver a sentarse en el sofá.

–¿Es un...?

–¿Acompañante? –acabó Charlotte por mí–. Sí.

–Pero tú podrías...

–¿Ligar con alguien? –volvió a acabar–. Probablemente. Pero me gusta pagarle. Es como cambiar los roles, por decirlo de algún modo, y encima no necesito preocuparme por todo lo demás.

La entendía perfectamente. En aquel momento, o en cualquier momento en realidad, habría matado por un polvo sin culpas y sin complicaciones.

–¿Tienes planes para esta noche? –preguntó de repente.

–No –dije, negando con la cabeza.

–Perfecto. Saldrás conmigo.

Protesté diciendo que no estaba de humor y que no tenía nada que ponerme, ni dinero. Además no soporto los clubes nocturnos, llenos de chicas jóvenes que agitan las pestañas postizas para que las inviten a una copa y hombres babosos que intentan manosearte.

–Te distraerás. Invito yo. Tengo ropa para ti. Y te llevaré a un sitio diferente. Te va a encantar.

Unas horas después estaba a bordo de un gran barco atracado en el Támesis que durante el otoño y una vez al mes hacía las veces de club nocturno fetichista.

–¿Y qué quieren decir con «fetichista» exactamente? –le pregunté a Charlotte un poco nerviosa.

–Oh, nada, no te preocupes –dijo–. Solo que la gente lleva menos ropa, pero como si lo hiciera aposta. Y que es más simpática.

Sonrió y me pidió que me relajara de una manera que me provocó el efecto contrario.

Yo iba vestida con un corsé azul claro, bragas con volantes y medias con una costura azul por detrás de la pierna desde el muslo hasta el tobillo donde terminaban en unos zapatos plateados de tacón. Charlotte me había recogido el pelo en una masa de rizos, duplicando el volumen ya considerable de mi melena pelirroja, y me había colocado un sombrero de copa encima en un ángulo desenfadado. Me había perfilado los ojos cuidadosamente con un lápiz líquido, grueso y oscuro, pintado los labios de un rojo brillante y llamativo y pegado un brillo plateado a mis mejillas con vaselina. El corsé me iba un poco grande y tuvo que tirar con fuerza para que se me ajustara a la cintura; los zapatos me estaban pequeños y me costaba caminar, pero el efecto general era agradable, o eso esperaba.

–¡Vaya! –exclamó Charlotte, mirándome de arriba abajo en cuanto terminó de emperifollarme con sus mejores galas–. Estás fantástica.

Me acerqué insegura al espejo. ¡Cómo me dolerían los pies al acabar la noche! Los zapatos ya me apretaban.

Me complació ver que estaba de acuerdo con la descripción de Charlotte, aunque no lo dijera en voz alta, obedeciendo las supuestas normas de comportamiento y haciendo una demostración de modestia. La chica del espejo no se parecía en nada a mí. Más bien parecía una hermana mayor rebelde en un disfraz de cabaré. El corsé me quedaba grande y me obligaba a mantenerme derecha, y aunque en el fondo me angustiaba salir, en mi nueva piel imaginaba que parecería segura de mí misma, con los hombros hacia atrás y el cuello al descubierto, como una bailarina.

Charlotte se había desnudado por completo delante de mí y se había frotado el cuerpo con lubricante, antes de pedirme ayuda para meterse dentro de un vestido de goma amarillo brillante y diminuto, con dos cremalleras a cada lado de la cintura. El vestido era escotado por delante, de modo que prácticamente quedaban a la vista sus grandes pechos comprimidos y un indicio seductor de sus pezones. El lubricante era de sabor a canela, y por un momento estuve tentada de darle un lametón. Me fijé en que no se ponía bragas a pesar de que el vestido apenas le tapaba el trasero.

Charlotte era una fresca, eso estaba claro, pero admiraba su seguridad en sí misma y, tras un día en su compañía, empezaba a acostumbrarme. Era una de las pocas personas que conocía que hacían exactamente lo que le daba la gana sin que le importara lo que pensaran los demás.

Yo con mis zapatos de tacón demasiado pequeños y Charlotte con sus enormes plataformas rojas, tuvimos que apoyarnos la una en la otra, muertas de risa, para bajar la rampa de metal que conducía al barco.

–No te preocupes –dijo Charlotte–, no te darás ni cuenta y ya estarás tumbada.

¿Ah, sí?

Llegamos más o menos a medianoche y el club estaba en pleno apogeo. Me costó un poco quitarme el abrigo y unirme a aquella concurrencia que lucía más carne a la vista de lo que estaba acostumbrada, pero Charlotte insistió en que me aclimataría enseguida. Enseñamos las entradas y nos pusieron un sello en la muñeca en la puerta, dejamos los abrigos y subimos la escalera tambaleándonos; cruzamos una gran puerta doble y entramos en el bar principal.

Inmediatamente mis sentidos se pusieron alerta. Por todas partes había hombres y mujeres vestidos con trajes alucinantes. Abundaba el látex, pero también la lencería de estilo *vintage*, las chisteras y los fracs, los uniformes militares; incluso, había un hombre que solo llevaba un anillo de pene, con el miembro flácido rebotando alegremente al andar. Una mujer bajita vestida únicamente con una falda voluminosa, con los pechos grandes colgando libremente, caminaba entre la gente sujetando una correa a la que estaba atado un hombre muy delgado y alto, con la espalda y los hombros encogidos para que ella pudiera tirar de él sin tensar la correa. Me recordó al señor Van der Vliet.

En uno de los sofás estaba sentado solo un hombrecillo, o quizá era una mujer andrógina, que llevaba un traje de goma de cuerpo entero y una máscara. Charlotte no tenía razón al decir que los fetichistas llevaban menos ropa. Sin duda, muchos de ellos apenas llevaban nada encima, y estaban tan panchos, pero otros muchos llevaban trajes elaborados que tapaban cada centímetro de carne y aun así desprendían sexualidad. La ropa barata de moda y la de calle estaban prohibidas, un detalle que elevaba a casi todos los ocupantes del barco de lo chabacano a lo histriónico.

–¿Qué te parece si bebemos algo? –preguntó Charlotte, obligándome a dejar de mirar a la gente.

Intenté con todas mis fuerzas no mirar fijamente a nadie, pero era como si me hubieran dejado en un plató de películas porno, o hubiera cruzado un pasillo a un universo paralelo donde todos eran como Charlotte y les daba igual lo que el resto del mundo pensara de ellos.

Al menos había acertado con mi traje. No solo pasaba desapercibida sino que era una de las asistentes con un atuendo más modesto. Probablemente pensaban que iba recatada. La idea me relajó. Normalmente, con un grupo de amigos o en una reunión social, me preocupaba ser la rara por mi actitud abierta hacia el sexo y las relaciones. Nadie me había etiquetado jamás de recatada.

–Agua, gracias –dije.

No quería aprovecharme de su generosidad, y quería asimilar el ambiente con la cabeza despejada, para no despertarme al día siguiente creyendo que era un sueño.

Charlotte se encogió de hombros y volvió a los pocos minutos con nuestras bebidas.

–Vamos –dijo–. Te lo enseñaré todo.

Me tomó de la mano y me hizo cruzar otra puerta doble, que daba a la proa descubierta del barco, donde un puñado de fumadores y hombres ataviados con chaquetas gruesas de aspecto militar tomaban el aire o fumaban, o ambas cosas. Las mujeres, que en general llevaban mucha menos ropa, estaban apiñadas junto a las estufas de gas situadas en el centro del espacio. Dos de ellas llevaban faldas de látex con la parte de atrás cortada y sus pálidas nalgas brillaban bajo la luz de gas como lunas gemelas a poca altura.

Caminé hacia la barandilla y me quedé quieta un momento, agarrada a la mano de Charlotte y mirando al Támesis, que se extendía hacia la noche como una cinta larga y negra, acurrucado entre las dos mitades de la ciudad. El agua parecía densa y viscosa, y hacía un ruidito de chapoteo al chocar contra el casco del barco. El puente de Waterloo salvaba las dos orillas por detrás de nosotros, el puente de Blackfriars por delante, y las luces del puente de la Torre apenas eran visibles al fondo, como una promesa oscura de lo que estaba por venir.

Sentí que Charlotte se estremecía.

–Vamos –dijo–. Hace frío fuera.

Volvimos a cruzar la puerta doble que llevaba al bar principal y después otra puerta que daba a la pista de baile. Observé, con la boca abierta, cómo una mujer de cabellos oscuros, preciosa y parecida a un vampiro, se cubría de gasolina y despedía fuego por encima de su cabeza, mientras giraba alrededor de un poste al ritmo de una canción de heavy. Olía a sexo. En compañía de Charlotte, y en presencia de tantas personas más que parecían no avergonzarse de sus cuerpos y enorgullecerse de su sexualidad, por primera vez en mi vida sentí que podía no ser tan rara. O al menos, que si lo era, no era la única.

Un hombre alto que estaba de pie al borde de la pista de baile me llamó la atención. Llevaba unas mallas ceñidas azul brillante con lentejuelas, botas de montar altas, una chaqueta militar roja y dorada y una gorra a juego. Sostenía una fusta en una mano y una copa en la otra, y charlaba animadamente con una muchacha de aspecto gótico que vestía pantalones cortos de látex. Tenía una melena negra, con un mechón blanco delante. Las mallas del hombre apenas disimulaban un gran bulto en la entrepierna, y me quedé mirándolo fijamente un momento, cautivada. Pensé que había visto unas mallas iguales en el escaparate de una tienda de ropa de mujer, pero que en él el efecto era indudablemente masculino.

Charlotte me tiró de la mano.

–Luego –me susurró al oído, echando una ojeada al hombre de las mallas–. Empieza el espectáculo. Lo que significa que abajo se estará tranquilo.

Me guio por un pasillo pequeño y con cortinas de terciopelo verde hacia otro bar, más pequeño, lleno de más público parecido, y después por un tramo de escaleras.

–Esto es la mazmorra –dijo.

La habitación no parecía lo que yo esperaba que fuera una «mazmorra», aunque tampoco tenía ninguna idea de cómo sería una mazmorra actualmente o siquiera de que existiera tal cosa. Me detuve de golpe y miré alrededor, empapándome de todo, por si no volvía a ver nada parecido en mi vida.

La decoración era como la del bar de arriba, solo que con algunas piezas de mobiliario adicional de aspecto extraño. Había una gran cruz acolchada en forma de aspa más que de crucifijo. Una mujer desnuda estaba apoyada contra ella con los brazos y las piernas abiertos, mientras otra la golpeaba con un instrumento que Charlotte llamó «gato». No veía el mango, porque la mujer lo tapaba firmemente con la mano, pero en lugar de una sola cola, como un látigo, tenías varias tiras de cuero blandas. La mujer que azotaba, de vez en cuando acariciaba el culo de la otra con la palma de la mano o rozaba su cuerpo sensualmente con las tiras de cuero. La mujer que recibía gemía de placer y se estremecía involuntariamente, y la que la azotaba se inclinaba a menudo y le susurraba al oído lo que imaginé que serían palabras cariñosas. Sonreía, reía e inclinaba el cuerpo hacia su compañera en la cruz. Las rodeaba un grupito de observadores interesados, pero parecían estar en un mundo propio, casi como si una pantalla invisible las separara de los mirones.

La visión me habría impactado si la hubiese visto en una fotografía, o si hubiese leído una descripción escabrosa en el periódico. Había oído hablar de esas cosas, por supuesto, pero archivaba aquellas actividades en mi cabeza en el mismo lugar en que ponía las historias de personas que iban de urgencia al hospital tras un desgraciado accidente con un hámster y el tubo de una aspiradora; suponía que algunas personas se aficionaban a estas cosas, pero creía que más bien era una leyenda urbana o el reino de lo extraño. Allí todas las personas parecían agradables y normales, aunque fueran vestidas con los mismos trajes llamativos que poblaban el resto del barco. Me acerqué un poco más para verlo mejor.

Sí, sin ninguna duda la persona que recibía los azotes lo estaba pasando bien. Habría dado un brazo allí mismo para saber lo que se sentía. Y los azotes, el levantamiento y la caída de las «lenguas» del látigo, parecían precisos, rítmicos, propinados con eficiencia. El conjunto resultaba muy bonito.

En vista de mi interés, Charlotte se dirigió hacia un hombre que estaba de pie cerca de la cruz; le tocó un hombro. Después me indicó que me acercara.

–Mark –dijo–, te presento a Summer. Es la primera vez que viene.

Mark me miró de arriba abajo, pero de una forma más evaluadora que depredadora.

–¡Bonito corsé! –exclamó, y me besó en ambas mejillas, al estilo europeo.

Era más bien bajo, un poco gordo y se estaba quedando calvo, pero tenía una cara simpática y un brillo atractivo en los ojos. Llevaba botas planas gruesas, un delantal y un chaleco de goma. El delantal tenía varios bolsillos, donde guardaba varios instrumentos que, a primera vista, parecían similares al látigo que se estaba utilizando en la cruz.

–Gracias –contesté–. ¿Vienes por aquí a menudo?

–No tanto como me gustaría –contestó, y se rio al ver que me ruborizaba.

–Mark es el amo de la mazmorra –intervino Charlotte.

–Básicamente –dijo él–, procuro que todo vaya bien aquí abajo y que nadie haga el imbécil.

Asentí y me balanceé sobre los pies. A pesar de ser más alta que yo, Charlotte calzaba un número más pequeño que el mío y empezaban a dolerme los pies en serio.

Busqué una silla con la mirada, pero no vi ninguna, aparte de un armazón de metal con una sección plana acolchada a la altura de la cintura que sospeché que no era un asiento.

–¿Puedo sentarme ahí? –pregunté, señalando el armazón.

–No –dijo Charlotte–. No podemos sentarnos sobre el equipo. Alguien podría necesitarlo. –De repente se le iluminó la cara–. ¡Oooh! –exclamó, sonriéndome maliciosamente y dando un codazo a Mark en las costillas–. Podrías darle unos azotes, Mark. Así descansaría los pies.

Mark me miró.

–Me encantaría –dijo–, si a la señora le apetece.

–Pues, no... Gracias, pero no estoy segura.

–Tranquila –contestó Mark educadamente.

Pero Charlotte insistió.

–Anda, ¿de qué tienes miedo? Es un experto. Pruébalo.

Volví a mirar a la mujer de la cruz, que ya parecía estar en estado de éxtasis, sin preocuparse por el espectáculo que ofrecía a los mirones.

Pensé que me habría gustado ser así, tan valiente y despreocupada. Si no me importara tanto la opinión de los demás, seguramente no habría acabado pasando más de una noche con Darren.

–Yo estaré aquí –añadió Charlotte, sin duda viendo que mi determinación vacilaba–. ¿Qué es lo peor que te puede pasar?

Qué demonios. Allí nadie pensaría mal de mí y podría echarme un rato, y encima, sentía curiosidad. Si fuera tan malo no habría tanta gente haciéndolo.

–De acuerdo –acepté, sonriendo–. Lo probaré.

Charlotte se estremeció de placer.

–¿Qué instrumento prefieres? –preguntó Mark, haciendo un gesto hacia las herramientas que llevaba colgadas en el delantal.

Seguí el gesto de su mano. No era alto, pero tenía unas manos grandes y fuertes. Parecían trabajadas, de la clase de manos que hacen trabajo físico durante el día, no manos fofas que teclean un ordenador.

Charlotte siguió mi mirada con interés.

–Creo que le gustaría con las manos –dijo.

Asentí.

Charlotte me tomó otra vez de la mano y me llevó al potro.

Mark me separó amablemente de Charlotte y se puso frente a mí.

–Veamos –dijo–. Empezaré muy suavemente. Si en algún momento te sientes incómoda, levanta la mano y pararé enseguida. Charlotte se quedará a tu lado. ¿Entendido?

–Sí –dije.

–Bien, de acuerdo. Pero no funcionará sobre las bragas de volantes. ¿Te importa si te las quito?

Contuve la respiración. Por Dios, ¿en qué me había metido? Pero ya me lo esperaba; no sería lo mismo, era evidente, a través del tejido de la ropa interior, y en la habitación todo el mundo estaba medio desnudo, de modo que no desentonaría.

–Claro.

Me volví a mirar el potro y me apoyé sobre él, liberando el peso de los zapatos y proporcionando un anhelado respiro a mis pies. Mi cintura y mi torso se apoyaban sobre la parte plana y acolchada del centro del armazón, y había dos partes aún más acolchadas para que apoyara los brazos, con asideros para las manos.

Sentí que un dedo se introducía en la cintura elástica de mis bragas de volantes y las bajaba lentamente por mis piernas enfundadas en medias. Mark me agarró un pie y luego el otro con las manos para ayudarme a quitármelas. Me separó las piernas y me imaginé que, agachado como estaba a mis pies, tenía una visión clara de todas mis partes. Me ardieron las mejillas, pero ya sentía que me estaba rindiendo. Un calor agradable, que me hacía cosquillas, me recorría la parte inferior del cuerpo. Se levantó y Charlotte me apretó la mano.

Por un momento, no sentí nada, solo una ligera caricia del aire sobre las nalgas desnudas y la supuesta mirada de los desconocidos sobre mi carne al descubierto.

Entonces una palma fuerte me tapó la nalga derecha y la acarició en el sentido del reloj, seguido de una brisa ligerísima cuando la mano se apartó, después cayó sobre una nalga y a continuación sobre la otra.

Una punzada aguda.

Luego el tacto suave de su mano fría sobre mi carne caliente, calmando, acariciando.

Otro roce de aire al levantarse la mano.

Y un sobresalto al caer la mano sobre mi trasero, esta vez más fuerte.

Agarré con fuerza los asideros de las manos, arqueé la espalda, apreté los muslos contra la protección acolchada, sentí otra vez calor en la cara al darme cuenta de que estaba mojada y me imaginé que Mark podía ver mi excitación, podía olerla. Debía de sentir que mi cuerpo empezaba a someterse a su contacto, que la curva de mi espalda crecía como si me preparara para empujar hacia él.

Otro azote, esta vez mucho más fuerte, realmente doloroso. La aguda punzada me sobresaltó y por un momento brevísimo me planteé pedirle que parara, pero su mano volvió a ponerse sobre mí, descansando en la nalga que acababa de azotar, aliviando el dolor y sustituyéndolo por una curiosa forma de calor que me subió por toda la columna hasta la nuca.

Dejando una mano sobre mi culo, subió la otra suavemente por mi espalda hasta el cuello y los cabellos, separando los dedos, y tirando ligeramente del pelo, al principio; luego con más fuerza.

Yo ya estaba en otra parte. La habitación desapareció; las miradas imaginarias de los desconocidos se desvanecieron; Charlotte se esfumó; no había nada más que yo y la sensación de la mano de Mark tirándome del pelo mientras yo me arqueaba contra el potro y gemía y él seguía azotándome.

Luego regresé. Había dos manos en mis nalgas doloridas, reposando, y la mano de Charlotte apretando la mía. El ruido de la habitación empezó a filtrarse otra vez en mi conciencia. Voces y música, cubitos de hielo chocando en los vasos, y el sonido de otra persona recibiendo azotes.

–¿Estás bien, cariño? ¿Has vuelto? Vaya –dijo Charlotte, suponía que a Mark–, estaba completamente ida.

–Sí –dijo él–, tiene un talento natural.

Volví la cabeza para sonreírles e intenté ponerme de pie, pero me di cuenta de que no podía caminar. Me sentía tan insegura como un potro recién nacido, y estaba tan excitada que tenía las piernas resbaladizas. Me daba vergüenza haber reaccionado con tanta intensidad, pero ni Mark ni Charlotte, ni ninguno de los espectadores, parecía extrañado o sorprendido. Para ellos era un fin de semana normal (quizá un día normal).

–Eh, tranquila, fiera –dijo Mark, envolviéndome la cintura con un brazo firme y guiándome a una silla que se había quedado libre cuando la suma de las miradas de Mark y Charlotte habían hecho que el ocupante se levantara de un salto y se alejara.

Me senté y Mark me acarició los cabellos, apoyando mi cabeza suavemente contra su muslo. El delantal de goma tenía un tacto frío y raro contra mi cara, y una de sus palas se me clavaba en el brazo y me incomodaba.

Sentí que volvía a distanciarme mientras me pasaba las manos por los cabellos, y su voz me llegaba como a través de un túnel.

–Creo que tendrás que llevártela a casa –dijo a Charlotte–. ¿Ha bebido mucho?

–Ni una gota. Solo agua mineral. Has desflorado a una virgen.

–Es maravilloso –dijo con una risita.

–Parecía que se lo estaba pasando la mar de bien –comentó Charlotte–, y ni siquiera he llegado a enseñarle la habitación de las parejas.

Me dormí apoyada en el hombro de Charlotte en el taxi de vuelta a su piso y me desperté a la mañana siguiente todavía con el corsé azul claro, aunque Charlotte me había aflojado los cordones. La almohada estaba sucia de purpurina y sombra de ojos negra. Me sentía como si tuviera resaca, aunque no hubiera tomado ni una gota de alcohol.

–Buenos días, cielo –gritó Charlotte desde la cocina–. Te he preparado café.

Fui a la cocina tambaleándome, más despejada de pronto ante la promesa de la cafeína.

–Vaya –dijo Charlotte–, ayer te quedaba mejor el traje.

–Gracias –contesté–. No puedo decir lo mismo de ti.

Charlotte estaba de pie en medio de la cocina con un platito y una taza de porcelana en una mano y una taza de café en la otra. Estaba completamente desnuda.

–No me visto si no hace falta –dijo.

–¿Y cuándo hace falta? –pregunté.

–Cuando frío beicon –contestó– o cuando tengo visitas masculinas. Me visto para que puedan quitarme la ropa. A los muchachos les gusta.

Cuando dijo «muchachos» me acordé de que Charlotte era de Alice Springs, y volví a sorprenderme de que alguien tan cosmopolita como ella hubiera crecido en el interior de Australia.

–Estás de buen humor.

–Ya he ganado algo de dinero esta mañana –dijo, echando una ojeada al ordenador– y he dormido bien sabiendo que anoche expandí tu mente.

Sonreía, pero yo me sentía un poco rara. Aparte de la música, nada me había hecho sentir así: aquella mezcla de distancia y placer filtrándose a través del dolor. Ahuyenté la sensación de mi cabeza.

–Tu móvil no ha parado de sonar. Podrías cambiarte el tono.

–Es Vivaldi, ignorante –dije.

Se encogió de hombros.

Saqué el móvil del bolso y miré la lista de «llamadas perdidas». Darren. Diez veces la noche anterior, otra docena de veces esa mañana. Debía de haberse enterado de lo del violín. Miré el reloj de la cocina, encima del horno. Eran las tres de la tarde. Había dormido casi todo el día.

–Quédate otra noche –dijo Charlotte–. Cocinaré algo. Nunca he encendido el horno en este piso.

Me dejó sola para que me duchara y descansara, mientras salía a comprar comida para la cena. Me bañé y después me pasé media hora deshaciendo los enredos del pelo. Al final me cansé de esperar y le mandé un *sms* preguntando si podía usar su ordenador.

–Claro –contestó–. No tiene contraseña.

Moví el ratón hasta que se encendió la pantalla. Entré en mi cuenta de gmail. Ignoré los mensajes de Darren y el inevitable correo basura. Me conecté a Facebook. Un mensaje en la bandeja de entrada. Acerqué el ratón a la pestaña de bandeja de entrada cautelosamente, esperando encontrar otro mensaje de Darren, pero era de un perfil que no reconocí y que no tenía foto.

Cliqué sobre el mensaje sin demasiada curiosidad.

Una introducción educada.

Y después:

> Me gustaría regalarte un violín nuevo.
> ¿Estarías dispuesta a aceptar mi reto y mis condiciones?

Cliqué sobre el perfil, pero no incluía prácticamente nada, solo la ubicación, «Londres», y los detalles personales. El nombre del perfil era una inicial: D.

Pensé que podía ser Darren, por supuesto, pero no era su estilo.

¿Qué más podía significar la «D»? ¿Derek? ¿Donald? ¿Diablo?

Giré mi archivo mental rotatorio de personas que podían saber que me había quedado sin violín y que estaría dispuesta a hacer lo que fuera para conseguir otro, sin ningún éxito. La única persona que tenía todos los detalles del incidente era el agente del metro de las manos rechonchas, y parecía tan romántico como su profesión sugería; es decir, nada de nada. Si me hubieran robado el violín, o peor, si me lo hubieran dejado roto en el portal, habría temido un acosador por Internet, pero el mensaje no me parecía malévolo.

Se había encendido una chispa, y por mucho que quisiera, ya no podía apagarla.

Me quedé mirando la pantalla diez minutos más, sin llegar a ninguna conclusión, hasta que Charlotte entró por la puerta, con los brazos llenos de bolsas de comida.

–Espero que no seas vegetariana –gritó–, porque no traigo más que carne.

Le aseguré que mis predilecciones estaban del lado del bistec y le pedí que se acercara para leer el mensaje.

Charlotte miró la pantalla, arqueó una ceja y sonrió satisfecha.

–¿Qué reto? –preguntó–. ¿Qué condiciones?

–No lo sé. ¿Le contesto?

–Bueno, eso sería un comienzo. Venga, contéstale.

–¿Cómo sabes que es un hombre?

–Por supuesto que es un hombre. Esto lleva un macho alfa escrito por todas partes. Será alguno que te ha visto tocar y se ha quedado colgado contigo.

Apreté lentamente la pestaña de «responder». Apoyé los dedos en el teclado y escribí:

> Buenas noches,
> Gracias por tus amables palabras.
> ¿Cuál es tu reto? ¿Y tus condiciones?
> Saludos,
> Summer Zahova

La respuesta llegó al cabo de pocos minutos.

> Estaría encantado de responder a tus preguntas con todo detalle. Veámonos.

El signo de interrogación brillaba escandalosamente por su ausencia en su propuesta.

Convencida de equivocarme y con Charlotte azuzándome, quedé con el desconocido, a mediodía del día siguiente.

Llegué diez minutos tarde.

Había propuesto que quedáramos en una cafetería italiana en St. Katharine Docks. Fingí que conocía el sitio, aunque no lo conociera; me ahorró tener que proponer otro.

Cuando llegué, descubrí que estaba en medio del agua. Caminando por el lateral del muelle, me di cuenta de que el camino estaba cerrado por obras y tuve que volver sobre mis pasos y cruzar al otro lado. Era la única persona en el muelle, caminando arriba y abajo, perdida como una hormiga que descubre una miguita en el camino, y me imaginé que el misterioso desconocido observaba todo el tiempo mis movimientos desde la comodidad del café. Me había puesto la ropa de Charlotte menos insinuante que encontré para no darle una impresión equivocada. Me quedé dormida y no había tenido tiempo de pasar por mi piso a cambiarme.

Charlotte me encontró un vestido azul marino, mitad lana mitad licra, que había usado durante un breve período de trabajo como recepcionista en un bufete de abogados antes de que empezara su carrera como jugadora de póquer en línea. Tenía forro, me llegaba por debajo de la rodilla y se abría en un escote modesto, con cuatro botones cosidos a intervalos regulares sobre el pecho, de estilo militar. Me iba un poco estrecho en las caderas, pero ancho en la cintura. Me lo había puesto con un cinturón color crema, las botas de cordones hasta el tobillo, que por suerte llevaba el día de la pelea en el metro, y unas medias color carne hasta el muslo. En el paquete de las medias decía: «brillo ligero, efecto piernas desnudas».

–Se va a pensar que me lo quiero tirar, si me ve con estas medias –le dije a Charlotte.

–Bueno, quién sabe si vas a querer tirártelo –contestó.

Luego me dijo que no fuera tonta porque tendría que estar totalmente inclinada hacia delante para que la raja de atrás dejara al descubierto lo que llevaba debajo. Por suerte la raja era discreta y aunque me impidiera caminar con normalidad, también implicaba que nadie se enteraría de que no llevaba bragas. En vista de que la tela del vestido marcaba mucho, Charlotte se había negado a dejarme salir con ropa interior. Tuve que entregarle mis bragas en la puerta, como un soldado entregando la bandera.

También me había prestado su abrigo de lana color crema, con la advertencia de no olvidarlo porque era caro. El abrigo olía a un intenso perfume, a un almizcle que no era de mi gusto, y al lubricante de canela que Charlotte se había puesto la noche anterior con el vestido de látex.

Cuando llegué, me alegré de haber llevado el abrigo porque empezaba a llover. Charlotte también me había dejado un paraguas rojo, y al abrirlo me sentí como una mujer escarlata, como si pretendiera llamar la atención, la única mancha de color en un mar de negro y gris.

Miré dentro del local. Nada especial, pero por el aspecto del italiano de detrás de la barra, me imaginé que el café sería bueno. El café que sirven en los aeropuertos del resto de Europa es mejor que cualquiera que te den en Inglaterra. Otro pensamiento que no comentaría con un inglés. Un país de bebedores de té.

Una barra, algunas mesas y sillas. Una escalera que subía a otro espacio. Miré por las ventanas. Una panorámica clara de los muelles. Si ya estaba allí, sin duda me había visto llegar. No vi a nadie en la planta baja, así que subí la escalera hacia el piso del café. Tampoco había nadie, solo una mujer de mediana edad con un periódico y los restos de un capuchino. Me sonó el móvil. Nos habíamos dado los números por si uno de los dos se retrasaba o sufría algún percance por el camino.

«Estoy abajo», decía el mensaje.

Maldita sea. Volví a bajar, intentando no parecer agobiada, y vi una mesa detrás de la escalera, con buena visión de los peldaños. El hombre sentado a la mesa, si se había situado bien y había prestado atención, habría tenido una visión perfecta de mi vestido. El pensamiento de haber dado a ese desconocido una visión de mí, completamente desnuda debajo del vestido, me produjo una súbita excitación. La siguió un sofoco repentino de vergüenza. Debía dominarme, enseguida.

Sonrió sin dar ninguna muestra de impaciencia por mi tardanza ni indicios de haber espiado el final de mis medias durante mi ascenso al piso superior.

–Eres Summer. –No era una pregunta. Le brillaban los ojos, pero no delataban nada.

–Sí –contesté, alargándole la mano, como si fuera un encuentro laboral. Recordé la seguridad en mí misma que me había dado el corsé y eché hacia atrás los hombros con decisión.

Alargó un brazo y estrechó mi mano con formalidad. Su mano era firme.

–Me llamo Dominik. Gracias por venir.

Sus manos eran cálidas y fuertes, más grandes que las de Mark, el de la otra noche. Me ruboricé al recordar y me senté rápidamente.

–¿Te pido algo? –preguntó.

–Un café con poca leche, por favor, si puede ser. O mejor un café doble –contesté, esperando que mis palabras no delataran mi nerviosismo.

Se alejó caminado hacia la barra y al pasar por mi lado me llegó su olor. No olía a colonia en absoluto, solo un leve aroma a almizcle, el olor a piel cálida. Los hombres sin fragancia, la piel sin adulterar por productos y perfumes, me parecen muy masculinos. Era el tipo de hombre que me imaginaba fumando puros y afeitándose con una navaja a la vieja usanza.

Lo observé mientras pedía nuestros cafés en la barra.

Dominik era moderadamente alto, metro ochenta más o menos, y estaba en forma sin estar demasiado musculado. Tenía los brazos y la espalda de un nadador. A pesar de su actitud distanciada, era guapo. O tal vez precisamente por eso. Siempre había preferido a los hombres que no se deshacen en sonrisas ni se esfuerzan por impresionar.

Pidió un azucarero al camarero con mucha educación.

Tenía una voz sonora y grave, de escuela privada, como a mí me gustan, pero con una entonación irregular, y me pregunté si en realidad era inglés. Tengo debilidad por los acentos, quizá porque soy de fuera. Intenté olvidarme y que no se notara que me parecía atractivo para no darle ventaja.

Llevaba un jersey marrón oscuro de canalé, con el cuello cerrado, que parecía cómodo y suave, quizá de cachemir, unos vaqueros azul oscuro y zapatos de piel marrones recién lustrados. Nada de su ropa o sus modales sugería algo concreto, aparte de que parecía simpático y no peligroso. Al menos no peligroso de un modo psicópata. Quizá era peligroso en otros sentidos.

Busqué en mi bolso y mandé un mensaje a Charlotte para comunicarle que todavía no me habían cortado en pedacitos.

Volvió con una bandeja y yo quise levantarme y ayudarlo a poner las tazas sobre la mesa, pero me lo impidió con un gesto, equilibrando la bandeja con una mano y dejando una taza de café delante de mí. Al hacerlo se inclinó una pizca más de lo estrictamente necesario para ofrecerme azúcar, y me rozó la mano con el brazo, alargando el contacto casi lo suficiente para exigirme una respuesta, ya fuera de aceptación o rechazo, pero aparté la mano y fingí que no lo había notado.

Rechacé el azúcar con un gesto, «no», y esperé el consabido comentario de «ya eres lo bastante dulce», pero no dijo nada.

Estuvimos un rato en silencio, extrañamente cómodos, mientras él agitaba primero un terrón, después otro, después otro, y finalmente otro terrón de azúcar en el café. Llevaba las uñas muy cuidadas, pero cuadradas, de modo que el efecto era más viril que afeminado. Tenía un tono de piel ligeramente oliváceo, bien por su origen o por unas vacaciones recientes. Sacó la cucharilla de la taza con gran esmero y la dejó en la mesa, mirándose la mano al hacerlo, como si su mirada pudiera impedir que la cucharilla goteara y manchara el mantel. Llevaba un reloj de plata antiguo en la muñeca derecha, no digital. Siempre me ha costado adivinar la edad de las personas, sobre todo la de los hombres, pero imaginé que tenía cuarenta y pocos años, no más de cuarenta y cinco probablemente, a no ser que aparentara menos edad.

Si llevaba un violín, no lo había dejado cerca de la mesa.

Se apoyó en el respaldo de la silla. Otro momento de silencio.

–Bueno, Summer Zahova. –Arrastró las sílabas en la boca como si las saboreara una por una. Le miré los labios. Parecían extraordinariamente suaves, a pesar de que el gesto de la boca era firme–. Te estarás preguntando quién soy y de qué va esto.

Asentí y tomé un sorbo de café. Era mejor de lo que me esperaba.

–Qué bueno –dije.

–Sí –contestó. Parecía un poco perplejo.

Esperé a que continuara.

–Me gustaría comprarte un violín.

–¿A cambio de qué? –pregunté, echándome hacia delante con interés.

Reaccionó inclinándose hacia mí también, con las palmas de las manos sobre la mesa, los dedos abiertos, casi rozando los míos, un gesto que me invitaba a poner mis manos bajo las suyas. Me llegó un olorcillo a café en su aliento y, como cuando Charlotte se había untado de lubricante de canela, sentí una necesidad imperiosa de lamerlo.

–Me gustaría que tocaras para mí. ¿Quizá Vivaldi?

Se echó hacia atrás otra vez, perezosamente, con una sonrisita juguetona en los labios, como si hubiera notado mi atracción hacia él y me estuviera vacilando.

Podíamos jugar los dos. Volví a enderezar los hombros y lo miré a los ojos, fingiendo que no notaba el calor que circulaba entre los dos, y recompuse mi expresión para que pareciera que estaba perdida en mis pensamientos, planteándome su curiosa oferta como si fuera un contrato profesional cualquiera.

Recordé la última vez que había tocado *Las cuatro estaciones*, la tarde después de la bronca con Darren. Aquel día alguien había dejado cincuenta libras en mi estuche. Y entonces me imaginé que seguramente había sido Dominik.

Percibí que movía las piernas por debajo de la mesa y vi que le chispeaban los ojos. ¿De satisfacción? ¿De deseo? Quizá no parecía tan compuesta como esperaba.

Se me encendieron las mejillas cuando mi pierna rozó la suya y me di cuenta de que había estado sentada con las piernas separadas, como un hombre. Hacía un mes que no tenía relaciones sexuales y estaba casi a punto de montarme sobre una de las patas de la mesa, pero él no necesitaba saberlo.

–Solo una vez, para empezar, y tendrás tu violín –continuó–. Aún no he decidido dónde, pero comprendo que necesites garantías de tu seguridad. Puedes traer a un amigo si quieres.

Asentí. Todavía no había decidido si aceptaría el plan, pero necesitaba ganar tiempo para reflexionar. El trasfondo de su propuesta era evidente, y su arrogancia era irritante, pero –a pesar de mis reservas– Dominik me parecía atractivo, y no había duda que necesitaba un violín.

–Bueno, Summer Zahova, ¿significa esto que aceptas?

–Sí.

Ya me lo pensaría y si era necesario me retractaría por correo electrónico.

Pidió dos cafés más sin preguntarme si me apetecía. Me molestó y estuve a punto de protestar, pero la verdad era que me apetecía otro café y parecería idiota si rechazaba el suyo y pedía uno por mi cuenta. Bebimos, hablamos del tiempo, comentamos brevemente los detalles nimios de nuestra vida cotidiana. Aunque la mía ya no tuviera nada de cotidiano sin el violín.

–¿Lo echas de menos? ¿El violín?

Sentí un arrebato de emoción extraña y súbita, como si al carecer de un arco y un instrumento para expresar todas las sensaciones que tenía contenidas en el cuerpo fuera a desgarrarme de dentro a fuera, a explotar, a autoconsumirme.

Permanecí en silencio.

–Bien, entonces debemos hacerlo pronto. Tal vez la semana próxima. Ya te comunicaré dónde quedamos y llevaré un instrumento para la ocasión, y si todo me parece satisfactorio, más tarde compraremos uno definitivo.

Acepté, de nuevo ignorando el grado casi irrespetuoso de arrogancia en su tono, y, aparcando de momento mis reservas, recogí el abrigo de la silla. Salimos juntos del café hasta que nuestros caminos se separaron y nos despedimos educadamente.

–Summer –gritó, mientras me alejaba.

–¿Sí? –contesté.

–Ponte un vestido negro.

# 4

## *Un hombre y su cuarteto de cuerda*

Dominik siempre había sido un atento lector de novelas de espías y había memorizado algunos detalles básicos sobre espionaje de los muchos libros que había devorado. Por eso se había sentado en el café en un lugar recóndito de la planta baja, en un rincón junto a la escalera, donde tenía una visión clara de la puerta pero no estaba necesariamente visible debido al deslumbramiento provocado por la luz exterior. En su caso, sin embargo, no necesitaba planear una ruta de huida.

La vio entrar, unos minutos tarde y algo agitada, y echar un vistazo rápido por el local casi desierto, en el que el fuerte aroma de café ascendía, sugerente, de la cafetera. Vio que le buscaba pero no lo localizaba en la zona disimulada detrás de la escalera. La vio subir al primer piso; en cada peldaño el vestido azul ceñido le tiraba en las caderas ofreciéndole una clara panorámica del interior del vestido hasta que la oscuridad entre las piernas le impidió seguir espiando. Dominik siempre había sido un poco voyerista, y aquel atisbo involuntario y demasiado breve de los secretos de ella fue una delicia y un anticipo exquisito de cosas prometedoras.

Sin el violín ni el efecto hipnótico de su música, ahora podía concentrarse en su aspecto físico. Tenía una mata de cabello rojizo, una cintura de avispa y se movía con un encanto casi viril. Le pareció que no era tan alta como la recordaba tocando bajo el techo del abarrotado pasillo de poca altura. No era una belleza tradicional, en el sentido de una modelo, pero destacaba, ya fuera entre la gente o sola, cruzando rápidamente el café o acercándose por el muelle. Sí, era distinta, y eso lo atraía enormemente.

Marcó su número en el móvil y le mandó un mensaje, indicándole su ubicación, redirigiéndola. Ella bajó la escalera, con la cara ligeramente encendida por la vergüenza de no haberlo visto al entrar.

La tenía delante.

–Eres Summer –dijo, y se presentó, invitándola a sentarse delante de él.

Se sentó.

Le llegó un olorcillo a canela. No era la fragancia que esperaba. Habría jurado que la palidez de su piel conjugaba mejor con un perfume con una nota verde fuerte, seco, discreto, malicioso. Bueno.

Miró a Summer a los ojos. Ella le sostuvo la mirada, desafiante pero intrigada, firme y solo un poco divertida. Era evidente que tenía carácter. Aquello se ponía interesante.

Pidieron los cafés mientras se examinaban mutuamente en silencio, observando, juzgando, sopesando, especulando. Como jugadores de ajedrez antes de la batalla, buscaron el punto débil del adversario, la brecha a través de la cual podía romperse la barrera enemiga, invadir el espacio contrario.

Dominik se levantó a buscar la bandeja donde el camarero había colocado sus cafés mientras ella mandaba un mensaje rápido a alguien, seguramente una amiga a la que le decía que estaba bien y que él no era un asesino en serie ni tampoco un ser escalofriante a primera vista. Dominik se permitió una pequeña sonrisa. Parecía que había aprobado el examen inicial. Ahora la pelota estaba en su campo.

Le confirmó su intención, exponiendo la idea general de su iniciativa aparentemente simple, mientras un plan más complejo se iba formando en su cabeza. Se desplegaban las fantasías, las visiones cobraban vida como una Polaroid emergiendo de una masa oscura de nubes. ¿Hasta dónde podría llegar? ¿Hasta dónde la podría llevar?

Media hora después se despidieron, todavía con un ligero desasosiego por todas las cosas no dichas. Dominik se dio cuenta de que se había empalmado, y la erección se marcaba en sus vaqueros mientras la observaba alejarse por la pasarela de St. Katharine Docks hacia el puente de la Torre. Ella no se volvió en ningún momento, pero él sabía que era consciente de que la seguía con la mirada.

Ah, aquel reto valdría la pena. Arriesgado y emocionante, pero...

Aunque era una persona que había pasado gran parte de la vida en el reino de los libros, Dominik era, al mismo tiempo, un pozo de sabiduría –por teórica que pareciera a veces–, y un hombre de acción. En su época de universitario, había pasado una eternidad en las bibliotecas pero de ahí pasaba sin problemas a la pista y los pantalones cortos para competir en atletismo. Había demostrado ser un saltador de longitud fuerte y potente, así como un corredor excepcional de media distancia y campo a través, aunque no tuviera tanto éxito con los deportes de equipo, porque nunca lograba mezclarse o sincronizarse completamente con los demás. No veía contradicciones en aquellas dos facetas de su vida.

Durante años su vida sexual había sido conservadora y tradicional. Nunca le habían faltado compañeras de cama, ni siquiera en sus años de juventud, cuando tenía tendencia a idealizar a algunas mujeres y enamorarse con desconcertante regularidad de las inalcanzables. Como amante, se imaginaba que estaba justo por encima de la media; no era espectacularmente imaginativo, pero sí tierno. Al ser un poco introvertido, nunca le había preocupado demasiado cómo le puntuaban las mujeres con las que se acostaba. El sexo era una ocupación más, una ocupación necesaria que simplemente formaba parte del tejido atareado de la vida, al mismo nivel que los libros, el arte y la comida.

Hasta que conoció a Kathryn.

Había leído al Marqués de Sade, por supuesto, y a muchos clásicos modernos de literatura erótica. Consumía pornografía –disfrutaba de ella hasta alcanzar el clímax y eyacular– y conocía el BDSM, la dominación, la sumisión y el resto de la gama de prácticas al uso, así como la parafernalia del mundo fetichista, pero nada de eso se había cruzado con la realidad diaria de su propia vida. Todo aquello era para él algo abstracto, lejano, algo que hacían los demás, que se permitían los demás. Lo observaba con interés intelectual, pero aquel otro mundo paralelo no le atraía, no le llamaba tanto como para participar.

Kathryn también era profesora, aunque de otra asignatura, y se habían conocido en una conferencia en las Midlands, un intercambio de miradas inquisitivas en la sala durante una de las conferencias que había dado él, seguido de una conversación incómoda por la noche en un bar abarrotado. De vuelta en Londres, se hicieron amantes, aunque ella estaba casada y Dominik tenía en aquel momento una relación estable con una mujer.

Sus encuentros sexuales normalmente tenían lugar durante el día en habitaciones de hotel o en el suelo enmoquetado del pequeño despacho de Dominik en la universidad, entre la última hora de la tarde y el último tren de Charing Cross a las urbanizaciones del sur.

Cada minuto contaba, y el sexo fue una verdadera revelación para los dos, como si sus experiencias previas los hubieran conducido hasta aquel momento. Apresurado, duro, desesperado, compulsivo como una droga.

Las rodillas frotando los gruesos cuadrados marrón claro de la moqueta, el cuerpo de ella debajo, ambos jadeando, al borde del ahogo, su erección ahondando más y más con cada empujón dentro de Kathryn, los ojos de ella cerrados en lasciva comunión. Dominik hizo una pausa mental y congeló mentalmente aquel momento. Almacenando el recuerdo. Por si algún día en el futuro (¿cuánto tiempo?) necesitaba evocar aquella imagen concreta para masturbarse en los momentos de soledad.

Examinó el color rosado extendiéndose por el cuello de Kathryn hasta el inicio de los pequeños pechos, escuchó los sensuales sonidos del erotismo, la fricción de los cuerpos amplificada a niveles obscenos por el vacío del despacho. Los jadeos que salían de la boca apretada de ella, el aire de los pulmones que exhalaba de manera entrecortada. El brillo de sudor en la frente, una imagen reflejada de las gotas que en aquel momento salían de sus propios poros por todo el torso, los brazos, las piernas y todas las partes conocidas y activas de su cuerpo mientras se afanaba gozosamente encima y dentro de ella.

–¡Dios! –gimió ella.

–Sí –convino Dominik, apaciguando el ritmo violento de su pelvis, arropado por los susurros ahogados de Kathryn que aceptaba de buena gana las consecuencias más extremas de su lujuria.

Kathryn cerró los ojos y suspiró profundamente.

–¿Estás bien? –preguntó Dominik, bajando aún más las embestidas, preocupado.

–Sí. Sí...

–¿Quieres que vaya más despacio? ¿No tan fuerte?

–No –dijo Kathryn, con la voz ronca y tensa–. Sigue. Más. Por favor.

Dominik ajustó la posición para aliviar la presión en sus rodillas, perdió brevemente el equilibrio y casi cayó encima de ella; instintivamente intentó parar la caída con las manos y rozó las muñecas de Kathryn. Las sujetó.

Por efecto del contacto adicional, un estremecimiento nervioso recorrió el cuerpo de la chica como si fuera una descarga eléctrica.

–Mmm...

–¿Qué?

–No..., nada.

Pero sus ojos decían otra cosa. Lo miraba... ¿perforando su alma con una duda? ¿O era una petición, una súplica? Allí... suplicante, como si penetrándola la clavara en la cruz.

Él reaccionó sujetándola con más fuerza de las muñecas y le levantó los brazos por detrás de la cabeza, sin dejar de hundir las caderas dentro de ella, clavándola a aquel suelo tan duro, como si fuera una mariposa. Las mejillas de Kathryn estaban de color carmesí. Se dio cuenta de que le hacía daño, pero sus suaves gemidos de placer parecían invitarlo a aumentar la presión, a abusar de su cuerpo.

Otra mirada larga penetrando en los ojos de Dominik, muda y aun así muy explícita. Significaba «más».

Dominik apartó los pulgares de las finas muñecas de ella, temiendo dejar marcas, moratones, y dejó que se deslizaran hacia abajo hasta que llegaron a la cabeza y entonces le rodeó el cuello, como si sus manos fueran una gargantilla. El pulso de Kathryn pasaba de la superficie de su piel a las puntas de los dedos de Dominik. Su señal de vida.

Kathryn inspiró con una fuerza descomunal.

–¡Más fuerte! –gritó.

Dominik estaba al mismo tiempo asustado y excitado, con su miembro duro como una roca en las profundidades de ella, con su erección expandiéndose hasta proporciones que parecían anormales, presionando contra las suaves paredes internas de su vagina igual que sus dedos presionaban contra su cuello y le empezaban a cortar la circulación, y el color de su cara pálida recorría a toda velocidad el espectro del arcoíris.

Kathryn se corrió con un gemido fuerte y gutural, un sonido triunfal, casi masculino. Dominik le aflojó el apretón del cuello y al sonido animal lo acompañó un salvaje flujo de aire.

No había dejado de follarla, quebrantándola con el incesante empuje de su miembro, como una máquina implacable, cruel, sin cadenas. Dominik cerró los ojos y por fin se permitió correrse; fue como si todo su ser se encendiera en llamas. Elemental. Primario. Posiblemente el polvo más intenso de su vida.

Más tarde, con los cuerpos todavía bañados en sudor, miraron disimuladamente el reloj pensando en los horarios de los últimos trenes.

–¿Sabes una cosa? Siempre había querido saber qué se sentiría haciéndolo así, más duro. Tú sabes cómo hacerlo –dijo Kathryn de repente.

–No lo había probado nunca. Había leído cosas, eso sí, pero todo era teoría, solo palabras, conceptos en una página.

–Sabía que podía confiar en ti, que no irías demasiado lejos.

–No quería hacerte daño. Nunca te haría daño.

Kathryn se le acercó más y apoyó la cabeza en su hombro todavía sudoroso.

–Lo sé –susurró.

Así empezaron semanas de experimentación sexual en las que Kathryn fue desvelando lentamente sus deseos más íntimos, sus fantasías más básicas, el fuego interior que delataba su sumisión. No era masoquista, ni mucho menos, pero el anhelo de dolor, de romper los límites, sin duda estaba presente; lo deseaba desde hacía muchos años, vivía adormecido bajo el barniz superficial de maneras civilizadas y buena educación, y nunca había tenido la oportunidad de soltarse. Dominik fue la primera persona que reconoció este rasgo en ella, y lo canalizó instintivamente en la dirección adecuada, dominándola, liberándola.

Dominik había leído novelas, conocía las historias, pero aquella no era una situación típica de amo y esclava, dominador y sumisa. Estaban juntos en ello, apartando capas, descendiendo a los cimientos de la lascivia y la atracción sexual. No necesitaban la parafernalia que habían asociado con aquella tierra inexplorada de exceso gozoso: el látex, el cuero, los instrumentos barrocos y crueles.

Se les habían abierto los ojos y Dominik, por su parte, supo que nunca más podría volver a cerrarlos.

Inevitablemente también fue el principio del fin de su relación furtiva. Con cada paso que daban hacia el abismo sin retorno, con cada nueva improvisación y cada alejamiento de las orillas convencionales del sexo, Dominik veía que las semillas de la duda se plantaban en la cabeza de Kathryn. El miedo de adónde podía conducirlos aquello.

Al fin, Kathryn sucumbió al peso de la realidad: una educación de clase media, graduada en literatura por Cambridge y un matrimonio aburrido con un hombre que era bueno, pero que no tenía imaginación, y decidió romper. Nunca volvieron a hablar y ambos estuvieron atentos para no coincidir en reuniones sociales o eventos, hasta que ella y su marido se fueron de la ciudad y ella dejó de dar clases.

En cambio, Dominik había abierto la caja de Pandora y el mundo entero se convirtió en una selva repleta de tentaciones deliciosas. La idea de que con Kathryn había alcanzando otro nivel, de que existía algo más allá de lo que había creído, ya no lo abandonaría nunca.

Primero, Dominik sabía que tenía que poner a Summer a prueba, asegurarse de su buena voluntad, de su propensión a jugar. Le había tranquilizado ver que tenía carácter y no respondería a una manipulación cruda o al chantaje. Quería que ella participara en la aventura, el experimento, con total conocimiento de los riesgos y las consecuencias. No buscaba una marioneta de la que tirar los hilos a voluntad, una participante a ciegas. Quería una compañera para transgredir, cuya inquietud pulsara al unísono con la suya.

Por la brevedad de su encuentro y las muchas palabras no dichas, ella ya habría deducido que el violín no era más que un cebo para atraerla, que a la larga exigiría más que un poco de música. Tal vez no fuera un pacto con el diablo –no se veía en ese papel maquiavélico–, pero sí un juego en el que ambos participantes pudieran jugar con el otro hasta el final. En realidad no tenía ni idea del final que quería alcanzar. Sí, deseaba probar la oscuridad, pero no sabía cuán honda podía ser.

Llamó a un conocido que trabajaba para una facultad de música en la City y tenía una reputación un poco dudosa. Estuvo dispuesto a responder sus preguntas. Sí, había una tienda donde se podía alquilar un violín de buena calidad por un día, una semana o incluso un mes, y por supuesto su conocido sabía cuál era el mejor lugar para anunciarse si se necesitaban intérpretes de música clásica para una actuación.

–Es para una fiesta muy privada –explicó Dominik–. ¿Crees que aceptarían dejarse vendar los ojos?

Al otro extremo del teléfono, su interlocutor resopló.

–¡Caray! ¡Ya me gustaría que me invitaran a una fiesta así! –exclamó. Luego, se detuvo a pensar–. Si conocen la pieza que quieres que toquen y les pagas bien, seguro que llegarás a un acuerdo satisfactorio. Pero tal vez sea mejor no mencionar ese requisito en el primer anuncio.

–Ya –dijo Dominik.

–Ya me contarás cómo ha ido –añadió el otro–. Me has despertado una gran curiosidad.

–Te lo contaré, Victor. Te lo prometo.

Al día siguiente, fue a la tienda de música que le había recomendado su amigo. Estaba a medio camino entre Denmark Street y el West End, cerca de Charing Cross Road. Desde fuera, como tantas tiendas de aquella calle, que antiguamente se llamó Tin Pan Alley, parecía que vendiera únicamente guitarras eléctricas, bajos y amplificadores; no había otros instrumentos expuestos en el escaparate. Pensando que le habían aconsejado mal, Dominik entró, poco convencido, pero enseguida lo tranquilizó la presencia de una vitrina enorme en la que se exponían media docena de violines.

Una dependienta lo saludó desde el mostrador. Llevaba una melena negro azabache, evidentemente teñida, hasta la cintura, vaqueros ceñidos como una segunda piel, y la cara muy maquillada con los labios gruesos de color carmesí resaltando en primer plano. De la nariz le colgaba un grueso *piercing*, y en las orejas colgaba el peso de infinidad de pendientes hechos de una gran variedad de metales. Dominik se divirtió un momento observándola e imaginándose el resto de *piercings* que con toda probabilidad tenía en otras partes del cuerpo. Siempre había deseado acostarse con una mujer que llevase *piercings* en los genitales, o un par de aros en los pezones, pero hasta entonces había disfrutado como mucho de algún adorno en el ombligo, que por desgracia le parecía que no evocaba el correcto grado de erotismo. Los *piercings* en el ombligo tenían algo vulgar, o dicho de otro modo, proletario.

–Me han dicho que alquilan instrumentos –dijo.

–Así es.

–Necesito un violín –añadió.

La chica señaló la vitrina protegida con cristal.

–Elija el que quiera.

–¿Se puede alquilar cualquiera?

–Sí, aunque necesitaremos un depósito, en efectivo o con tarjeta de crédito, y una identificación con fotografía.

–Por supuesto –convino Dominik. No había perdido la vieja costumbre de llevar siempre el pasaporte en el bolsillo interior de la chaqueta–. ¿Los puedo ver?

–Claro, señor.

La dependienta gótica sacó una llave de un puñado que colgaba de una larga cadena sujeta a la caja registradora y abrió la vitrina.

–No entiendo mucho de violines, la verdad. Es para una amiga. Para echarle una mano. Sobre todo toca música clásica. ¿Usted entiende de violines? –preguntó.

–Francamente no. Soy más una chica rockera y eléctrica –contestó con una sonrisa. Tenía unos labios como faros.

–Ya. ¿Cuál de estos se considera el mejor?

–Supongo que el más caro.

–Imagino que tiene razón –comentó Dominik.

–No es una ciencia –dijo la dependienta con una sonrisa coqueta.

–Tiene razón.

La chica le entregó uno de los violines. Parecía antiguo, con la madera de tono anaranjado, aparentemente por el uso de generaciones de propietarios anteriores, y tan pulido y brillante que reflejaba las luces fluorescentes del techo de la tienda.

Dominik se lo pensó un momento, mientras sostenía el violín. Pesaba mucho menos de lo que esperaba. Se imaginaba que la musicalidad del instrumento dependería de la persona que lo tocara. Se enfadó un poco consigo mismo. Debería haber investigado algo sobre violines antes de ir a la tienda. Debía de parecer un auténtico pardillo.

Acarició con los dedos el lado del violín que la chica le había dado.

–¿Toca algún instrumento? –preguntó a la dependienta de los cabellos azabache. El hombro derecho de la camiseta le había resbalado un poco y Dominik podía ver el perfil del comienzo de un gran tatuaje.

–La guitarra –dijo ella–, pero, cuando era pequeña, me obligaban a ir a clases de violonchelo. A lo mejor algún día volveré a tocarlo.

De la imagen mental de sus *piercings* imaginados, Dominik pasó rápidamente a imaginársela en un escenario con un violonchelo entre las piernas. Sonrió al pensarlo.

–Me lo llevo. Pongamos una semana –dijo abruptamente.

–Estupendo –dijo la dependienta. Sacó un cuaderno y empezó a hacer cálculos mientras Dominik no dejaba de mirarle el hombro al aire, siguiendo las flores negras, verdes y rojas de su tatuaje; después se fijó en que también tenía un tatuaje minúsculo de una lágrima debajo del ojo izquierdo.

Mientras esperaba que terminara, entraron y salieron otros clientes de la tienda, después de que los atendiera un dependiente con un atuendo gótico negro a juego con el de la chica, pero él con un corte de pelo geométrico minimalista.

Por fin, la chica levantó la cabeza y dio el último repaso a una columna de cifras.

–¿De qué mal voy a morir? –preguntó Dominik.

El violín iba dentro de un estuche.

Una vez en casa, depositó cuidadosamente el caro instrumento en uno de los sofás, fue a su ordenador y buscó la previsión meteorológica de los siete días siguientes. Para el primer episodio de la aventura que tenía pensada, prefería no estar en un interior. Eso vendría después, cuando la discreción se convirtiera en el valor más importante y los acontecimientos pudieran ramificarse en manifestaciones algo más ilegales para hacerlas en público.

La previsión era buena. No se esperaba lluvia en los próximos cuatro días al menos.

Mandó un *sms* a Summer y la informó del día, la hora y el lugar del siguiente encuentro.

La respuesta de ella llegó al cabo de media hora. Estaba disponible y dispuesta.

–¿Tengo que llevar alguna partitura? –preguntó.

–No creo. Tocarás Vivaldi.

El sol estaba alto sobre Hampstead Heath, los pájaros cruzaban la línea arbolada del horizonte piando alegremente. Era muy temprano y hacía un poco de fresco. Summer había bajado del metro en Belsize Park y había descendido la colina, pasando frente al Royal Free Hospital, la tienda de Marks & Spencer que habían construido en el local de un antiguo cine, y el pequeño mercado de South End Road, con el puesto de frutas y verduras en la entrada de la estación de tren, hasta que llegó al aparcamiento donde habían quedado. Había estado allí antes, hacía unos meses, un fin de semana, con unos amigos que querían hacer un picnic.

Solo había un BMW gris metalizado en la puerta, y Summer reconoció desde lejos la silueta de Dominik en el asiento del conductor. Leía un libro.

Siguiendo las instrucciones, Summer llevaba un vestido negro de terciopelo, el que le dejaba los hombros al aire, y, para no morirse de frío, el abrigo de Charlotte, que todavía no le había pedido que le devolviera.

Dominik la vio acercarse, abrió la puerta y se quedó esperando junto al coche mientras ella avanzaba con dificultad sobre los tacones por el suelo de piedra y arena del improvisado aparcamiento municipal, que los días festivos hacía las veces de recinto ferial.

Le miró los pies y se fijó en los altos tacones. Su habitual calzado formal en el escenario. Él también iba vestido de negro. Jersey de cachemir con cuello redondo y pantalones negros con raya.

–Quizá habría sido mejor que te pusieras botas –comentó–. Tendremos que caminar un poco sobre la hierba para llegar adonde vamos.

–Lo siento –dijo Summer.

–A esta hora de la mañana, la hierba todavía está húmeda. Se te mojarán los zapatos, se te estropearán. Deberías quitártelos para caminar. Por lo que veo llevas medias, ¿no? ¿Te importa?

–No, claro que no. Llevo medias, sí.

–Bien. –Sonrió–. ¿Con goma o con liguero?

Summer sintió que se ruborizaba. Un descaro repentino le hizo responder.

–¿Cuáles habrías preferido?

–Una respuesta perfecta –contestó Dominik, pero no dijo más. Abrió la puerta de detrás del conductor y sacó un estuche de violín brillante y oscuro del asiento trasero. Summer se estremeció.

Dominik apretó el mando para cerrar el BMW e indicó la amplia extensión de hierba, el campo que se extendía detrás de la verja baja del aparcamiento.

–Sígueme.

Summer se descalzó cuando llegaron. Tenía razón: estaba mojada y sentía una sensación mullida con los pies casi descalzos. A los pocos minutos la sensación se volvió bastante agradable. Dominik la guio rodeando los estanques, a través de un puentecito situado frente a la zona de la piscina al aire libre y finalmente por un sendero. Allí Summer tuvo que ponerse los zapatos de nuevo porque los guijarros se le clavaban en los pies. La sensación pegajosa del nailon empapado con la piel rígida era rara, pero enseguida llegaron de nuevo a una explanada de hierba y pudo volver a caminar descalza, detrás de él, a paso decidido, sosteniendo los zapatos por las tiras con una mano. No tenía ni idea de adónde se dirigían. Aquella parte del parque le era desconocida, pero había algo en Dominik que le inspiraba confianza. Instinto. No creía que la llevara a un rincón oscuro del bosque para aprovecharse de ella. Y la idea de acabar así tampoco la angustiaba precisamente.

Durante unos cientos de metros, las copas de los árboles taparon el azul del cielo y el calor del sol, pero de pronto emergieron a la luz. Un campo circular totalmente abierto al cielo. Una infinidad de verde, como una isla surgiendo de un mar agitado, una pendiente ligera y, en lo alto del promontorio, un cenador. Con columnas de hierro forjado de estilo victoriano, un poco oxidadas, presidiendo un campo completamente vacío.

Summer resopló. Era precioso, un lugar de una perfección absoluta, extrañamente desierto y misterioso. Entendió por qué había elegido Dominik una hora tan temprana. No habría espectadores, o muy pocos, a menos que el sonido de su música atrajera a alguno desde otro punto del parque.

Dominik hizo un gesto con la cabeza, indicando el cenador.

–Es aquí. –Le dio el estuche del violín y subió las escaleras de piedra que subían al escenario.

Dominik se situó en un rincón, apoyado en una de las columnas de metal.

Summer experimentó un instante fugaz de rebeldía. ¿Por qué obedecía sus órdenes, por qué era tan dócil y sumisa? Una parte de ella quería ponerse firme y decir: «No», o, «Ni hablar», pero otra parte que hasta hacía muy poco desconocía le susurraba seductoramente en el oído que siguiera con el juego. Que dijera «sí».

Estaba paralizada.

Después recobró la compostura, fue al centro del escenario y abrió el estuche del violín. Parecía exquisito, mucho mejor que su desvencijado y ahora inútil instrumento. Vio que Dominik observaba cómo pasaba los dedos codiciosamente sobre la madera bruñida, el cuello, las cuerdas.

–Solo es un instrumento provisional –dijo Dominik–. En cuanto hayamos resuelto el asunto, y los dos estemos satisfechos, te daré un violín permanente y de mejor calidad.

En aquel momento, Summer no podía imaginarse sosteniendo un instrumento mejor que aquel. Su peso, su equilibrio, sus curvas parecían absolutamente perfectas.

–Toca para mí –ordenó.

Summer dejó caer el abrigo de Charlotte al suelo. Para entonces el frío de la mañana sobre sus hombros desnudos no era más que una brisa ligera. Y se abandonó, ajena al lugar donde estaba, a la situación insólita y aislada, al trasfondo de la relación –sí, sabía que sería una relación– con aquel hombre extraño y peligroso.

Se agachó para sacar el arco del estuche que había dejado en el suelo del escenario del cenador, plenamente consciente de ofrecer a Dominik un atisbo de sus pechos. Nunca se ponía sujetador con el vestido negro.

Summer se volvió para mirarlo; él esperaba con paciencia, inexpresivo, a que afinara el violín. Su sonido era tan intenso y rico, rebotaba por el cenador, y cada nota flotaba hacia el techo y bajaba de nuevo como un eco silencioso.

Y empezó a tocar Vivaldi.

Se sabía los conciertos de memoria. Era la pieza que tocaba en la calle, para los amigos, e incluso cuando ensayaba para animarse. La música con siglos de antigüedad le alegraba el corazón y mientras la tocaba, con los ojos siempre cerrados, podía evocar los paisajes del Renacimiento italiano que había visto en tantos cuadros, el desarrollo de la naturaleza y sus elementos. Curiosamente aparecían pocas personas reales en sus ensoñaciones musicales inspiradas por Vivaldi, aunque nunca se había molestado en encontrar una explicación para aquel hecho curioso, para aquella omisión posiblemente freudiana.

El tiempo se detuvo.

Los sonidos que extraía del violín eran realmente divinos y sentía que estaba encontrando una dimensión completamente nueva en la música. Nunca había tocado tan bien, tan relajada, hallando la verdad en el centro de la melodía, navegando en sus olas, perdiéndose en su vorágine. Era casi tan bueno como el sexo.

Cuando llegó al tercer concierto, abrió los ojos brevemente para ver dónde estaba Dominik. Seguía allí, en el mismo lugar, inmóvil, pensativo, con los ojos hipnóticamente fijos en ella. Recordó que en una ocasión alguien le había dicho que su cuerpo no era muy diferente a un violín: cintura estrecha, caderas generosas. ¿Era esto lo que veía en ella en aquel momento bajo los pliegues henchidos de su vestido negro de terciopelo?

Notó que se había congregado un puñado de transeúntes en el extremo más alejado del claro, sin duda atraídos por el sonido de la música que estaba tocando. Espectadores anónimos.

Summer respiró hondo, a la vez agradecida y decepcionada por que ya no fuera un concierto para una sola persona. Acabó el tercer concierto y dejó de tocar. Se había roto el hechizo.

Un par de mujeres que corrían a lo lejos aplaudieron.

Un hombre se montó de nuevo en la bicicleta y siguió su paseo por el parque.

Dominik tosió discretamente.

–El cuarto concierto es técnicamente un poco más complicado –dijo Summer–. No estoy segura de poder tocarlo sin consultar la partitura –se disculpó.

–No te preocupes –dijo Dominik.

Summer esperó el veredicto. Él siguió mirándola.

Un silencio denso empezó a pesarle. De nuevo, sintió el fresco de la mañana contra los hombros desnudos. Se estremeció. Él no reaccionó.

Dominik observó cómo Summer se ponía cada vez más nerviosa. La música y su interpretación habían sido sublimes, todo lo que podía esperar. Hacer que tocara para él allí había sido una idea brillante, y la interpretación del solo había despertado sensaciones muy fuertes dentro de él, una sensación de conexión enormemente íntima.

Ahora quería saber qué tacto tenía su piel, la curva suave del hombro al aire contra sus dedos, su lengua, los millones de secretos ocultos bajo su vestido. Ya podía evocar la forma de su cuerpo. Siempre había lamentado no haber aprendido a solfear o tocar algún instrumento cuando era más joven, y sabía que era demasiado tarde para empezar, pero Dominik presentía que Summer era un instrumento, un instrumento que podía tocar horas sin cansarse. Y lo haría.

–Ha sido muy bello.

–Gracias, buen señor. –No pudo evitar tomarle el pelo. Tal vez porque en aquel momento sentía una felicidad suprema.

Dominik frunció el ceño.

Notó el alivio en la cara de Summer cuando le dio su veredicto, pero seguía tensa; lo veía en la línea recta de sus hombros y en la posición de su mandíbula. Quizá sabía que aquello era solo el principio. Que habría más.

–Tendrás tu violín –afirmó.

–¿Y seguro que no puedo quedarme este? –protestó ella, acariciando el largo y suave cuello con una mano posesiva–. Es un instrumento maravilloso.

–Estoy seguro de que sí, pero como te he dicho, te encontraré uno mejor. Te lo mereces.

–¿Estás seguro?

–Sí. –El tono de Dominik era firme; no permitiría más discusiones.

Se acercó a Summer, recogió su abrigo del suelo y la ayudó a ponérselo. Volvieron caminando al coche, donde ella le devolvió el violín.

Summer tenía mil preguntas, pero no sabía por dónde empezar.

Él señaló el asiento del acompañante.

–Siéntate conmigo –ordenó.

Summer obedeció.

Había temido que el interior del coche oliera a tabaco –se había imaginado que Dominik sería fumador–, pero no. Olía un poco a rancio pero no era desagradable.

Dominik sintió la proximidad de Summer al sentarse al volante. Había perdido el olor a canela y lo único que intuyó fue la fragancia del jabón que había usado para lavarse por la mañana. Algo dulce, higiénico y calmante. Sentía el calor de su cuerpo dentro del abrigo irradiando hacia él.

–La próxima vez que toques para mí, será con tu propio violín, el que te encontraré, uno que se ajuste a ti como un guante, Summer. El precio no será un problema –dijo.

–De acuerdo –aceptó Summer.

–Ahora háblame de tu primera vez con un hombre, el sexo.

Por un momento, Summer pareció consternada por la brusquedad de la petición, y Dominik pensó por un segundo que la había interpretado mal; quizá no le seguiría el juego.

Summer calló un momento, poniendo orden en sus pensamientos y recuerdos. Aunque fuera de una forma original, ya había intimado con aquel hombre y no valía la pena echarse atrás.

La luna delantera del coche se estaba empañando un poco y Dominik puso el aire acondicionado.

Summer le contó cómo ocurrió.

El instrumento lo había fabricado un tal Pierre Bailly en París en 1900 y a Dominik le había costado sobre las cinco cifras. Le había llamado la atención inicialmente en un catálogo para especialistas. La madera tiraba al amarillo más que al naranja o al marrón, en un tono apacible que transmitía serenidad y paciencia, pero en su imaginación la pátina contenía un siglo de melodías y experiencias. El dependiente de la pequeña tienda de Burlington Arcade se sorprendió de que no quisiera tocarlo antes de comprarlo, y no parecía dispuesto a creerlo cuando Dominik le dijo que lo compraba para una amiga. Sabía que tenía dedos largos, de músico –muchos amigos y mujeres que había conocido se lo habían dicho– pero ¿parecía un músico?, y más aún, ¿violinista?

Acompañaba al caro y antiguo violín un certificado de procedencia, que enumeraba a sus propietarios en los últimos 112 años. Habían sido cinco, la mayor parte nombres extranjeros que delataban pasados vientos de guerra y derivas continentales a lo largo de las mareas de la historia. La última propietaria se llamaba Edwina Christiansen. Le explicaron que, tras su muerte, sus herederos habían vendido el instrumento en una subasta, en la que lo adquirió un marchante, junto con otros artículos de menor valor. No, contestó cuando Dominik le preguntó si podía aportar más información sobre la difunta señorita Christiansen.

El violín Bailly venía sin estuche y Dominik compró uno en Internet, uno nuevo, porque pensó que para Summer sería mejor no pregonar la antigüedad de su instrumento con un estuche visiblemente antiguo. Dominik siempre había sido muy práctico, y también cauteloso.

En cuanto le entregaron el estuche, transfirió el violín amarillo óxido a su nuevo hábitat y lo envolvió cuidadosamente antes de entregarlo a un servicio de mensajería que se encargaría de hacer llegar el paquete a Summer Zahova en el piso donde vivía en el este de Londres. Las instrucciones eran claras: debía firmar personalmente la recepción del paquete. La avisó de la inminente llegada del instrumento y solicitó un acuse de recibo.

Cuando llegó su mensaje consistía en una sola palabra: «Precioso».

En la carta que había escrito para ella acompañando al costoso paquete, había insistido en que pasara todo el tiempo posible tocando, ensayando con él hasta el momento en que la avisara del nuevo reto; también le daba instrucciones precisas de no mostrarlo en público, y menos aún en el metro.

Después se dispuso a hacer gestiones pendientes y unas entrevistas.

Había puesto un anuncio en el tablero de empleos de la escuela de música. Pedía tres músicos, menores de treinta años, preferentemente, acostumbrados a tocar en un cuarteto de cuerda, dispuestos a intervenir en una sola actuación con un mínimo de ensayos y en circunstancias poco habituales. Y con una compensación adecuada a su discreción. Se requería fotografía con la solicitud.

Una de las respuestas que recibió cumplía todos los requisitos: un grupo de estudiantes de segundo, que durante el primer curso habían actuado como un cuarteto, al que ahora le faltaba un miembro, porque la segunda violinista había vuelto a su Lituania natal hacía dos semanas. Los dos chicos, que tocaban el violín y la viola, parecían presentables, mientras que la violonchelista, una chica con una mata de cabello rubio y rizado, era bastante guapa.

Las demás solicitudes que llegaron a su buzón como resultado de la llamada eran solistas con experiencia mínima tocando con otros, así que la decisión resultó fácil.

Antes de organizar una entrevista formal, Dominik les envió el cuestionario que había elaborado para la ocasión. En cuanto llegaron las respuestas, todas positivas, tal como esperaba teniendo en cuenta la considerable tarifa que estaba dispuesto a ofrecer, quedó para hablar con el trío por Skype y respondió a las dudas que le plantearon, evaluando sus reacciones a algunas de las peticiones y requisitos menos corrientes.

Debían vestir completamente de negro, podrían ensayar los cuatro músicos durante un breve período de tiempo, pero después les vendarían los ojos para la actuación principal. Firmarían un documento con cláusulas de penalización si se filtraba alguna noticia del concierto privado. No intentarían ponerse en contacto con él o con la anónima violinista una vez realizada la actuación.

Los tres parecían perplejos con la oferta, pero era evidente que la compensación económica calmaba sus dudas.

La violonchelista rubia incluso propuso un lugar de ensayo que Dominik podía alquilar para la ocasión, una cripta en una iglesia desacralizada donde el sonido resonaba perfectamente para los instrumentos de cuerda, y que «ofrece intimidad total para lo que tiene pensado», dijo. Como si tuviera claro que la casa de Dominik no era adecuada para la ocasión.

¿Cómo puede ni imaginar lo que tengo pensado?, se preguntó, notando un brillo malicioso en los ojos de la chica.

Se pusieron de acuerdo sobre la música y Dominik anotó sus requerimientos antes de terminar la conversación. Todo estaba organizado y podía decidir una fecha. Descolgó el teléfono.

–¿Summer?

–Sí.

–Soy Dominik. Tocarás para mí la semana que viene –informó, y le comunicó el lugar y la hora. También le mencionó la música que tocaría y que formaría parte de un cuarteto, sería el elemento final de un cuarteto, y tendría la oportunidad de ensayar dos horas con sus compañeros músicos antes del concierto.

–Dos horas no es mucho tiempo –puntualizó Summer.

–Lo sé, pero es una pieza que los otros tres conocen bien, así que te lo pondrán fácil.

–De acuerdo –aceptó Summer. Después añadió–: El Bailly sonará divino en una cripta.

–No me cabe duda –dijo Dominik–. Y...

–¿Y?

–Tocarás desnuda.

# 5

## *Una chica y sus recuerdos*

Dominik me preguntó por mi primera vez.

Más tarde pensé que era raro que aceptara contárselo, pero tocar *Las cuatro estaciones* me había dejado en estado de ensoñación, como siempre.

A eso lo atribuí.

Y esto es lo que le conté:

–Mi primera experiencia sexual la tuve sola. Masturbándome. Empecé muy joven. Más que mis amigas, creo, aunque tampoco hablé nunca de eso con nadie. Siempre me dio un poco de vergüenza. No sabía muy bien lo que hacía, en realidad. Nunca me corría, al menos los primeros años.

»No sé si has notado que, mientras toco, alcanzo un punto en la música que estoy en una especie de trance, que estoy en mi propio mundo, pero en cuanto dejo de tocar, todo vuelve en tromba. Tocar el violín siempre me ha producido este efecto físico. Es como una liberación, pero también parece agudizar las sensaciones.

Miré a Dominik para ver cómo reaccionaba.

Había reclinado el asiento y estaba tumbado y relajado. Lo imité e inhalé el aroma del coche, un olor limpio y fresco, típico en mi opinión de los conductores de BMW. El interior estaba impoluto, sin objetos personales, ni rastro de algo consumido recientemente, ninguna funda de pistola o paquete sospechoso a la vista, solo el libro que estaba leyendo cuando llegué apoyado en el salpicadero. Un autor del que no había oído hablar.

Dominik no me miraba, tenía los ojos fijos en el parabrisas. Su expresión era la de una persona que está totalmente cómoda, casi meditando. A pesar de lo extraño de la situación, su reacción, o más bien su falta de reacción, me relajó. Le estaba contando secretos que no había compartido con nadie, pero la forma en que se mimetizaba con el coche hacía que me sintiera como si hablara conmigo misma.

Continué.

–A veces tocaba desnuda, con la ventana abierta, sintiendo el aire frío en el cuerpo. Dejaba las luces encendidas y las cortinas descorridas, imaginaba que los vecinos podían verme tocando el violín desnuda. Pero si me vieron, nunca me lo comentaron.

»Lo hice durante una temporada, y acabé pasando tanto tiempo sola que cuando fui al instituto mi madre empezó a preocuparse de que tuviera algún desequilibrio, que me volviera obsesiva, e intentó que me apuntara a algún deporte o a un grupo de teatro escolar. Quería que hiciera algo "normal". Nos peleamos mucho pero al final ganó ella, aunque me dejara elegir el deporte.

»Elegí natación, básicamente para fastidiar a mi madre, porque sabía que lo que ella realmente deseaba era que hiciera algo más sociable, como hockey o *netball*, pero aquella ronda la gané yo argumentando que si se me fortalecían los brazos tocaría mejor el violín.

Una sonrisita cruzó la cara de Dominik mientras le contaba este detalle, pero permaneció en silencio, esperando pacientemente que siguiera hablando.

–Resultó que la natación me producía prácticamente el mismo efecto que tocar el violín. Me gustaba la sensación del agua y cómo el tiempo se esfumaba mientras yo nadaba una brazada tras otra. Nunca fui muy rápida, pero podía nadar horas y horas. Nadaba tanto y con tanta facilidad que mi entrenador tenía que tocarme en el hombro para avisarme de que la sesión había terminado y podía irme a casa.

»Era guapo, y mientras fue estudiante había sido un atleta profesional de nuestra región. Lo dejó cuando ya no ganaba. Se puso a entrenar, pero seguía teniendo un cuerpo de atleta. Llevaba el conjunto completo de socorrista: pantalones cortos, camiseta y silbato para alardear. Yo le ignoraba. Me parecía que se lo tenía demasiado creído y no le favorecía. Como si hiciera alarde de autoridad. Las otras chicas estaban locas por él. No sé qué edad tendría. Era mayor que yo.

»Al final fue él. Mi entrenador de natación. La primera vez.

Volví a mirar a Dominik. Su expresión seguía impasible, indescifrable.

–Sigue –dijo.

–Una tarde no me avisó. Me dejó nadar y nadar. Me detuve después de no sé cuantos largos, porque de repente me di cuenta de que estaba oscureciendo y era la única que quedaba. Todos los demás se habían marchado. Cuando salí de la piscina el entrenador me dijo que había querido comprobar si seguiría nadando hasta que me dijera que parara.

»Agarré la toalla y fui al vestuario, y cuando me empezaba a secar descubrí que estaba... bueno, que estaba caliente. No sé por qué, francamente, ni qué era, pero la sensación era tan fuerte que no pude esperar a llegar a casa. Me estaba tocando cuando lo vi mirándome desde la puerta del vestuario. Tal vez había olvidado cerrarla. No le había oído abrirla.

»No paré. Debería, supongo, pero me miraba de una manera... Continué. Y aquella fue la primera vez que tuve un orgasmo. Con él mirándome.

»Entonces entró, después de ver cómo me corría. Y cuando sacó su miembro no pude evitar mirarlo fijamente.

–No habías visto ninguno, ¿verdad? –dijo.

Contesté que no.

Entonces me preguntó si me gustaría sentirlo dentro de mí y dije que sí.

Me volví a mirar a Dominik, para ver si quería que continuara, que le contara más. Salió de golpe de su ensueño.

–Bien –dijo, levantando el asiento a la posición normal–. Esto es todo lo que quería saber. Quizá otro día puedas contarme más.

–Claro –dije, y apreté la palanca para levantar mi asiento. Tal vez la experiencia de contar mi historia a aquel hombre debería haberme hecho sentir incómoda, pero no fue así. Como mucho, me sentía un poco más ligera, como si el peso de secretos del pasado se hubiera transferido de mi mente a la de Dominik.

–¿Te dejo en alguna parte?

–En la estación, por favor.

–Muy bien.

Podía conocer los detalles de mi historia sexual, pero no estaba dispuesta todavía a mostrarle dónde vivía, y tampoco estaba segura de que él quisiera que lo hiciera.

No debería haberme molestado en intentar mantener algo de intimidad. Menos de una semana después Dominik me pidió la dirección y me dio una fecha y una hora para que estuviera en casa para recibir un paquete. Dudé antes de darle mi dirección. Además del repartidor de pizza de mi calle, sería el único hombre de Londres con mis datos personales, y me gustaba que fuera así. Pero tenía que enviarme algo y parecería grosera o paranoica si me negaba a decirle dónde vivía.

El paquete, como esperaba, era el violín que me había prometido. En vista de la calidad del que había llevado para la interpretación de Vivaldi, me imaginaba que elegiría algo bueno, pero nunca habría imaginado que me conseguiría un instrumento tan bello. Era un Bailly antiguo, con la madera amarillo claro, casi color caramelo, el color de un tarro de miel a contraluz. Me recordó a casa, a los tonos dorados del río Waihou cuando el sol se refleja en el agua.

Según el certificado que incluía, la última propietaria era una tal señorita Edwina Christiansen. Intrigada como siempre por las vidas que contenían mis violines, la busqué en Google, pero no di con ninguna pista de su historia. Bueno. Tendría que conformarme con la imaginación.

El estuche era nuevo, negro, con un forro grueso de terciopelo rojo. Un poco blando para mi gusto y no entonaba en absoluto con la calidez del Bailly, pero Dominik parecía listo y nada romántico en el sentido ñoño del concepto, y supuse que el estuche nuevo era una forma de disimular el valor del contenido.

Había incluido instrucciones: que debía acusar recibo del paquete y después ensayar todo el tiempo que pudiera con él, pero no en público. Y que debía esperar más instrucciones. Ensayar y esperar.

Ensayar con el Bailly era fabuloso. Se me ajustaba perfectamente, como si mi cuerpo hubiera evolucionado para sujetarlo. Había pedido ausentarme unos días de la rueda de actuaciones callejeras y, en mis circunstancias, tras la bronca en el metro, los organizadores se mostraron muy comprensivos. Toqué el Bailly a todas horas todos los días, mejor de lo que nunca había tocado, y la música brotaba de mis dedos como si tuviera melodías atrapadas dentro de mí y el violín de Dominik fuera la clave para liberarlas.

Esperar fue harina de otro costal. Tengo un carácter paciente y siempre he preferido los deportes de resistencia. Sin embargo, quería saber exactamente en qué me estaba metiendo. Convencida de que en la vida no regalan nada, daba por sentado que Dominik querría algo a cambio de su inversión, y hasta que entendiera cuáles eran las condiciones de pago, decidí pensar en el violín como un préstamo más que como un regalo. Había insinuado un acuerdo, un contrato para mutua satisfacción, no se había ofrecido a ser mi amante protector. De haberlo hecho lo habría rechazado inmediatamente. Aun así, hasta que no supiera lo que quería, no podría decidir si quería dárselo.

No deseaba una relación tan pronto después de romper con Darren. Esperaba que fuera algo de una sola vez. Dominik tampoco parecía el tipo de hombre que busca novia. Era distante, un solitario; no tenía el aire desesperado de alguien que busca compañera. Reflexioné sobre su correo electrónico inicial. Quizá era un tipo raro, con una amplia y artística colección de porno en su PC, pero no parecía alguien con un perfil en la página de contactos del *Guardian*.

Si no quería salir conmigo, ¿qué quería?

Volví a mirar el violín, pasé las manos por el cuello elegantemente cortado; me imaginé que valdría alrededor de las diez mil libras.

¿Qué clase de compensación, y cómo de grande, esperaría Dominik a cambio? ¿Qué podría satisfacer a un hombre así?

¿Sexo? Era la respuesta obvia. Pero no creía que fuera la correcta.

Un hombre que quisiera sexo me habría invitado simplemente a cenar. Un aficionado a la música clásica rico que buscara una protegida me habría mandado el violín sin tanto teatro.

El enfoque de Dominik tenía algo más. No parecía un psicópata, pero sí que disfrutaba con el juego al que jugaba. No sabía si tenía un objetivo, un final pensado, o simplemente era rico y se aburría.

Podía haberle devuelto el violín, por supuesto, y quizá habría sido lo correcto. Pero no era solo el violín lo que me interesaba; francamente, sentía curiosidad.

¿Qué haría Dominik a continuación?

Unos días después, sonó el teléfono.

Habló antes de que tuviera tiempo de decir «diga». En otras circunstancias, me habría molestado, pero decidí escuchar.

–¿Summer?

–Sí.

Me informó secamente de que tocaría para él la semana siguiente, por la tarde. El cuarteto para cuerda n.º 1 del compositor checo Smetana; por suerte una pieza que me gustaba y conocía bastante, porque era una de las preferidas del señor Van der Vliet. Tocaría con tres miembros de un cuarteto que conocían muy bien la pieza, ya que por lo visto la violinista y el viola la habían tocado en anteriores ocasiones. No debía preocuparme por mi intimidad o por la discreción de los demás músicos que participarían, ya que habían jurado no revelar nunca los detalles del evento.

Lo cual era una suerte porque tocaría desnuda.

Los demás intérpretes tendrían que vendarse los ojos antes de que yo me desvistiera, de modo que solo Dominik vería mi desnudez.

En cuanto lo dijo, sentí que se me encendía todo el cuerpo. De nuevo, pensé que debería haberme negado. Me había pedido sin más ni más que me desnudara delante de él. Pero si me negaba, nunca sabría qué era lo que tenía pensado. Y, pensé vagamente, al fin y al cabo sería como si fuera nuestra tercera cita. Teniendo en cuenta que a veces iba a casa de un hombre a la primera cita, aquello no era muy diferente, excepto que había aceptado hacerlo por adelantado.

¿O no?

Dominik no había dicho que quisiera follar conmigo.

Tal vez solo quisiera mirarme.

La idea me turbó por completo, pero a pesar de mis esfuerzos por ignorar la sensación, me sentí excitada y húmeda.

Tampoco era extraño; había estado tan obsesionada con la pérdida de mi violín, primero sin blanca y ahora apegada al Bailly, que no había tenido ocasión de salir con nadie, y no tenía relaciones sexuales desde la última vez con Darren. Aun así me irritaba que pensar en Dominik surtiera aquel efecto. Lo situaba un paso por delante de mí en la negociación que tuviera pensada.

Conmigo desnuda y él mirándome, temía que se diera cuenta del efecto que ejercía sobre mí. Tras las revelaciones que le había hecho en el coche, aquel día en Hampstead Heath, dudaba de que lo sorprendiera. Lo más probable era que obtuviera exactamente la reacción que esperaba de mí.

Si aquello iba a ser una batalla de voluntades, le había dado toda la munición que necesitaba.

Una semana después, fui al lugar que Dominik había alquilado, aquella cripta privada en el centro de Londres.

No la conocía, aunque no me sorprendía que existiera. Londres es una ciudad llena de sorpresas. Me dio la dirección por teléfono, pero me recomendó que, para garantizar la frescura de la actuación, no fuera a explorar el local por adelantado. Yo me había planteado hacerlo, pero al mismo tiempo me sentía extrañamente obligada a obedecer las instrucciones al pie de la letra. Había comprado el violín para mí, o sea que al menos merecía que el recital fuera su función.

La cripta estaba oculta en una calle lateral, y la única pista que confirmaba su existencia era una plaquita de metal en el lado izquierdo de la puerta de madera. La empujé cautelosamente y entré; vi un tramo de escaleras que bajaban vertiginosamente hacia un pozo de oscuridad.

Una calle antes de llegar me cambié los zapatos planos por los de tacón, que sobre los escalones de piedra desigual me hacían perder el equilibrio y, mientras palpaba la pared de la derecha buscando un pasamanos, estuve a punto de caerme de cabeza.

Contuve la respiración. No de miedo, aunque el sentido común dictara que debería estar nerviosa; debería haber informado a alguien de dónde iba, haber acordado una llamada de seguridad. No había hablado con nadie, ni siquiera con Charlotte, del Bailly o de la cripta. Aquel nuevo giro de mi vida parecía demasiado excéntrico para contarlo. Además, de haber querido matarme, Dominik ya había tenido varias oportunidades para hacerlo.

Los retortijones en el estómago, el latido acelerado del corazón, no eran solo atribuibles a los nervios. Estaba excitada. Tocar con tres músicos desconocidos sería un desafío, sin duda, pero había ensayado la pieza hasta lograr tocar todas las notas perfectamente en cualquier circunstancia. Y sabía que Dominik no disfrutaría de una velada que no transcurriera a su completa satisfacción. Fuera lo que fuera lo que tenía pensado, estaba segura de que había planificado cada detalle con vistas a alcanzar la perfección, incluida mi interpretación.

Por supuesto, estaba la cuestión añadida de tener que desnudarme en un futuro inmediato, pero en realidad la idea de tocar desnuda para Dominik me estimulaba más que me angustiaba. Siempre he sido un poco exhibicionista, algo que evidentemente Dominik había deducido de los detalles que le conté de mi primera experiencia sexual.

Con todo, me sentía un poco reacia y, en parte, suponía, era por la idea de estar en un lugar tan público. Estaba cómoda caminando desnuda por mi salón, pero desnudarme expresamente para un hombre casi desconocido era muy distinto. No estaba muy segura de poder hacerlo. Mi cabeza había entrado en conflicto. Si me negaba, le demostraría que me había calado, que me había alterado, pero si aceptaba, seguiría siendo él quien marcara la pauta. Y en el fondo de mi cabeza también me fastidiaba un pensamiento. La situación en sí me ponía caliente. Pero ¿por qué? ¿Se podía saber qué me pasaba?

Decidí que, al menos, me prepararía para la posibilidad de desnudarme. Y que lo decidiría cuando llegara el momento.

Más allá de ensayar la pieza, mis preparativos para el acontecimiento habían sido intensivos. Aquella mañana me duché con calma, me depilé las piernas cuidadosamente y al llegar a la ingle dudé brevemente. ¿Debía depilarme o no? He aquí la cuestión. A Darren le gustaba completamente rasurada, y en consecuencia me había dejado crecer el vello: mi pequeña rebeldía. Tampoco bajaba casi nunca por allí.

¿Qué preferiría Dominik?

Era un hombre poco corriente que por ahora había demostrado un gusto por lo barroco, por el detalle, y sospechaba que sus gustos sexuales tenderían a la singularidad. Tal vez le gustaría el vello. El ligero olor a almizcle, la envoltura. Mi mente se adelantaba, corría por senderos oscuros, pensamientos que mi sentido de la razón restringieron abruptamente. Ahuyenté las fantasías de mi cabeza. Dominik ya había visto bastante de mi alma. Por suerte el resto del cuarteto tendría los ojos vendados y no podría dar testimonio.

Al final, decidí recortarme un poco el vello púbico y dejármelo como una cortina, dos o tres centímetros de intimidad. Así no estaría del todo desnuda delante de él, todavía.

Bajé lentamente los escalones, encontré otra puerta de madera y la empujé. Inmediatamente, el ambiente denso y casi empalagoso de la cripta, la sensación de estar bajo tierra, sepultada, agredió mis sentidos. El techo era alto, pero la sala estrecha, y la altura de los arcos la hacían parecer más cerrada, claustrofóbica. Me acordé momentáneamente de la mazmorra del club fetichista que había visitado con Charlotte. La cripta se ajustaba mucho más a mi idea de una mazmorra.

Las paredes estaban iluminadas por una luz eléctrica apagada, que contrastaba con la sensación de antigüedad del lugar y el olor de velas consumidas recientemente. Pero hacía un poco de frío. Estaba segura de que si había interruptor de la luz, tenía que haber algún sistema de calefacción. Quizá Dominik había pedido que apagaran los radiadores, para darle más autenticidad. O quizá quería ver la reacción de la piel de mi cuerpo en contacto con el aire fresco. Agarré más fuerte el estuche del Bailly y ahuyenté el pensamiento de mi cabeza.

Vislumbré a los tres músicos en una tarima ligeramente levantada, y fui hacia ellos, con el acompañamiento musical de los tacones resonando contra el suelo de piedra. De repente mi anterior turbación se transformó en alegría: la acústica era increíble y en aquel lugar el Bailly sonaría de maravilla. Pronto Dominik tendría el recital de su vida. Esto, por lo menos, podía garantizarlo.

El resto del cuarteto me esperaba, en sus puestos, pero como ya me había dicho Dominik no se veía ni rastro de él. Me presenté, y al principio la comunicación fue un poco torpe, dado lo extraordinario de la situación para todos nosotros.

Todos iban vestidos con trajes negros, camisas blancas planchadas y pajaritas negras. Dos de ellos, el violinista y el viola, eran hombres y bastante callados. La violonchelista, que se presentó como Lauralynn, parecía ser la portavoz del grupo, y habló en nombre de los tres. Se mostraba segura de sí misma, pero sin resultar pesada. Era norteamericana, de Nueva York, y estudiaba música en Londres. Era alta, tenía buenas piernas, formas de amazona y se había vestido como los hombres, con camisa y pajarita, y una chaqueta negra de frac, con el talle alto para resaltar su cintura y sus caderas. Con sus mechones rubios y sus rasgos delicados, era una mezcla de masculinidad y feminidad en el sentido tradicional de ambos conceptos, y resultaba muy atractiva.

–¿Conoces a Dominik? –pregunté.

–¿Y tú? –respondió evasivamente.

Su fugaz expresión maliciosa me llevó a pensar que quizá Dominik le había contado más de sus planes que a mí, aunque siguió evitando todas mis preguntas. Al final me cansé de preguntar y me puse a ensayar con ellos. No teníamos mucho tiempo.

Era una pieza bastante intensa, un poco oscura, pero una elección excelente para aquel escenario, y Dominik estaba en lo cierto: Lauralynn y sus dos tímidos compañeros la conocían bien.

Oí los pasos de Dominik antes de verlo llegar; cuando se aproximó al escenario sus zapatos sonaron secamente sobre el suelo de piedra en un repiqueteo cortante que se yuxtaponía al armónico sol sostenido del último movimiento que estaba extrayendo del Bailly.

Me saludó con la cabeza y luego hizo una seña a los músicos para que se vendaran los ojos.

Lo hicieron.

Evidentemente no les había dicho que yo estaría desnuda durante la actuación, porque subió al escenario y me susurró una instrucción al oído. Sus labios casi rozaron mi lóbulo y mi cara reaccionó con un calor súbito.

–Puedes desnudarte.

Aquella vez me había puesto el vestido negro corto, en lugar del largo de terciopelo, porque llamaba menos la atención en el metro durante el día. Tenía un solo hombro, se me ajustaba al cuerpo y se abría con una cremallera oculta en un costado. No me había puesto sujetador aposta, para que, cuando me lo quitara, si me lo quitaba, no me quedaran las marcas de las tiras en la piel. Había estado a punto de no ponerme bragas por la misma razón, pero cambié de opinión en el último momento y me alegré de haberlo hecho cuando se me levantó la falda mientras bajaba el amplio desnivel desde el andén del metro al tren en la estación de Bank.

Dominik volvió a bajar y se sentó en una silla solitaria de cara al escenario, mirándome, inexpresivo bajo la fachada omnipresente de educación, protegido por una fina capa de reserva que me imaginaba que ocultaba una naturaleza mucho más animal de lo que daba a entender a simple vista.

No sabía qué haría falta para romperla, pero quería intentarlo.

Respiré hondo y decidí hacerlo.

Me llevé una mano al costado, sostuve la mirada de Dominik y bajé la cremallera.

Se enganchó.

Los ojos de Dominik centellearon mientras yo me peleaba con el vestido. Mierda. ¿Era otra sonrisa lo que veía en la cara de Lauralynn? ¿Podía verme a través de la gruesa venda?

Me ardían las mejillas imaginándome su mirada también sobre mi cuerpo.

Ya debía de estar del color de un extintor. Al menos esperaba poder dejar caer el vestido con un movimiento elegante, como hacen siempre las protagonistas de las películas. Debería haber ensayado en casa cómo desnudarme. Antes muerta que pedir ayuda a Dominik. Por fin, me quité el vestido, y entonces enrojecí más aún al darme cuenta de que tendría que inclinarme para quitarme las bragas. Me volví un poco, para disimular la expansión de mis pechos, antes de ser consciente de lo absurda que debía parecer mi reticencia, sabiendo que tendría que tocar desnuda delante de él.

Agarré el violín, luché contra un deseo irrefrenable de utilizar el instrumento para tapar mi completa desnudez un instante más y después me volví, me coloqué el Bailly bajo la barbilla y empecé. A la mierda la desnudez, a la mierda Dominik. Me sacudió una irritación momentánea antes de que la música me embargara.

La próxima vez, si había una próxima vez, no me vería vulnerable cuando me desnudara.

Por fin, la música llegó a su fin y aflojé la sujeción sobre el cuello del violín. Lo bajé, y lo dejé al lado de mi cuerpo, no delante. Miré a Dominik que aplaudía deliberadamente, con una sonrisa enigmática en la cara. Noté que me temblaba la mano del arco, jadeaba un poco y tenía la frente húmeda, como si acabara de correr ocho kilómetros. Debía haberme esforzado mucho, a pesar de que no me hubiese dado cuenta mientras tocaba, con la cabeza llena de pensamientos de Europa del Este, de Edwina Christiansen y de la riqueza de las historias que debía contener el Bailly.

Me pregunté cuándo podría permitirme salir de la ciudad. Por culpa de las estrecheces económicas no había viajado por Europa tanto como me habría gustado.

Dominik interrumpió mi ensueño con una tosecita.

–Gracias –dijo.

Asentí a modo de reconocimiento.

–Ya puedes irte. Te acompañaría pero debo despedirme de tus compañeros músicos y entregarles su remuneración. ¿Encontrarás la salida?

–Por supuesto.

Me puse el vestido, esta vez fingiendo despreocupación, aunque no la sintiera en absoluto, e ignoré su comentario sobre encontrar la salida.

Puede que se hubiera enterado de algún modo de que había estado a punto de caerme de cabeza al bajar.

–Gracias –dije a mis tres compañeros músicos, que todavía esperaban sentados, con los ojos vendados, las instrucciones de Dominik. Era evidente que los había aleccionado previamente sobre la secuencia de los acontecimientos y cómo debían comportarse.

No por primera vez deseé saber exactamente lo que había hecho para garantizar su obediencia. ¿Por qué tenía ese efecto en las personas, especialmente en la chica?

Lauralynn no me parecía el tipo de chica obediente. Más bien al contrario.

Había notado cómo apretaba el violonchelo con los muslos, y recordé que a pesar de la suavidad inicial con que aparentemente sujetaba el cuello del instrumento, lo había tocado casi de manera perversa, como si extrajera las melodías contra la voluntad del instrumento.

Volvió a sonreír maliciosamente, directamente a mí; esta vez supe que o bien estaba al corriente del juego o de algún modo podía verme a través de la venda.

Recogí el estuche, me volví y fui hacia la salida, con la postura más decidida que fui capaz de adoptar. Ambos habíamos cumplido con nuestra parte del trato; yo tenía mi violín y él había tenido su recital al desnudo.

Empujé la puerta de la cripta que daba a la escalera y me detuve para apoyarme contra la pared de fría piedra para poner en orden mis pensamientos.

¿Realmente había cumplido el trato? Debería estar contenta, pero no podía evitar sentir un ligero pesar. Como si no le hubiera dado suficiente a cambio del instrumento. Charlotte diría que me lo había ganado, pero yo me sentía incompleta de algún modo.

Respiré hondo y subí las escaleras sin mirar atrás.

Llegué a mi piso de Whitechapel y me llevé una alegría al ver que el baño compartido del rellano estaba vacío. Mis vecinos no estaban. Qué bien. No necesitaría charlar de tonterías o preocuparme por si se daban cuenta de lo que hacía cuando me encerré en mi dormitorio para aliviar la excitación casi dolorosa que me había distraído durante todo el trayecto de vuelta.

Aún no había cerrado la puerta del dormitorio cuando ya tenía la mano entre las piernas; hundí el dedo índice dentro de mí para humedecerlo antes de girar la punta del dedo en círculos sobre mi clítoris. Al mismo tiempo eché un vistazo al portátil pensando en la posibilidad de ver un vídeo de YouPorn que me estimulara.

Darren detestaba que viera porno. Un día me pilló masturbándome con una revista que encontré bajo su colchón, y estuvo de morros toda la noche. Cuando le pregunté por qué se enfadaba tanto dijo que sabía que las mujeres se masturbaban, pero no que lo hicieran así. Nunca llegué a entender si estaba celoso o si le parecía una vulgaridad, pero desde nuestra ruptura disfrutaba especialmente de la libertad de hacer lo que me diera la gana. De todos modos, en el estado en el que me encontraba en aquel momento, no tardaría mucho en alcanzar el orgasmo, y sí en encontrar un vídeo que valiera la pena. Así que me decidí por revivir las aventuras de la tarde.

De golpe recordé cómo se me habían endurecido los pezones al reaccionar al aire fresco de la cripta, ¿o había sido una reacción a la mirada de Dominik? ¿Y de Lauralynn? Abrí el pestillo de la ventana con la mano izquierda, sin aflojar la presión de los dedos con la derecha, concentrada en la tarea. Me bajé la cremallera del vestido, esta vez sin problemas –¡qué típico!– y me lo quité. Había guardado las bragas en el bolso en lugar de ponérmelas delante de Dominik y ahora estaba completamente desnuda, aparte de los zapatos de tacón, disfrutando de la entrada de aire frío por la ventana abierta que acariciaba mi cuerpo.

Cerré los ojos y en lugar de dejarme caer sobre la cama como hacía habitualmente, separé las piernas y me toqué frente a un público imaginario en la ventana.

Fue el recuerdo de la última orden de Dominik lo que finalmente me llevó al punto álgido, el tono de su voz cuando me incliné para desabrochar la tira del zapato.

–No. Déjatelos puestos.

No era siquiera un desafío; en su voz no había ninguna clase de interrogación, ni la más ligera sospecha de que no fuera a hacer lo que decía, aunque no creo que yo le parezca una chica sumisa. Aquella sensación de autoridad, por alguna razón que no podía explicarme, me transmitió oleadas de éxtasis.

Me corrí deprisa, con unos espasmos maravillosos que me atravesaron la vulva y a continuación los consiguientes estremecimientos que me calentaron agradablemente el resto del cuerpo.

Pensándolo bien, siempre había sido así. Recordé cómo me excitaba el señor Van der Vliet, el placer que había sentido siguiendo ciegamente sus lecciones aunque no fuera guapo en un sentido tradicional. Cómo me había excitado cuando mi entrenador de natación me dijo que quería ver cuánto tiempo nadaría si no me decía él que parara. Cómo me había sentido cuando el amo de la mazmorra me había azotado el culo en el club fetichista.

¿Qué significaba?

Me eché en la cama, intentando ahuyentar aquellos pensamientos de mi cabeza, y caí en un sueño inquieto.

Me desperté de noche, todavía agitada. Aún caliente. Intenté distraerme pero no parecía capaz de pensar en otra cosa. Volver a tocarme no hizo nada para aliviar mi frustración.

Me pasaban por la cabeza recuerdos del tono imperioso de Dominik, su costumbre de dar instrucciones muy precisas. Incluso la forma en que me dio la dirección de la cripta me había excitado. Pensé en llamarlo y descarté la idea inmediatamente. ¿Qué le diría?

Por favor, Dominik, dime qué debo hacer.

No. Aparte de que era ridículo, yo tenía más poder así, sin que sospechara el efecto que había tenido sobre mí. Sabía que tarde o temprano me llamaría, había visto el centelleo de deseo en sus ojos; no podría resistir la tentación de inventar otro plan. Y aunque me fastidiara un poco estar a la defensiva, cuando lo hiciera, lo disfrutaría.

Por el momento, necesitaba encontrar otra manera de satisfacer aquella nueva necesidad.

Me planteé volver a llamar a Charlotte, pero todavía no me sentía capaz de hablar a nadie de aquella parte de mi vida.

El club fetichista. Era una idea loca, pero quizá podía ir sola, echarle otro vistazo, solo para mirar. No estaba segura de qué mosca me había picado con aquella nueva sensación de intrepidez por una parte, aterradora y, por otra, eufórica. Si no me gustaba siempre podía marcharme.

Allí me había sentido segura. No se trataba de que no pudiera cuidarme sola, pero los clubes del West End eran agotadores, llenos de borrachos y grupos de sobones a la caza de cualquier chica que circulara sola por el bar o yendo al servicio.

A pesar del carácter desinhibido del público del club de fetichismo, o quizá debido a ello, los clientes me habían parecido respetuosos, no sórdidos.

Sí, era el tipo de local al que podía ir sola.

Una búsqueda rápida en Google me confirmó que el club que había visitado con Charlotte solo abría el primer sábado de cada mes, y era jueves por la noche. Ninguno de los grandes clubes fetichistas estaba abierto, pero encontré un enlace a un club pequeño, no lejos de Whitechapel en taxi, que decía tener un espacio de mazmorra, una «zona de juegos», una denominación imprecisa, así como un ambiente íntimo y agradable. Me servía. El código de etiqueta decía que debían cumplirse ciertas reglas estrictas.

Tendría que encontrar un traje que las satisficiera. No quería parecer fuera de lugar.

Ya eran las once. La fiesta apenas habría empezado. Llamé a un taxi, después busqué en mi armario y saqué algo que me pareció adecuado, me lo puse y estudié mi imagen en el espejo. Había elegido una falda de tubo azul marino de cintura alta y ajustada con unos botones blancos grandes delante y detrás que sujetaban unos tirantes gruesos, con tiras que se cruzaban en la espalda y, por delante, pasaban en línea recta sobre cada uno de mis pechos. La compré de rebajas en una boutique de estilo años cincuenta en Holloway Road, en el norte de Londres, y me la había puesto una vez con un jersey blanco de cuello alto, un sombrero de marinero barato, pero no chabacano, y zapatos planos de terciopelo rojo para la fiesta de cumpleaños de mi vecino, a principios de año, con la temática de los uniformes.

Aquella noche me puse un sujetador rojo a juego con los zapatos sin jersey. ¿Pasaría por ropa fetichista? Recordé los trajes alucinantes de la noche que había salido con Charlotte y pensé que probablemente no. Quería ser una más, y en ese caso atraería menos la atención si iba más ligera de ropa. Me eché un último vistazo al espejo y descarté el sujetador. Los tirantes me tensaban los pechos, juntándolos y me tapaban los pezones, y además, ya había pasado una buena parte del día en cueros, ¿no?

Me puse una chaqueta para el trayecto en taxi y sentí un arrebato de libertad rebelde y embriagador pensando que debajo iba medio desnuda.

Una chica joven y simpática con los cabellos oscuros y un *piercing* en la nariz me cobró la entrada en la taquilla. Cuando me pidió que extendiera el brazo y me aplicó un sello con un tampón en la muñeca, me fijé en que tenía una diminuta lágrima tatuada bajo el ojo izquierdo. Me pregunté qué otros secretos ocultaría debajo de la chaqueta de esmoquin de látex.

Látex. Si aquello se convertía en costumbre, tal vez ahorraría y me compraría algo, aunque no estaba muy segura de que esa goma brillante fuera lo mío. A Charlotte le había costado horrores entrar y salir del vestido, y la dificultad para desvestirme me parecía problemática para mí y mis deseos.

Prefiero afrontar las situaciones nuevas e inciertas sobria, pero paré en el bar a pedir una bebida para hacer acopio de valor.

Con un Bloody Mary en la mano, aderezado con el toque perfecto de picante, crucé la pequeña pista de baile, ocupada no por bailarines sino por algunos clientes que conversaban, y me dirigí a la mazmorra. La entrada estaba abierta, solo era una sala al lado del bar, con una puerta oculta a la vista de la pista de baile por un par de biombos verdes, como los que separan las camas de los hospitales. Interesante.

La mayoría de los clientes estaban en la mazmorra. Algunos sentados en la parte de fuera, hablando bajito; otros de pie, más cerca de la acción, pero a unos pasos de distancia de los participantes. Había algunos carteles, escritos en un simple folio, pegados por las paredes de la sala. «No interrumpan una escena», decía uno, y otro, solo dos palabras: «Pregunte primero». Curiosamente, los carteles me reconfortaron.

Varias parejas de «jugadores» y un trío estaban enzarzados en diferentes niveles de violencia consensuada –supuse–, con distintos objetos. Inmediatamente me llamaron la atención los ruidos de la sala, el golpeteo constante de un bastón, el silbido más suave de un látigo de muchas colas; la forma en como el sonido y el ritmo cambiaban conforme a los movimientos del portador y la ferocidad aplicada por cada individuo.

Ni siquiera me había dado cuenta de lo mucho que me había acercado al trío –dos hombres golpeando a una tercera persona que, al principio, me pareció un hombre, debido a la forma cuadrada de su cuerpo y a la cabeza completamente afeitada, pero luego me pareció notar la curva de los pechos apretados contra el acolchado de la cruz, y oí el sonido agudo de un gemido femenino. Hombre, mujer, quizá ninguna de las dos cosas, quizá un poco de las dos. Una criatura hermosa, y ¿qué significaba el género, al fin y al cabo? Allí no mucho. Olvidé los carteles de las paredes y me acerqué sigilosamente para verlo mejor. Todavía me impactaba bastante, pero al mismo tiempo me cautivaba.

Sentí que una mano se aproximaba por detrás para tocarme suavemente el hombro, y después una voz al oído.

–¿No te parece precioso? –me susurró.

–Sí.

–No te acerques tanto. Los podrías sacar del trance.

Volví a mirar al trío. Realmente todos parecían estar en otra dimensión, un lugar que de algún modo estaba en la sala, pero que no formaba parte de ella. Como si cada uno estuviera en medio de un viaje privado.

No sé adónde iban, pero quería unirme a ellos.

El que me había hablado percibió mi deseo.

–¿Te gustaría jugar? –dijo la voz.

Dudé un momento. Ni siquiera nos habíamos presentado, y él o ella, era muy directo. Pero, por otro lado, puede que aquello fuera exactamente lo que necesitaba, y nadie lo sabría.

–Sí, me gustaría.

Una mano tomó la mía y me guio hacia la única pieza vacía del equipo de la sala, otra cruz.

–Desnúdate.

Mi cuerpo reaccionó a la orden inmediatamente; era casi la misma instrucción que había usado Dominik, y obedecí llenándome de deseo, de lujuria pura y dura, pero también de un anhelo de algo más. Todavía no estaba segura de qué.

Desabroché los tirantes y se me soltaron los pechos; me bajé la falda, sintiendo una vez más la excitación de saber que me miraban unos desconocidos que disfrutaban del espectáculo. Separé los brazos y las piernas sobre la cruz, completamente desnuda de nuevo por tercera vez aquel día. Empezaba a ser una costumbre.

Me ataron una tira de cuero alrededor de cada muñeca y la tensaron, sin que llegara a resultar incómodo. Esta vez no me dieron ni palabra ni gesto «de seguridad». Bueno. A juzgar por la seguridad en sí mismo, mi misterioso compañero parecía bastante experimentado, y si iba demasiado lejos siempre podía gritar «Para». Solo había tomado una copa, mis facultades mentales funcionaban a pleno rendimiento y estaba en una habitación llena de gente que podía intervenir si fuera necesario.

Me relajé contra la cruz y esperé a que cayeran los golpes.

Y cayeron.

Más fuertes esta vez, mucho más fuertes que en mi última «zurra», y sin la calmante caricia en la nalga que Mark me había dado después de cada azote para apaciguar un poco el dolor. Jadeé, y a cada golpe fuerte que llegaba no solo sobre mi culo, sino también sobre los costados de la espalda, mi cuerpo se sacudió. Él, o ella –no estaba segura, y no había intentado descubrirlo, porque prefería que la experiencia fuera anónima–, debía de estar usando algo, alguna clase de instrumento, pero no estaba segura de qué era. Parecía un látigo de colas pero lo sentía sólido y duro, mucho más duro de lo que parecían las suaves y flexibles tiras de piel sobre el corto mango.

Se me humedecieron los ojos, me resbalaron las lágrimas por la cara, y me di cuenta de que cuanto más tensaba el cuerpo contra el impacto, más dolía.

Así que me relajé. Intenté encontrar aquel lugar, fuera donde fuera, al que iban los demás. Me imaginé mi cuerpo fundiéndose en la mano, o en el látigo, o lo que fuera que me estaba azotando. Escuché el chasquido uniforme, el latido rítmico de la música de mi compañero y, finalmente, el dolor se apaciguó; cuando me convertí en parte del baile de mi compañero, no en una víctima, una sensación de paz se apoderó de mí.

Entonces se aflojaron las correas de mis muñecas y sentí unas suaves caricias sobre las partes golpeadas de mi piel, que escocían un poco al tacto.

Una risita, otro susurro al oído, y la voz desapareció entre la gente.

Me quedé no sé cuánto tiempo inmóvil en la cruz, hasta que conseguí separarme de ella, vestirme y llamar a un taxi para volver a casa.

Había obtenido lo que buscaba.

¿O no?

Aquella sensación de paz, de desaparecer en otra dimensión, aquella otra conciencia que había sido mi refugio, mi hogar en cierta forma, durante tanto tiempo que no podía recordarlo.

Una vez en el piso me eché en la cama y, a pesar del dolor que sentía en la piel, dormí mejor de lo que había dormido en semanas.

Hasta la mañana siguiente, en el espejo del baño, no me di cuenta de los moratones.

Un estampado casi bello de marcas de distintas tonalidades llenaba la parte baja y los costados de mi espalda, y un examen más cuidadoso en el espejo de cuerpo entero de mi dormitorio reveló la silueta débil de una mano sobre una de mis nalgas.

Mierda.

Esperaba que Dominik tardara unos días en llamarme de nuevo.

# 6

## *Un hombre y sus deseos inconfesables*

Dominik conducía con la mente en las nubes, atrapada en un bucle, reviviendo cada momento de la tarde. Con el piloto automático, guiaba el BMW gris por el laberinto de calles en obras alrededor de Paddington, en dirección al Westway.

El color de su piel.

La palidez sobrenatural. Los mil tonos que pasaban a velocidad subatómica entre blanco y blanco, con tonalidades microscópicas de rosa, gris y una forma apagada de beis, clamando al unísono que se les concediera un día al sol. La geografía intricada de pecas e ínfimas imperfecciones salpicadas por el lienzo de su piel. La forma en que la luz artificial de la cripta había resaltado sus curvas, bailando en la superficie, destacando las zonas en penumbra. El temblor de los músculos bajo la fina protección de la carne, los tendones en las pantorrillas cuando cambiaba imperceptiblemente de posición para alcanzar otra nota. La forma en la que el canto redondeado del violín se apoyaba en su cuello, la velocidad de los dedos navegando por las cuerdas mientras la otra mano hacía uso vigorosamente del arco, que atacaba el instrumento como un guerrero en pleno salto.

Estuvo a punto de saltarse la salida y tuvo que desconectar los recuerdos momentáneamente, mientras tomaba un desvío con brusquedad, y provocaba la sonora protesta del conductor de un Fiat por su maniobra inesperada.

A Dominik siempre le habían dicho que tenía de cara de póquer, que casi nunca delataba sus sentimientos en público, y menos aún en situaciones íntimas. Había observado el recital en un estado de silenciosa plegaria, con la cara impasible, observador, atento a la música y a todos sus matices sutiles. Absorbiendo los movimientos de los intérpretes en su exquisito cometido, vestidos de blanco y negro y, por supuesto, de ella, desnuda. Summer.

Fue casi como un ritual. Una sinfonía de contrastes entre los trajes de noche oscuros y las camisas blancas de gala y la audacia del cuerpo de Summer mientras se peleaba literalmente con su instrumento para extraer cada nota, cada fragmento de melodía de la música, montándola, domándola. De pronto, una diminuta gota de sudor le resbaló por la punta de la nariz, pasando frente a uno de sus pezones marrón claro y endurecidos, y consumando su breve trayectoria en el suelo de piedra de la cripta, a solo unos centímetros de los zapatos de tacón alto que le había ordenado que se pusiera.

Tal vez el ritual habría sido más excitante todavía, pensó Dominik, si le hubiera pedido que se pusiera medias hasta el muslo. Negras, por supuesto. O tal vez no.

Lo había observado todo con una mezcla de deseo feroz y contención fluyendo bajo el caparazón de su piel. Como un solemne inquisidor en un festín especial, absolutamente distanciado en apariencia a los ojos de un hipotético observador, pero ardientemente involucrado, con la cabeza llena de toda clase de pensamientos en una enloquecida e informe mezcolanza, mirando, estudiando, probando, calibrando. Todo ello con el elegante acompañamiento de aquellas melodías inmortales que el improvisado cuarteto había tocado al detalle, evocando al mismo tiempo visiones y palabras, como siempre hace la buena música.

La forma de sus pechos, la delicadeza de sus proporciones, el ligero valle que los separaba, la media luna de sombra que proyectaban sobre sus costillas como una promesa de secretos ocultos, la hendidura en miniatura del ombligo, la caverna vertical apuntando como una flecha al territorio de su sexo.

Le gustó que, a diferencia de tantas chicas modernas, no estuviera depilada por completo, y que mantuviera los rizos del vello púbico recortados, con aquel tono marrón rojizo oscuro, como una barrera necesaria de su posesión más íntima. Un día, ya lo había decidido, la depilaría. Él mismo. Pero lo reservaba para un momento muy especial. Una ceremonia. Una celebración. La laguna Estigia más allá de la cual estaría más desnuda si cabe para él. Abierta. Al descubierto. Suya.

La solidez de los muslos, la extensión de las pantorrillas, las cicatrices infinitesimales de las rodillas –sin duda vestigios de juegos de infancia–, la sorprendente esbeltez de la cintura, como si la hubieran vertido en estado líquido desde un corsé victoriano a la blanda prisión de la carne.

La calle ascendía a través de Hampstead y el coche pasaba bajo las copas de unos árboles bajos que se inclinaban desde los límites del parque. Dominik respiró hondo, archivando mentalmente todos los sonidos y todas las visiones seductoras experimentadas, creando un álbum emocional de recuerdos para los días de escasez.

En aquellas calles conocidas pudo distraerse recordando el atisbo de sonrisa en los labios de la violonchelista rubia, cuyo nombre ya no recordaba, mientras se ajustaba la venda de terciopelo negro y la última mirada que le echó antes de sumirse en su oscuridad personal. El centelleo de sus ojos, como si supiera lo que estaba a punto de suceder, como si hubiera adivinado sus planes. Incluso le había parecido que le había guiñado un ojo, con complicidad, maliciosamente.

También recordó la cara de Summer, que pasó por distintas tonalidades del rojo cuando llegó el momento de desnudarse, después de que los demás músicos quedaran a ciegas. Cómo le había dado la espalda para quitarse las bragas, mostrando la redondez de su pálido culo en toda su majestuosidad; la grieta entre las nalgas al inclinarse que revelaba un fino valle de sombras. Después se volvió de cara a él y movió rápidamente el violín durante un instante, colocándolo frente a su pubis como si quisiera esconderlo de Dominik, aunque supiera perfectamente que tendría que tocar de pie y no podría ocultarse durante mucho tiempo.

Dominik ya sabía que recurriría a estos recuerdos para regodearse en el futuro. Al aparcar en la entrada de su casa, se miró los pantalones. Tenía una erección.

Dominik se sirvió un vaso de agua con gas y se sentó en la silla de piel negra de su despacho, con la imagen de Summer aún presente.

Suspiró, tomó un sorbo de agua; estaba deliciosamente fría al contacto con la lengua.

Las imágenes de Summer tocando desnuda se fundían suavemente en su pantalla imaginaria con visiones de Kathryn debajo de él en una cama, en el suelo, contra la pared. Haciendo el amor, follando, una capa de sudor sobre la piel, los recuerdos, el dolor y el placer.

Recordó aquella vez en que un sonido gutural, de asco y de expectación, surgió de los labios de Kathryn cuando él la penetró por detrás, con la mirada impúdica fija en la flor oscura de la entrada del ano, y fantasías desconocidas hasta ese momento empañaron aún más su mente ya bastante agitada. Fue el sonido lo que actuó de desencadenante. Él le azotó la nalga con fuerza, dos veces seguidas, tan fuerte que, apenas unos segundos después, la huella rojiza de su mano había emergido, como una Polaroid segundos después de salir de la cámara, sobre la delicada piel blanca del culo de ella, que aulló sorprendida. Repitió la agresión, esta vez en la otra nalga al tiempo que sentía los músculos de la vagina estrechándose como un cepo alrededor de su miembro penetrante, delatando claramente el efecto que el azote ejercía sobre ella.

El caso era que nunca había fustigado a una mujer, ni en broma ni en serio. Nunca había sentido ni siquiera la necesidad de planteárselo. Tampoco lo habían azotado a él para dar aliciente al sexo o a algún juego sexual poco convencional. Sabía que era una práctica extendida. Abundaba en muchas novelas victorianas de arriba y abajo, de relación amo–criada, y no le había pasado por alto que los actores de porno duro propinaban un azote habitualmente a las nalgas de sus compañeras durante el coito, pero por alguna razón había dado por hecho que era una simple convención, algo que se hacía para aportar dramatismo o distraerse de la monotonía del movimiento de pistón de sus genitales beligerantes.

–¿Te he hecho daño? –preguntó más tarde a Kathryn.

–Qué va.

–¿En serio? Pero, ¿te ha gustado?

–No... No lo sé. Supongo que en ese momento ha estado bien.

–No sé muy bien por qué lo he hecho –reconoció Dominik–. Pero lo he hecho. En el calor del momento.

–No pasa nada –dijo Kathryn–. No me ha importado.

Estaban en el suelo de su estudio, tumbados sobre la alfombra, recuperando el aliento.

–Vuélvete –pidió–. Déjame ver.

Kathryn se movió y se colocó de lado, ofreciéndole una visión de su magnífico trasero. Dominik echó un vistazo. La marca de su mano sobre la superficie lunar de ella había desaparecido casi por completo. Siempre le había sorprendido que la huella del sexo se esfumara tan rápidamente del cuerpo de una persona y nunca supieras lo que habían hecho una vez que estaban vestidos y habían retomado su actitud convencional. Como si, en el fondo, quisiera que las personas estuvieran señaladas por el erotismo que habían compartido, que quedara para siempre escrito en su cara. En cualquier caso, el perfil de sus dedos solo era un recuerdo en el trasero de Kathryn.

–Prácticamente no se ve la marca de mi mano.

–Mejor –dijo ella–. ¡Habría sido muy difícil de explicar a mi marido si me hubiera quedado marca!

En otra ocasión, la única vez que consiguió alejar a Kathryn de su matrimonio todo un fin de semana en el tiempo que duró su breve aventura, fueron a Brighton y se encerraron en la habitación de un hotel en primera línea de playa; no vieron la luz del día ni la playa. Él le marcó el trasero con especial brutalidad. Luego, ella se quejó de un dolor sordo y persistente cuando tuvo que sentarse a comer en un restaurante cercano con vistas al mar. Dominik se sorprendió con la forma compulsiva con que la había azotado y pegado, y sintió una cierta vergüenza: la violencia contra las mujeres le asqueaba. Nunca antes había siquiera pensado en pegar a una amante. Azotador y azotada, ¿era esto en lo que se estaban convirtiendo? ¿De dónde surgía esa compulsión por dominar, por expresar las profundidades de su deseo de forma violenta?

Pero Kathryn nunca se opuso.

Tuvo esa incógnita metida en la cabeza mucho tiempo después de que se separaran. La pregunta sin respuesta de lo que ella sentía realmente cuando se lo hacía, justo en ese preciso momento.

Se desabrochó los pantalones y por fin se alivió, notando el fino dibujo de venas que recorrían arriba y abajo su miembro duro como una piedra, la cresta bajo el glande, el tejido cicatrizado de la circuncisión en la infancia y tonos más oscuros de piel embelleciendo la punta. Pensó en la visión fugaz de las nalgas frágiles y bien formadas de Summer cuando se desnudó antes de sumirse en la música.

Cerró los dedos alrededor del miembro y tiró de él de nuevo. Arriba, abajo, arriba, abajo.

Se imaginó el choque de sus testículos contra el firme culo de Summer, y el sonido que sacarían sus manos con cada contacto brusco y seco; cómo temblaría la piel de ella bajo cada impacto, qué melodías íntimas extraería a la fuerza de sus pulmones rugiendo a través de los labios apretados.

Cerró los ojos. Su imaginación estaba desbocada y llenaba una pantalla de tamaño Imax.

Y se corrió.

Sí, Dominik sabía que cuando llegara el momento, sin duda, azotaría a Summer Zahova, la violinista, pero lo cierto era que solo se azota a las mujeres que sigues deseando después del polvo inicial. Las que deseas por encima de todo. Las especiales.

Dominik solo esperó cuarenta y ocho horas antes de volver a ponerse en contacto con Summer. Reflexionó una y otra vez sobre los encuentros previos. El instinto le decía que ella no se había embarcado en aquella ambigua aventura únicamente por el violín, el Bailly *vintage* que le había regalado y cuyos tonos cristalinos habían presidido aquella tarde en la cripta por su intensidad y transparencia melódica. Eso, o al menos, aquello en lo que eso se estaba convirtiendo, no era una mera transacción entre benefactor y beneficiario, vendedor y cliente, un hombre lleno de deseos oscuros y una chica con una actitud flexible ante el sexo. Había visto algo en sus ojos desde el primer momento en que se habían encontrado. Una curiosidad, un desafío no verbalizado, una disposición a asumir riesgos irracionales en el intento de mantener encendido el fuego interior. Al menos, así se explicaba Dominik los gestos y las palabras de ella, y su pronta aceptación de sus peticiones poco convencionales. No era una puta aficionada que lo hacía por dinero o por un violín.

La deseaba, eso sin duda. Y mucho. La forma en la que había tocado para él, desnuda, con apenas un indicio de rubor en las mejillas cuando finalmente se desvistió, hasta que el flujo divino de la música abolió toda reserva y tocó con un orgullo exhibicionista. Era innegable. La débil curva de sus labios durante toda la actuación la había delatado. Se sentía en paz consigo misma, flotando todo el tiempo en algún lugar mental privado y extraño, ignorando lo que la rodeaba y las circunstancias. La había excitado.

Dominik sabía ya que quería algo más que simplemente llevarla a la cama.

Aquello solo sería el comienzo de la historia.

No la llamó hasta un sábado por la mañana cuando sabía que estaría trabajando en el restaurante de Hoxton. Quería que la conversación fuera breve, no darle la oportunidad de hacerle preguntas. Sin duda, a aquella hora estaría muy ocupada.

El teléfono sonó varias veces antes de que Summer contestara.

Parecía apresurada.

–¿Diga?

–Soy yo. –Dominik sabía que ya no era necesario que diera su nombre.

–Lo sé –dijo ella tranquilamente–. Estoy trabajando. No puedo hablar mucho.

–Lo comprendo.

–Esperaba que me llamaras.

–¿Sí?

–Sí.

–Quiero que vuelvas a tocar para mí.

–De acuerdo.

–El lunes tienes que estar disponible. A primera hora de la tarde. –Dominik, convencido de que estaría disponible y dispuesta, ya había reservado la cripta–. En el mismo sitio.

Fijaron la hora.

–Esta vez tocarás sola.

–Bien.

–Me apetece mucho.

–A mí también.

–¿Debo ensayar alguna pieza concreta?

–No. Elige lo que quieras. Quiero que me cautives.

–Muy bien. ¿Qué debo ponerme?

–Lo que te apetezca, pero ponte medias negras. Hasta el muslo.

–De acuerdo.

–Y los zapatos negros de tacón.

Las imágenes ya se estaban materializando en su cabeza.

–Por supuesto.

El día anterior había recogido las llaves de la cripta y pagado un extra generoso al encargado para garantizar, una vez más, que no habría empleados al otro lado de la puerta cerrada durante su estancia.

Dominik bajó corriendo los escalones altos y estrechos y empujó la puerta. Lo asaltó el rancio olor a cerrado de la sala subterránea, seguido de un sustrato delicado de cera, recuerdos olvidados de velas consumidas y peticiones perdidas en el tiempo. Intentando vislumbrar algo en la oscuridad, buscó a tientas el interruptor de la luz en la pared fría de piedra; primero, con la mano izquierda, y después con la derecha hasta que, por fin, lo encontró. Reguló la potencia de la luz y la cripta se envolvió en un velo sutil de claridad, un halo discreto y aterciopelado, el grado correcto para la ocasión. Dominik siempre había sido una persona ordenada, precisa, atenta al detalle, y aquel era el ritual que había ensayado mentalmente mil veces desde su breve conversación con Summer del sábado cuando quedaron.

Miró el reloj, un caro Tag Heuer plateado, y se apresuró a reunir unas sillas que estaban esparcidas por la cripta y alinearlas contra la pared del fondo. Todo debía estar perfecto. Miró hacia el techo y se fijó en una barra de pequeños focos. Volvió atrás y agarró una de las sillas, la llevo al centro, se subió, consciente de la inestabilidad del suelo irregular de piedra, y ajustó el foco central para que iluminara una zona concreta. Con el fin de aumentar el efecto, desenroscó el foco de cada extremo de la guía. Sí, así sería mucho mejor.

Volvió a mirar el reloj. Summer se retrasaba un par de minutos.

Jugó brevemente con la idea de reprochárselo y la posibilidad de asignarle alguna clase de castigo por aquella infracción, pero decidió que no en cuanto oyó que llamaban suavemente a la puerta.

–Pasa –gritó.

Llevaba el mismo vestido negro, con un jersey gris de punto que le tapaba los hombros y los brazos, y sujetaba con fuerza el estuche del violín con una mano. Con los tacones parecía más alta.

–Lo siento –se disculpó–. La Jubilee line iba con retraso.

–No te preocupes –dijo Dominik–. Tenemos todo el tiempo del mundo.

La miró a los ojos. Ella le sostuvo la mirada, se quitó el jersey y buscó un sitio para guardarlo como si no quisiera dejarlo tirado en el suelo.

–Dame –dijo Dominik, y alargó las manos.

Summer se lo dio. La lana todavía estaba caliente del contacto con su cuerpo. Sin ningún pudor se lo acercó a la nariz, lo olió, buscando su aroma, algo verde y penetrante oculto en un fondo de fragancias. Dominik se giró, mientras ella lo observaba, y fue a dejarlo en una de las sillas que había apoyado contra la pared.

Volvió junto a ella.

–¿Qué vas a tocar? –preguntó.

La respuesta de Summer fue dubitativa.

–En realidad, es una especie de improvisación, basada en la obertura de la *Gruta de Fingal*. Soy una gran admiradora del concierto para violín de Mendelssohn, pero es muy técnico y todavía no he llegado a dominar toda su complejidad. Este tiene melodías igual de maravillosas, así que, aunque esté escrito para orquesta y no para violín, con los años lo he ido tocando. Espero que no te importe que me salga del repertorio estrictamente clásico.

–Me parece perfecto –observó Dominik.

Summer sonrió. El día anterior se había torturado con la elección de la pieza que iba a tocar.

Todavía a unos metros de la puerta de madera que daba a la cripta, vio que Dominik había colocado la iluminación de forma que un foco proyectaba un círculo blanco incandescente sobre el suelo de piedra, y se dio cuenta de que ese sería su «escenario», el lugar donde él quería que tocara aquel día.

Dio dos pasos en aquella dirección. Dominik la siguió con los ojos, alerta a sus movimientos, a la forma en cómo las piernas bailaban elegantemente por el suelo a pesar de la evidente incomodidad de los tacones altos sobre la áspera superficie de piedra de la cripta.

Dominik abrió la boca para proceder a dar sus instrucciones cuando Summer dejó con delicadeza el estuche del violín en el suelo y se bajó la cremallera del vestido negro.

Dominik sonrió. Se había anticipado a sus órdenes, había adivinado que quería que tocara desnuda otra vez, sin músicos que la acompañaran. En esta ocasión, él sería la única persona vestida.

El vestido resbaló, descubriéndole los pechos y, tras un rápido movimiento, las caderas. Summer se contoneó de modo que le cayera por las piernas hasta el suelo, arrugado como un acordeón a sus pies.

No llevaba ropa interior.

Solo unas medias negras tupidas que terminaban a la mitad de los muslos color marfil.

Y los sofisticados zapatos de tacón de doce centímetros. Pensó que eran unos zapatos muy elegantes.

Summer miró a Dominik a los ojos.

–Esto es lo que querías.

No era una pregunta, era una simple constatación.

Él asintió.

Dentro del círculo de luz, permanecía muy erguida, orgullosa, consciente de la osadía con la que se exhibía ante él. Más por deseo propio que por exigencia de Dominik.

De nuevo, el frío enterrado en las antiguas paredes de piedra de la cripta la hizo estremecer, le endureció los pezones y le humedeció el sexo.

Dominik contuvo la respiración.

–Ven –le ordenó.

Summer vaciló durante un instante, pero luego salió del estrecho círculo de luz que le servía de escenario y fue hacia él. Mientras se acercaba en la penumbra, Dominik se fijó en una línea fina que le recorría el costado, una sombra roja que conectaba la curva de su cadera con la estrecha cintura. Entornó los ojos, pensando que solo era una sombra provocada por el deslumbramiento al salir de la zona iluminada y entrar en otra, más acogedora, de penumbra. No, sin duda era una imperfección de la piel que no había visto la vez anterior cuando ella le dio la espalda para quitarse el vestido después de que los estudiantes de música se vendaran los ojos. Esta vez había permanecido de pie de cara a él todo el tiempo.

Dominik frunció el ceño.

–Date la vuelta –dijo–. Quiero verte de espaldas.

Summer contuvo la respiración. Sabía que seguía teniendo marcas en las nalgas. Se las había visto en el espejo, cuando se duchaba para prepararse para el recital. No fue consciente de que no desaparecerían en tan poco tiempo. Por eso había procurado no darle la espalda mientras se desvestía. Experimentó una repentina y fuerte aprensión, insegura de la reacción de Dominik, aunque parte de ella quería mostrarle osadamente las marcas tan bien ganadas. Suspiró y ejecutó la orden.

–¿Qué son estas…? –preguntó.

–Marcas –contestó ella.

–¿Quién te las ha hecho?

–Alguien.

–¿Tiene nombre ese alguien?

–No lo sé. ¿Un nombre significaría algo para ti? No me presenté. No me apetecía.

–¿Te dolió?

–Un poco, pero no mucho tiempo.

–¿Eres masoquista?

–No, normalmente, no... –Summer calló, vaciló, pensó–. No lo hice por el dolor.

–¿Por qué, entonces? –siguió interrogándola Dominik.

–Necesitaba el... el desahogo...

–¿Cuándo? –preguntó, aunque creía saber la respuesta.

–Después de tocar para ti el otro día, con el cuarteto –confirmó ella.

–¿Así que eres una puta del dolor? –preguntó.

Summer sonrió ante la descripción. Había oído usar la expresión a Charlotte, cuando describía a alguna de sus conocidas del club en el barco.

Reflexionó, lo sopesó. ¿Era una «puta del dolor»? Lo toleraba, incluso había gozado con él, pero en aquella ocasión el dolor solo era un vehículo, el medio para transportarla a otra dimensión, no la motivación de su experiencia.

–No.

–¿Solo una puta entonces?

–Puede.

Al decirlo, aunque en parte era una broma, Summer sintió que cruzaba metafóricamente un punto de no retorno y supo que Dominik sentía lo mismo. Instintivamente, irguió la espalda, expuso sus pechos turgentes. Sentía cómo él examinaba la fina telaraña de líneas y moratones pálidos que tenía en las nalgas, el tatuaje provisional que delataba su lascivia.

Dominik reflexionó respirando de manera uniforme y rítmica en un suave soplido que se oía en el denso ambiente de la cripta.

–Esto fue más que un azote –comentó.

–Ya –dijo Summer.

–Acércate.

Summer retrocedió unos centímetros hasta quedar justo detrás de él, sintiendo el calor de su cuerpo a través de la ropa.

–Inclínate.

Ella obedeció, consciente del espectáculo que ofrecía.

–Separa las piernas.

Ahora no solo podía ver las marcas sino también su sexo.

Sintió la mano de Dominik en la nalga izquierda, al principio como una suave caricia, explorando la superficie de su piel, como un guante áspero que resbalaba sobre sus curvas. Su mano estaba caliente.

Pero también lo estaba la piel de ella.

Se entretuvo siguiendo las líneas paralelas rosadas que se cruzaban en las nalgas de Summer, palpando los moratones marrón claro y amarillo, que se esparcían aquí y allá como un archipiélago.

Después siguió lentamente con un dedo la abertura de su culo, rodeando el ano expuesto y palpitante mientras ella contenía el aliento, deslizándose por el perineo, lo que la hizo sobresaltarse, y con lenta deliberación llegó a su vulva. Summer sabía lo húmeda que estaba ya y no sintió ninguna vergüenza de mostrarse tan expuesta, física y mentalmente. El tacto, las palabras, los gestos de Dominik la excitaban. ¿Y qué?

La mano se apartó.

Por un momento, la falta de contacto fue insoportable. No pensaba parar ahora ¿no? ¿Sería capaz de ser tan cruel? ¿Merecía ella tamaña crueldad?

–Te gusta, ¿eh?

Summer permaneció en silencio, en guerra con el deseo de decirle cuánto le gustaba.

–Dímelo –repitió él al oído, en apenas un susurro.

–Sí –dijo ella por fin–. Sí, me gusta.

Dominik retrocedió, dio otra vuelta alrededor de ella. Se tomó su tiempo. Observó su cuerpo de cerca, percibió el calor salvaje que emanaba. Estaba casi sudando, a pesar del frío. Notó cómo parecían afectarle sus palabras.

Interesante, pensó Dominik.

–¿Por qué? –preguntó.

–No lo sé.

Él siguió insistiendo.

–Dime lo que deseas.

A Summer le dolían las piernas, pero no se movió. Permaneció en la misma posición, disfrutando de las fugaces corrientes de aire que atravesaban su cuerpo mientras Dominik seguía rodeándola, cada vez más cerca, pero sin tocarla.

–Dime lo que quieres, Summer.

–Quiero que me toques.

Habló en voz baja, pero Summer sabía que Dominik podía oírla.

¿De verdad la obligaría a suplicar?

–Más alto. Dilo más alto.

Sí, por lo visto sí.

El cuerpo de ella se movió imperceptiblemente en reacción a sus palabras. Señales minúsculas de excitación, pero innegables, pensó él. Le pediría que la follara.

De esto estaba casi seguro. Y no tenía ninguna prisa.

Dominik esperó.

–Tócame. Por favor.

Por fin.

Se apartó, satisfecho con la desesperación, la necesidad, de su voz.

–Primero, tocarás.

El cuerpo de Summer se estremeció de deseo frustrado. Se incorporó lentamente, sabiendo que él jugaba con ella, pero incapaz de defenderse.

Regresó al círculo de luz y al fin se volvió de cara a él.

–Una improvisación sobre los temas de la *Gruta de Fingal* de Mendelssohn –dijo, haciéndole una delicada reverencia.

A continuación Summer se arrodilló y, con toda la gracia de que fue capaz en aquel estado de desnudez, extendió la mano para alcanzar el estuche del violín que había dejado en el suelo. Todavía agachada, lo abrió y sacó el Bailly.

Sabía que la mirada de él estaba fija en su sexo, como si el voyerista que llevaba dentro esperara que, al agacharse, los labios de la vulva se abrieran ligeramente y delataran su creciente humedad. Este pensamiento hizo que aumentara la temperatura de su cuerpo y olvidara el frío de la cripta.

El barniz anaranjado del instrumento centelleaba bajo el haz de luz que iluminaba a Summer. Ajustó el agarre del arco y se lanzó a tocar con los ojos cerrados.

En su imaginación, cada vez que tocaba aquella pieza, evocaba olas que rompían contra una costa rocosa de ásperos fiordos escandinavos, levantando espuma como una neblina en el aire en un fondo de cielos grises y ventosos. Para Summer, cada pieza musical poseía su propio paisaje y era a estos lugares, nacidos de vientos exóticos en viajes de la mente, donde a menudo se trasladaba cuando tocaba. Sabía que el mundo real de la *Gruta de Fingal* estaba asociado con el paisaje norirlandés de la Calzada del Gigante, donde nunca había estado. A veces la imaginación era suficiente.

Sintió que su respiración se acompasaba, que su cuerpo se relajaba. El tiempo se detuvo.

Más allá del muro hipnótico de la música y de su ceguera voluntaria –ella no necesitaba vendarse los ojos–, percibía la presencia de Dominik. El estruendo de su silencio, el sonido apagado y distante de su respiración. Sabía que la observaba, no solo escuchaba cada una de las notas que ella interpretaba, era consciente de que sus ojos penetrantes viajaban por la geometría de su cuerpo como un explorador investiga mapas no cartografiados, fijándola en su mapa imaginario como el coleccionista de mariposas cuando toma posesión de un nuevo ejemplar, disfrutando de la vulnerabilidad de su desnudez, del don de su cuerpo.

Finalmente, con un movimiento superfluo de muñeca lleno de teatralidad, Summer concluyó su improvisación. El sonido de la música permaneció allí durante un instante, con el eco de la melodía rebotando contra las paredes de piedra, antes de que volviera a imponerse el silencio absoluto, un silencio tan hondo que por un momento pensó que estaba sola en la cripta. Sin embargo, cuando abrió los ojos vio a Dominik inmóvil en el mismo sitio donde lo dejó, con una sonrisita de placer en los labios.

Levantó las manos y aplaudió despacio, aplausos con deliberados gestos de admiración.

–Bravo –dijo.

Summer bajó la cabeza, aceptando sus elogios como si estuviera en el escenario.

Se inclinó para dejar el valioso violín en el suelo de piedra, consciente de que los pechos se le balanceaban, volviendo a la vida.

Miró de nuevo a Dominik, esperando que hablara, pero él permaneció en silencio.

Se le habían secado los labios y se los humedeció con la lengua. Tenía la sensación de que el calor que irradiaba de su cuerpo formaba una especie de halo alrededor de Summer, como un extraterrestre en una película de ciencia ficción o un científico nuclear que acabara de ser irradiado por una filtración de residuos radioactivos tras una catástrofe atómica.

–Exquisito –comentó Dominik rompiendo el silencio.

–¿Yo o la música? –preguntó Summer con aspereza.

–Ambas.

–Qué detalle por tu parte –dijo–. ¿Puedo vestirme ya? –preguntó.

Su mirada no vaciló.

–No.

Con el andar grácil y potencialmente amenazador de una pantera que acecha a su presa, Dominik avanzó hacia ella. Summer lo miró; sus ojos se encontraron. Mirándolo a la cara se negó a ceder su posición, y sintió una vez más oleadas de un calor doloroso que la recorrían cuando estaba cerca de él.

Dominik le agarró el hombro, la hizo girar y la empujó hacia delante, de cara a la pared. Le puso una mano en los riñones para acentuar el arco formado por su pelvis y el montículo del culo.

El tacto de él fue como un relámpago de placer que sacudió todo su cuerpo.

Deseaba volver la cabeza para mirarlo, pero sabía que no le gustaría. Tenía los ojos fijos en el suelo de piedra, una visión borrosa e invertida del delta de sus piernas abiertas, y los labios de la vulva hinchados por la excitación en los márgenes de su visión.

Oyó un movimiento de roce, intentó interpretarlo y, antes de saber qué ocurría, sintió el calor del miembro contra su abertura, tan cerca, casi tocándola, que no podía estar a más de un pelo de distancia.

Si Summer ajustaba su posición muy ligeramente, si retrocedía un milímetro, lo sentiría dentro. Pero todavía no le había pedido que lo hiciera.

–¿Es esto lo que quieres? –dijo Dominik–. Dímelo.

–Sí –susurró Summer. No estaba segura de ser capaz de reprimir un gemido si hablaba más fuerte.

–¿Sí qué?

Summer no quería esperar más. Apretó el cuerpo contra él, pero en cuanto se movió y el latido de la punta del miembro rozó su abertura, Dominik, en un movimiento rápido, le agarró los cabellos y tiró de ella hacia atrás, a la vez que apartaba su miembro.

–No –dijo con voz ronca–. Quiero que me lo pidas. Dime lo que quieres.

–Fóllame. Por favor, fóllame. Quiero que me folles.

La agarró aún más fuerte del pelo y tiró hacia atrás otra vez, penetrándola con un movimiento veloz, certero. Ella estaba tan húmeda que pudo penetrarla hasta el fondo de una embestida.

Summer se rindió a la sensación, disfrutando de la forma en que la colmaba, preguntándose si estaría del todo firme o crecería y se endurecería aún más dentro de ella como hacían algunos hombres. En cualquier caso, ya lo sentía maravillosamente grande.

Empezó a embestirla.

El ajuste era perfecto, pensó, abandonándose a las sensaciones que empezaban a inundar todo su cuerpo, mientras la mano de él en su cintura la obligaba a mantener su posición.

–Dilo otra vez –dijo Dominik, sintiendo cómo se estrechaba alrededor de él como reacción a sus instrucciones; la arponeó de nuevo con un empujón fuerte, casi brutal, golpeando sus paredes interiores como un ariete.

–¡Oh! –fue la única palabra que encontró Summer para responder.

–Estamos follando –dijo él.

–Sí –suspiró ella–, lo sé.

–¿Y es esto lo que quieres?

Ella asintió con la cabeza, justo cuando una potente embestida casi la hizo chocar de frente contra la pared.

–Contesta –dijo él.

–Sí.

–¿Sí, qué?

–Sí, esto es lo que quiero.

–¿Y qué querías?

Sí, estaba creciendo dentro de ella, abarcándola, colmándola. Forzando las paredes de su vagina.

–Quería que me follaras.

–¿Por qué?

–Porque soy una puta.

–Bien.

Su ritmo intensivo se aceleró. No había nada sutil en él, ambos lo sabían; instinto animal en estado puro, pero en aquel momento era lo que ambos necesitaban.

Para su primera vez.

La intensidad, la sed que había habido entre ellos aquellas últimas semanas por fin había emergido y se había expresado.

Volvió a agarrarle los cabellos, tirando agresivamente de ellos con una mano, montándola, como si fuera un caballo. Summer jadeó. Sensaciones desconocidas le saturaban la mente, llena de confusión; incluso llegó a sentir un poco de pánico. El choque era aterrador pero también agradable. De pronto se dio cuenta de que Dominik no llevaba condón. La estaban montando a pelo. Incluso con Darren siempre insistía en que utilizaran protección. Pero ahora ya era demasiado tarde, y ella lo sabía, había notado la piel desnuda de su miembro esperando su reacción. Siempre podría ponerle remedio más tarde; había pastillas para eso.

Sintió que la respiración de Dominik se volvía entrecortada e irregular.

Cuando se corrió como un torrente dentro de ella, también dejó caer la mano izquierda sobre su nalga con una fuerza impresionante. La violencia de la punzada le provocó un dolor instantáneo, hasta que la sensación se apaciguó rápidamente. Summer sabía que la marca de sus dedos sobre las pálidas nalgas permanecería durante horas.

Se quedó dentro de ella un minuto más y entonces se retiró. Summer se sintió como si estuviera hueca, ya no invadida y poseída. Incluso incompleta. Empezó a incorporarse, pero el contacto firme de la mano de él contra sus riñones indicaba que Dominik quería que permaneciera en la misma posición, completamente abierta y a la vista.

Summer sonrió para sus adentros: Dominik era un hombre que se corría en silencio. Summer hacía una clara distinción entre los hombres silenciosos y los charlatanes. En el calor del sexo, había un momento para las palabras y otro para el silencio.

En ese momento, Dominik habló.

–Veo cómo se escurre mi semen por el interior de tus muslos, salpicando tu vello púbico, dando brillo a tu piel... Es una visión maravillosa.

–¿No es desagradable? –preguntó Summer.

–Al contrario, es hermosa. No lo olvidaré nunca. Si tuviera una cámara, lo fotografiaría.

–¿Para chantajearme después? ¿Con los moratones y todo eso?

–Puede que las marcas aumenten el efecto –observó Dominik.

–¿Me habrías... deseado si no hubieras visto los moratones? –preguntó Summer.

–Por supuesto –dijo él–. Levántate. Recoge tus cosas y el violín. Te llevo a mi casa.

–¿Y si tuviera otros planes? –preguntó Summer, buscando el vestido.

–No los tienes –afirmó Dominik.

Con el rabillo del ojo Summer vio que se abrochaba el cinturón negro de piel. La había follado pero aún no le había visto el miembro.

La casa de Dominik olía a libros. Una vez cruzada la puerta, caminando detrás de él por el primer pasillo forrado de estanterías, lo único que vio Summer fueron hileras paralelas de libros apretujados y el arcoíris de colores de los lomos hacia fuera que iba quedando atrás. Por las puertas abiertas a ambos lados del pasillo se fijó en que todas las habitaciones estaban forradas de estantes. Exceptuando las librerías, nunca había visto tantos libros juntos en su vida. Se preguntó si Dominik los habría leído todos.

–No –dijo él.

–¿No, qué?

–No, no los he leído todos. Es lo que estás pensando, ¿no?

¿Le leía la mente o era lo primero que pensaba quien entraba en su casa?

Antes de que pudiera seguir dándole vueltas al asunto de los libros, Dominik la levantó rodeándole las piernas con un brazo y sujetándole la espalda con el otro. La llevó por el pasillo hasta el estudio, abrió la puerta de una patada y fue directamente a la mesa, donde la tumbó en medio de la gran superficie de madera, completamente vacía de trastos aparte de un cubo lleno de bolígrafos, un montón de papeles en un rincón, y una lámpara de mesa con una pantalla cónica sobre un pie móvil.

Summer quedó de cara a él, nerviosa, con los olores de la cripta y del intenso sexo que habían compartido pegados al cuerpo bajo la tela arrugada de su vestido negro.

–Levántate el vestido –dijo–, y separa las piernas.

Summer obedeció, muy consciente del trasero desnudo sobre la mesa, de su suciedad y de los fluidos que la llenaban y que no había podido limpiar.

Dominik la agarró por los muslos y la arrastró hacia él, de modo que el trasero apenas reposaba sobre el canto de la mesa. Después fue a una cama baja que había a sus espaldas, contra la pared («una cama en el estudio», pensó Summer, «qué tío más raro») y alcanzó una almohada, le levantó cuidadosamente la cabeza y se la puso debajo. Tiró de la lámpara de mesa, la encendió y la enfocó directamente a la vulva.

Summer contuvo la respiración. Nunca había estado tan expuesta, tan a la vista. No era una puritana, no insistía en hacerlo en habitaciones oscuras, ni exigía que se apagaran las luces, pero aquello era un nivel de exhibicionismo totalmente distinto.

Dominik acercó su silla de despacho, se sentó, miró su sexo húmedo, todavía abierto, relajado tras sus anteriores atenciones.

–Tócate –dijo–. Quiero mirar.

Summer dudó. Aquello era infinitamente más intenso, más personal, que follar. Apenas conocía a aquel hombre, pero la excitaba mucho, al mismo tiempo, tener las piernas tan impúdicamente abiertas, con un foco de luz sobre su sexo.

Dominik se apoyó en el respaldo, con los ojos fijos en ella, una expresión que era una mezcla de concentración e interés, mientras los dedos de Summer navegaban diestramente por la íntima geografía de sus pliegues internos y externos, los círculos rápidos y firmes sobre el clítoris, el movimiento de sus manos, tan hábil y precisamente orquestado, como cuando tocaba el violín.

Él observó con interés mientras ella reaccionaba a sus comentarios e instrucciones, para que fuera más rápida o más lenta, y a las promesas de lo que iba a hacerle a continuación. Fue una de estas promesas la que la llevó al orgasmo precipitadamente, con un gemido suave que se le escapó de entre los labios seguido de un estremecimiento del cuerpo. Desde su posición estratégica, Dominik podía ver los espasmos de sus músculos vaginales y comprobar si fingía, aunque no creía que Summer fuera a hacerlo.

Volvió a levantarla, abrazándola, apretando las piernas de ella alrededor de su cintura, la ingle mojada contra su cuerpo todavía vestido.

–Bésame –dijo.

Summer pensó que tenía los labios suaves, de una suavidad insólita para un hombre.

Mientras le abría los labios delicadamente con la lengua para abrirse paso, rozando la barrera de los dientes hasta llegar a la lengua, Summer sintió que se enlazaba con la suya, al mismo tiempo que la mano de él tiraba de la cremallera del vestido negro y lo aflojaba. El beso continuó. Summer notaba su sabor, un cóctel de impresiones sin ninguna nota dominante, un indicio de pastilla de menta en el aliento, el vigor masculino de su proximidad. No había rastro de perfume o loción para después del afeitado que le hiciera cosquillas en la nariz. Era como entrar en un territorio nuevo, un país inexplorado.

–Levanta los brazos –ordenó.

Le pasó el vestido por la cabeza, alborotándole la melena ya despeinada, la inclinó hacia atrás para obligarla a bajar las piernas y volver a apoyarlas en el suelo mientras sus manos empezaban a viajar por la piel ahora desnuda de Summer, acariciándola, sin dejarse un solo centímetro de la espalda, los hombros y el trasero amoratado.

Mientras la tocaba con una mano, con la otra le sostenía la barbilla ligeramente, acercándola para alcanzar sus labios con otro beso. Pero, ¿acaso terminaron el primero o lo habían interrumpido? Ella no era consciente de que así fuera.

La dejó caer sobre la cama.

Summer cayó de espaldas y observó cómo se desnudaba Dominik. Primero la camisa, seguida de los pantalones, que apartó con el pie, y después los calzoncillos negros. Summer entrevió el pene, grueso, firme, venoso.

Tiró de ella hacia el borde de la cama, donde se arrodilló, le separó las piernas en un ángulo pronunciado, y recorrió su piel con la punta del dedo lentamente, desde la parte interior del tobillo a la zona interior del muslo deliciosamente cerca de la ingle. El cuerpo de Summer se encendió con el contacto. Dominik posó los labios sobre la suave piel del interior de los muslos, tentándola con besos por todas partes menos donde ella quería. Summer gimió anhelante, arqueándose hacia él, que rápidamente se apartó; la hizo esperar un momento, aunque a ella le pareció una eternidad, antes de hundir la cara en el vértice en el que se unen los muslos. Ella suspiró con un éxtasis mal disimulado, hasta que Dominik empezó a recorrer su sexo con la lengua y Summer se estremeció.

Por un momento, salió de la intensidad de su ardor. La acababan de follar, todavía no había podido limpiarse, pero entonces pensó que era Dominik quien la había montado, y si a él no le importaba, ¿por qué debía importarle a ella?

El zumbido que provocaba su lengua se intensificó hasta que Summer no pudo concentrarse en nada más, todos los pensamientos del mundo, su situación, se desvanecieron, flotando, volando, fuera de control, suspendidos entre la noche y el día, la vida y la muerte, el espacio donde lo único que importaba eran las sensaciones, donde el placer y el dolor se fundían en un maravilloso olvido.

De pronto se alejó de su centro del placer, se situó encima de ella en la cama y apoyó el pene sobre su vientre.

–Sí –dijo Summer, y Dominik la penetró en silencio. Summer volvió a sentirse colmada totalmente, el duro mástil iba separando los labios de la vulva, y empujando las paredes con sus firmes embestidas.

Aquello continuó durante una eternidad mientras las manos de él seguían deambulando sin timidez por todos los rincones y recovecos, públicos y tremendamente privados, de su cuerpo, orquestando la progresión de su deseo. De manera inesperada, le introdujo la lengua en la oreja, y al minuto siguiente en el hueco del cuello. Los dientes de Dominik le tiraron delicadamente del lóbulo, un dedo se enredó en sus cabellos, otra mano le apretó las nalgas, y después dos (¿cuántas manos tenía?) se las separaron. Dominik viajaba dentro y fuera de ella, y con cada embestida subían un escalón más hacia un destino tan desconocido como apetecible.

No tenía ninguna duda de la habilidad de Dominik, era un hombre que podía tomarla con brutalidad o jugar con ella lentamente como estaba haciendo ahora. ¿Cuántas otras facetas tendría?

Por fin, Dominik se corrió. Con un rugido grave. Un sonido proveniente de una selva lejana, sin palabras concretas que Summer pudiera entender.

Suspiró al tiempo que los movimientos de él dentro de ella se iban apaciguando poco a poco mientras recuperaba el aliento.

Había dejado de ser Míster Silencioso.

# 7

## *Una chica y una criada*

Estaba anocheciendo y el sol de la tarde proyectaba un brillo cálido sobre la cara de Dominik, iluminándola con una luz poco favorecedora. Los últimos rayos pálidos que huían de un cielo cada vez más oscuro, lo rodeaban con una aureola artificial, que, a pesar de que pareciera encajar a la perfección en él, lo convertía en irreal. Tal vez solo fuera porque sus rasgos fuertes y marcados se asociaban a climas más fríos. Dominik era atractivo, de eso no cabía ninguna duda, pero me había parecido más guapo a la luz pálida de la cripta.

Se apoyaba despreocupadamente en el marco de la puerta, y su cuerpo proyectaba una sombra larga sobre el porche delantero, donde estaba yo de pie, un escalón por debajo de él, preparándome para marcharme. Le había dicho que aquella noche tenía que trabajar, aunque no fuera cierto, para evitar sentirme incómoda si me invitaba a quedarme. O si no lo hacía.

Una brisa suave soplaba sobre el césped. Con cada ráfaga de viento me llegaba un leve aroma de los libros que llenaban el pasillo y el resto de la casa. Formaban parte de él hasta tal punto que yo había imaginado que su piel tendría la textura del pergamino, aunque por supuesto tuviera la misma que la de cualquier otro hombre; solo sus labios eran especialmente suaves.

Los libros, aunque fueran perfectos para él, no eran lo que yo esperaba. Siempre había asociado las colecciones a las personas desordenadas, a los conferenciantes despistados y a un tipo de académico más estereotipado. Creía que Dominik sería un pez gordo de la City, un banquero, un hombre relacionado con las finanzas, no un profesor de universidad, como me dijo, cuando le pregunté por qué su casa parecía una biblioteca.

A juzgar por el brillo de sus zapatos y el dinero que parecía evidente que tenía, y que le había permitido comprar el violín y montar los demás preparativos, esperaba que me llevara a un piso más o menos monocromo de Bloomsbury o Canary Wharf, con electrodomésticos de acero inoxidable y decorado en tonos de plata y negro, el color de su coche. No me imaginaba aquello: una casa sin más, un hogar, con un estudio y una cocina de verdad y libros por todas partes, de todos los colores y tamaños; un universo literario que tapaba las paredes. Al principio, pensé que también tendría un gato, que estaría acurrucado observándome desde la seguridad de un estante, pero poco después de mi llegada deduje que Dominik no era aficionado a las mascotas. No sería capaz de tolerar a un animal descontrolado frotándose contra sus piernas, aunque fuera tan independiente como los felinos.

No era especialmente reservado, no parecía ocultar nada de manera consciente. Sin embargo, me había dado muy pocos detalles de su vida o de su día a día. Yo suponía que valoraba su intimidad, y lo comprendía, porque a mí tampoco me gustaba invitar a nadie a mi casa. Me sorprendía que me hubiera llevado a la suya. La verdad es que los libros lo humanizaban un poco. Al menos, si no tenía una historia propia, parecía disfrutar coleccionando las de los demás. Quizá no fuera algo tan distinto a mis historias imaginadas, contenidas en mis instrumentos y en la música que tocaba; las distintas imágenes y aventuras que evocaba cada pieza.

Aquel pensamiento hizo que me cayera mejor. Aunque a un observador casual pudiera parecérselo, aquel hombre y yo no éramos tan diferentes.

Recordé sus caricias expertas, después de empeñarse en ver cómo me masturbaba. Me estremecí de nuevo solo de pensarlo. Había tenido relaciones sexuales con un número considerable de hombres, no podía negarlo –el deseo o la soledad me habían impulsado a tener muchos encuentros puntuales y citas por Internet–, pero nadie me había observado así. Nadie me había mirado con tanta intensidad mientras yo paseaba el dedo por mi clítoris, bajo la luz brillante de la lámpara de mesa, como un médico carente de esa expresión de desinterés científico. Dominik no tenía pudor y parecía disfrutar desprendiéndome del mío, capa a capa. Era como si contemplara una escena que quisiera revivir con exactitud más tarde. Me había pedido que fuera más despacio o más deprisa, que aumentara o disminuyera la presión. Aquella vez no creí que lo hiciera para excitarme, sino para poder calibrar mi reacción, ver qué era lo que hacía reaccionar mi cuerpo y lo que no funcionaba tan bien. Me había tenido expuesta ante él, examinándome como un científico con un nuevo espécimen en sus manos. Casi me esperaba que se pusiera a tomar notas.

–Un día –dijo–, te volveré a mirar mientras haces esto y te diré que te metas un dedo por el culo.

Eso fue lo que me llevo al clímax. No me corro tan fácilmente, y menos aún con un amante nuevo, pero la idea de que él me mirara y la dirección que parecía estar tomando su pensamiento, el morbo de la petición... Dominik apretaba teclas que yo ni siquiera sabía que tenía.

Me dijo que no tocaba ningún instrumento, pero pienso que podía haber sido un buen músico.

Sí, pensé, estoy segura de querer volver a verlo.

Cambié el peso de mi cuerpo al otro pie y aflojé la mano que sujetaba el estuche del violín. No parecía dispuesto a dejarme marchar. Esperé pacientemente a que dijera algo.

–Creo que la próxima vez dejaré que lo planifiques tú –dijo Dominik.

Me quedé un momento en silencio, pensando. Otro cambio de táctica. Cuando yo creía que lo había calado.

–¿Y si planifico algo que no te gusta? –pregunté.

Dominik se encogió de hombros.

–¿Disfrutarías pensando en algo que a mí no me gustara?

Lo pensé. No, no disfrutaría. Si íbamos a quedar otra vez, era evidente que deseaba que los dos lo pasáramos bien. ¿No es lo que espera todo el mundo? Aún así, yo aún no tenía claro qué quería exactamente de mí ni lo que quería yo de él, y esto me dificultaría la planificación de la próxima cita.

Sacudí la cabeza, sin saber cómo expresarme.

–Es lo que pensaba –añadió–. Esperaré tu llamada.

Acepté, me despedí y me di la vuelta para marcharme.

–¡Summer! –gritó, cuando ya había llegado a la verja.

–¿Sí?

–Elige la fecha y el lugar... aquí, si quieres, pero yo elegiré la hora y daré los últimos retoques a los detalles.

–De acuerdo.

Me permití una sonrisita antes de girarme de nuevo.

Dominik no podía evitar asumir el mando.

Y me sorprendió descubrir que yo prefería que fuera así.

La cabeza no paró de darme vueltas durante todo el trayecto de vuelta a casa. Pronto sería de noche, y descarté un paseo a través de Hampstead Heath para aclararme las ideas, aunque ejercicio y aire fresco eran justo lo que necesitaba.

El sexo había sido fabuloso. Más ardiente imposible. Me dolían un poco los músculos, sobre todo las pantorrillas. Probablemente por cómo me había doblado en la cripta. Había estado aguantando con las piernas en tensión una eternidad mientras él daba vueltas en torno a mí antes de follarme. Eso me pasaba por ser tan terca y negarme a reconocer que estaba incómoda.

Después, su manera de bajar a mi entrepierna, justo después de que me corriera y todavía con su semen de la vez anterior dentro de mí. Ni siquiera había podido pasar por el baño para limpiarme. Recordé cómo me levantó y me llevó a su estudio en cuanto crucé la puerta de su casa, me tumbó sobre la mesa y me separó las piernas. Reprimí una risita pensando que me había hecho cruzar en brazos el umbral de su casa.

Por extraño que fuera, era el sexo más romántico que había tenido nunca, aunque no habíamos usado preservativo, una cuestión con la que normalmente soy inflexible. Debería hacerme unos análisis. Sentí una punzada de vergüenza imaginando que tendría que contarle al médico o a la enfermera que había mantenido relaciones sexuales sin protección. Era una estupidez, pero el calor de su miembro y la manera en la que me había follado, con tanta fuerza, como un poseso, tirando de mi pelo hacia atrás como si montara una yegua, me hicieron olvidar la sensatez.

No era extraño que me doliera todo.

Dominik podía ser un poco gallito, pero en la cama era estupendo y generoso. Sus modales en el dormitorio no tenían el habitual sello de arrogancia propio de los hombres de su clase.

En cuanto llegué a casa fui directamente a la ducha. Mientras me desprendía de todo rastro de la aventura del día, mi cabeza no dejaba de pensar.

Casi todo, me dije, al ver la sombra de los moratones en el espejo del baño.

¿Había añadido Dominik algún juego de su propia cosecha?

Al menos –gracias a las pequeñas alegrías de la vida– no tenía marcas en las muñecas ni en los brazos, solo en zonas que normalmente llevaba tapadas, y ninguna de ellas podría distinguirse de un golpe atribuido a la torpeza, un choque contra una puerta o una caída.

Me pregunté cómo se las arreglarían las personas que había visto en los clubes fetichistas. Cómo compaginaban sus aficiones nocturnas (y quizá también las diurnas) con su vida cotidiana. Para algunos solo era una escapada nocturna, sin duda, pero a juzgar por lo que había dicho Charlotte, no era lo mismo para todos. Según ella, Londres estaba lleno de hombres y mujeres sentados en casa con sus respectivas parejas frente al televisor con un plato de curry en una mano y un látigo en la otra.

¿Llegaría yo a ser una de ellos?

Con Dominik no, estaba segura de que no. Por el momento no había sacado ni fustas ni esposas, aunque en vista del interés demostrado por mis moratones no me extrañaría que lo hiciera. Me decepcionó un poco que no me atara, me colgara del techo o me combara sobre algún aparato que tuviera escondido por la casa. Solo había visto su estudio y su cocina, pero no su dormitorio. Era raro que tuviera una cama en el estudio. Dijo que la usaba para pensar. ¿Pensar en qué? En formas de confundirme y tentarme, seguramente.

Cuanto más pensaba en ello, más confundida estaba y más lejana veía una estrategia de salida. Aparte de la dificultad que tenía para resolver mi propia revolución sexual y buscar la manera de encajar en aquel mundo nuevo con el que había tropezado, no sabía qué hacer con Dominik.

La idea de llamarlo para quedar para nuestro próximo encuentro me desconcertaba. Era una tarea muy fácil, pero cuantas más vueltas le daba, más claro veía que, a pesar de la irregularidad de su comportamiento, me gustaba que me diera órdenes. Había apreciado la simplicidad y la sorpresa de sus instrucciones. Echaba de menos la excitación de descubrir qué sorpresa me tenía reservada. El mero hecho de reconocerlo hizo que imaginara a las sufragistas revolviéndose en sus tumbas. Y esto antes de añadirle las experiencias con latigazos y azotes.

No llegué a ninguna conclusión.

Pensé en llamar a Chris, del grupo. Estaba inmerso en la grabación del primer álbum de la banda y llevaba meses sin verlo, aunque habíamos intercambiado algunos correos electrónicos. Darren siempre tuvo celos de nuestra amistad, y para mantener la paz, yo fui disminuyendo gradualmente el contacto. Ahora lo lamentaba. Chris siempre había sido un buen amigo, un cómplice, un refugio cuando necesitaba que alguien entendiera mis excentricidades y las dificultades inherentes al proceso creativo.

Sin embargo, era imposible explicarle todo aquello. Era protector; sabía que desconfiaría de un hombre que me hacía regalos caros y me pedía que me desnudara delante de él en lugares subterráneos secretos. Yo misma desconfiaría de Dominik si alguien me contara mi historia.

Así que llamé a Charlotte. Aquel era un problema que entraba en su campo de acción.

–Hola, guapa –dijo–. ¿Cómo te va?

Esta vez estaba sola. Qué bien. Ya era bastante complicado explicar mi historia a una sola persona. No quería más oyentes.

–¿Te acuerdas del tipo que me mandó el correo electrónico? ¿El del reto y las condiciones?

–Sííí –dijo, toda oídos.

Se lo conté todo, el Bailly, la cripta, la desnudez, todo. Le describí a Dominik y sus desconcertantes instrucciones.

–Por ahora no me sorprende –dijo Charlotte.

–¿Cómo que no te sorprende? A mí me parece una locura.

–No, no es una locura; solo es un amo.

–¿Un amo?

–Sí. Todos son así... gallitos que quieren controlarlo todo. Pero parece que te está gustando.

–Mmm.

–¿Cómo has dicho que se llamaba?

–Dominik.

Charlotte se echó a reír.

–Vaya, qué conveniente –dijo–. Ni que te lo hubieras inventado.

–¿Y qué le digo? ¿De lo de volver a vernos?

–Depende por completo de lo que quieras sacar de esto.

Reflexioné. Francamente no tenía ni idea de lo que quería de él. Algo sí quería. No podía sacármelo de la cabeza, pero ¿por qué?

–No estoy segura –respondí–. Por eso te llamo.

–Bueno –dijo, siempre tan pragmática–, tienes que decidir qué quieres o no lo obtendrás nunca.

Un consejo muy sensato.

–No está de más que le hagas esperar –continuó Charlotte–. Quizá un par de semanas. Proponle tocar otra vez para él, desnuda por supuesto, ya que lo excita tanto, y en su casa; así no tienes que invitarlo a la tuya. Además así creerá que has pasado la pelota a su campo otra vez, lo cual no es cierto, por supuesto.

Casi podía oír la sonrisa maliciosa que se expandía por su cara.

–De acuerdo –contesté.

–Y mientras tanto, puedes venir y servir en una fiestecita que daré la semana que viene, si te apetece.

–¿Servir?

–De camarera. De criada. Los invitados son todos fetichistas. Puedo presentarte como es debido a algunas personas y así verás si realmente te gusta que te dominen. Les diré que solo quieres probarlo por una noche y, si no te gusta, te quitas el delantal y te apuntas a la fiesta. Tengo esclavos como es debido contratados. Ellos harán el trabajo duro. Tú lo único que tienes que hacer es pasearte con un par de platos y estar estupenda.

–¿Estupenda cómo? ¿Qué me pongo?

–Ay, no lo sé, usa tu imaginación. ¿Por qué no llamas a tu novio rico y le pides que te compre algo?

–No es mi novio. Y no tengo intención de pedirle nada.

–No te sulfures. Te tomaba el pelo. Qué susceptible eres.

–Bueno –dije de mal humor–. Lo haré.

–Excelente –dijo Charlotte–. Aunque quizá lo podrías dejar caer cuando hables con él, a ver cómo reacciona. Nos vemos el sábado. Tráete el abrigo, ¿quieres?

Siguiendo el consejo de Charlotte, esperé tres días antes de llamar a Dominik.

–Summer –dijo, antes de que pudiera identificarme.

–He pensado que podríamos quedar el miércoles que viene –dije.

Calló y oí roce de páginas. Seguramente estaba comprobando la agenda.

–Perfecto. No tengo nada. ¿Qué tenías pensado? Para que pueda organizarme.

–Volveré a tocar para ti, en tu casa.

–Una elección excelente, si se me permite opinar.

Me relajé al ver que estaba complacido con mi propuesta. Hablamos de la música que tocaría. En vista de que disfrutó tanto con la improvisación de la cripta, me apetecía probar algo diferente. Pensé en tocar algo que no conociera de Ross Harris, el compositor neozelandés; también podía salirme totalmente del repertorio clásico, quizá Daniel D... Al final me puse nerviosa y acepté su propuesta: una sección del movimiento final del concierto para violín de Max Bruch.

–Quedamos así –dije con fingida jovialidad. No soporto hablar por teléfono.

–Summer –repitió, cuando ya estaba a punto de colgar, como si siempre tuviera que tener la última palabra.

–¿Sí?

–¿El sábado por la noche estás libre?

–No, tengo planes.

–Bien. No pasa nada.

Parecía decepcionado, y me pregunté si esperaba poder verme antes. Entonces recordé la sugerencia de Charlotte de que le hablara de la fiesta.

–En realidad –dije–, voy a trabajar en una fiesta un poco singular.

–Mmm. ¿Singular en qué sentido?

Parecía intrigado, no enfadado, así que continué.

–Mi amiga Charlotte es la anfitriona, la que me llevó al primer club fetichista.

–Parece una amiga interesante.

–Lo es. Me ha... bueno, me ha pedido que trabaje de criada en la fiesta.

–¿De criada? ¿No de camarera? Sin cobrar, supongo.

–Creo que sí. No hemos hablado de dinero.

–Entonces, como dirías tú, solo lo haces por la experiencia.

–Creo que sí.

–Qué curioso.

No supe si esto significaba que le parecía bien o mal.

Aquel viernes recibí otro paquete. De Dominik. De nuevo tuve que firmar un resguardo, pero esta vez no me preguntó antes si estaría en casa.

Debió de suponer que estaría, o se arriesgó; fue un detalle que me preocupó un poco. No me sentía cómoda sabiendo que conocía tantos secretos míos.

Dentro de la caja de cartón anodina y estándar había un paquete más pequeño, envuelto en papel blanco fino y atado con una cinta negra. Lo abrí con cuidado, doblé el papel y lo dejé a un lado. Dentro del papel había una bolsa de satén negro cerrada con un cordel, y dentro de la bolsa, un corsé negro. Era una maravilla, no como las piezas adocenadas que había visto expuestas en las tiendas de lencería barata. Con todas las ballenas, acampanado para acomodar las caderas y un diamante de terciopelo en el estómago para realzar la silueta. En los costados, unas tiras de terciopelo de un par de centímetros de ancho adornaban las franjas más anchas de satén formando un estampado que tenía algo de geométrico, de *art déco;* habría sentado a la perfección a una estrella de cine de la década de 1930. Era una pieza de vestir más glamurosa que barata, eso sin duda, pero tenía un escote muy bajo. Cuando la sostuve delante de mí y me miré en el espejo, vi que el escote quedaba por debajo del pecho, no por encima. Si no te lo ponías con sujetador, o te tapabas los pezones con algún pegote, los pechos quedaban totalmente al descubierto.

La idea me excitó, y ansiosa por ver cómo me quedaba me puse a desatar cordones. Entonces me di cuenta de que no era probable que Dominik quisiera que tocara para él parcialmente vestida si ya me había visto desnuda. Tampoco parecía tan interesado por mi vestuario, aunque sí disfrutaba observando los cambios sutiles y las variaciones de la ropa que elegía, dependiendo de las particularidades de la ocasión. El corsé era más de mi estilo que del suyo. Busqué alguna otra pista en la caja y encontré dos paquetitos bajo el forro de la caja que protegía el contenido, y una nota.

«Ponte esto. D.», decía la nota.

Uno de los dos paquetes contenía unas bragas blancas de volantes, unas medias y unas ligas para sujetarlas. Las medias eran de verdad, de nailon y con costuras. Había oído hablar de medias de nailon, por supuesto, pero nunca las había visto. Eran resbaladizas, un poco ásperas al contacto con la piel, y no daban nada de sí; se parecían más a unos paracaídas largos y finos que a las medias suaves y elásticas normales.

En el otro paquete había un pequeño delantal, de algodón blanco con un encaje negro y blanco en el dobladillo. Incluía una cofia a juego, de la medida de un platito.

Un traje de criada. Para el sábado. Para la fiesta de Charlotte.

No había zapatos. O bien Dominik había olvidado ese detalle, lo que no parecía probable, o daba por sentado que yo tenía mis propios zapatos. De hecho, los tenía: un par de zapatos negros de tacón de aguja con una plataforma alta delante y el borde blanco, que compré en Hackney de segunda mano a una exgogó que había abandonado el baile para dedicarse a la sombrerería, y puso a la venta todos sus zapatos. Serían perfectos, aunque fueran demasiado altos para ser cómodos. Aun así, estaba dispuesta a hacer sacrificios, no necesariamente por el *glamour*, sino para conseguir un «efecto» correcto.

Encontré una cosa más en el fondo de la caja: una campana diminuta. Tenía la misma forma que las de los campanarios, pero con un badajo no mayor que mi dedo. Cuando la sacudí emitió un sonido sorprendentemente claro. Como el timbre grave de un instrumento de percusión más que como el tintineo cristalino que acompaña el collar de una mascota o un timbre de bicicleta.

Acusar el recibo del paquete parecía lo más educado, pero no quería fomentar sus donaciones. Con el violín, ya estaba bastante en deuda con él. Dicho esto, supe que había comprado el traje para sí mismo, no para mí; para poder imaginarme con él puesto, para poseerme a distancia mientras yo servía comida con los pechos al aire como una camarera de Hooters, aunque estuviera con una concurrencia mucho más refinada. Supuse que la campana servía para que la utilizaran los invitados a la fiesta cuando quisieran avisarme de que querían algo.

Al final, no le dije que lo había recibido. Más porque no sabía qué decir que porque quisiera hacerlo sufrir. De todos modos tampoco haría ningún daño que se preguntara si se había equivocado suponiendo que estaría en casa para recibir la entrega o si habían devuelto el paquete a la tienda.

En cambio, sí envié un *sms* a Charlotte, para saber si el traje era apropiado y no ofendería a alguno de sus invitados.

«¿Está bien si voy en *topless?*»

«Por supuesto. Estoy deseando verlo.»

Volví a guardarlo todo en la caja, le puse la tapa y la dejé en un rincón del dormitorio, desde el cual observaba con hostilidad, como si un ser solitario estuviera atrapado dentro esperando que lo soltara.

A la mañana siguiente, para olvidarme un poco del traje, y de la fiesta inminente de Charlotte, fui a nadar con furia a la piscina del barrio, animada con la música de Emilie Autumn sonando sin parar en mis auriculares sumergibles, y al terminar me di una vuelta por los escaparates de Brick Lane, me paré a tomar un café y desayuné en mi cafetería favorita de aquel barrio, en la acertadamente denominada Bacon Street. La cafetería es al mismo tiempo tienda de ropa *vintage;* tiene percheros con ropa de la década de 1900 y ese olor dulzón, algo polvoriento, de las cosas antiguas, parecido al aroma de los libros de Dominik.

Aún era temprano. Mucho más temprano de la hora a la que suelo levantarme, pero la calle ya estaba llena de gente. Las aceras abarrotadas de percheros de ropa, antigüedades y cosas curiosas expuestas sobre mantas en el suelo, *chaises longues* con estampado de leopardo junto a mobiliario de oficina, puestos de comida que vendían de todo, desde costillas a la brasa hasta batidos de frutas servidos en cáscaras de coco. Un ambiente efervescente, lleno de la energía que transmitían los vendedores y los turistas excitados que visitaban el mercado por primera vez. Mientras caminaba sorteando los obstáculos de los celosos vendedores y los buscadores de gangas, me di cuenta de que mis recientes aventuras sexuales habían abierto mi mente también en otros sentidos. Antes, cuando miraba los puestos de gorras, chaquetas militares y máscaras de gas, pensaba que esas cosas las compraban coleccionistas de recuerdos de la guerra, que eran habituales de esos mercadillos, porque siempre había muchísimo material de ese tipo.

En cambio ahora, mirara donde mirara, en lugar de ver objetos de coleccionista veía ropa fetichista, las chaquetas y las gorras que gustaban a los que Charlotte denominaba «amos» en los clubes. Las máscaras las llevaban los tipos sumisos con las cabezas cubiertas o los punkies sin una tendencia sexual reconocible pero con un interés aparente por la moda fetichista. Al ver aquellos objetos de una forma diferente a los demás transeúntes, tuve la agradable sensación de haber sido admitida en un club secreto, en una sociedad llena de personas que vivían en los márgenes del mundo, sin que los demás lo supieran. También me di cuenta, con una cierta euforia, de que nunca podría borrar aquellas experiencias de mi mente. Sin siquiera desearlo, había emprendido un camino que no tenía vuelta atrás, aunque quisiera.

Estuve casi todo el día en el café, observando el ir y venir de los clientes, preguntándome cuál de ellos estaría también afiliado a ese mundo secreto, si alguno lo estaba. Me pregunté si reconocerían a un espíritu afín en mí, si al ser marginales nos sentiríamos atraídos los unos hacia los otros como una bandada de gansos dirigiéndose inexorablemente hacia el sur, o si con mi ropa de calle simplemente parecía tan vulgar como cualquier otro.

Fue esta sensación de conformidad con el camino que mis pies habían elegido por mí la que me llevó a ponerme el traje que Dominik me había regalado para la velada, y llevarlo como él pretendía, con los pechos completamente al aire.

Pasé aproximadamente una hora, con las instrucciones al lado, forcejeando con los cordones delante del espejo. Al final, lo logré, aunque no me lo ajusté tanto como debería, y me fui a casa de Charlotte por la Hammersmith line y la City desde Whitechapel a Ladbroke Grove. Llevaba la gabardina roja larga encima, y disfrutaba con la idea de saber que, debajo de mi cobertura exterior, era una persona totalmente diferente, era yo misma, y no estaba sometida a las normas habituales de la sociedad, como llevar sujetador en público.

No me sentí tan valiente cuando llegué a casa de Charlotte y tuve que quitarme el abrigo. Había ido pronto aposta, para tener tiempo de aclimatarme antes de que llegaran los invitados. Al final, respiré hondo y me quité la gabardina como si la fiesta no me pusiera nada nerviosa. Si Charlotte hubiera notado mi timidez se habría burlado de mí.

–¡Bonito corsé! –exclamó.

–Gracias. –No le comenté que era un regalo de Dominik.

–Pero te lo puedes atar mucho más fuerte. Acércate.

Me puso de cara a la pared y entonces apretó una mano contra mis riñones y empujó.

–Apoya las manos en la pared.

Recordé el sexo con Dominik en la cripta, cómo me había empujado contra la pared, casi en la misma posición. Ojalá estuviera allí, follándome otra vez. Se me endurecieron los pezones solo de pensarlo y después se me endurecieron más aún cuando me di cuenta de que era probable que el «servicio» de la noche me excitara y si mis pezones continuaban tan duros no podría disimularlo. ¿Dominik lo había tenido en cuenta? Era observador y yo sabía que había notado lo que desencadenaba mi excitación, pero no estaba segura de que hubiera previsto que hacer de criada, y especialmente llevar aquel traje que había elegido para mí, me resultara estimulante. ¿Quería que esta noche estuviera caliente, sin él? ¿Con las posibles consecuencias que esto podía acarrear? ¿O solo pretendía ejercer su control, comprobar si seguiría sus instrucciones cada vez más descaradas? El tema de la exclusividad no se había planteado. Era demasiado pronto para eso. Ni siquiera estaba segura de que estuviéramos saliendo.

–¿Estás disfrutando, eh?

Estaba tan sumida en mis pensamientos que no me había dado cuenta de que Charlotte seguía tirando de los cordones.

–Respira.

Jadeé cuando me plantó un pie en la espalda y tiró con todas sus fuerzas.

Ahora el corsé estaba atado casi hasta arriba, solo quedaban un par de dedos de espalda abiertos. La sensación era totalmente diferente a la que tuve con el corsé que me prestó Charlotte una vez, que me iba grande y era un poco rígido. Dominik había elegido la talla perfecta, aunque yo sabía que los cordones permitían un poco de margen. Atado tan fuerte, me impedía respirar con normalidad y me mantenía la espalda completamente recta. Me pareció extraordinariamente agradable, un poco como estar encerrada en un abrazo muy fuerte. Me alegré de haberme puesto antes los zapatos, porque ya no podía inclinarme de ninguna manera. Si tenía que recoger algo del suelo, tendría que arreglármelas para agacharme con la espalda recta. La idea me puso a cien. Estaba segura de que Charlotte podía oler mi excitación al agacharse delante de mí para enderezarme las medias.

Pasé la mayor parte de la noche en la cocina, llenando bandejas de comida y disfrutando para variar de la oportunidad de ser más creativa que en el trabajo, donde el chef insistía en que se siguieran sus órdenes al pie de la letra. Cuando sonaba la campana, respondía inmediatamente, y cada vez que iba al comedor y volvía a la cocina podía echar un vistazo a la fiesta, a los pintorescos invitados de

Charlotte acercándose más unos a otros y menos tapados con cada copa. Había más o menos el mismo número de hombres y mujeres, vestidos más o menos como los clientes del barco, la mayoría con una mezcla de látex y lencería. Uno de los hombres trabajaba de criada, con un vestido corto rosa chicle y un delantal blanco de encaje encima, pero sus modales sugerían que no estaba de servicio. A pesar de lo que había dicho Charlotte de que habría ayuda en la cocina y que no tendría que levantar pesos, era la única invitada que trabajaba.

Durante la noche, cada vez que tenía dificultades para respirar o que inclinarme o agacharme torpemente, impedida por las fuertes ataduras del corsé, me sentía como si Dominik estuviera controlando mis movimientos, como si tuviera el poder incluso de alterar el movimiento de mi pecho, comprimido como estaba entre la tela de satén y las ballenas de acero que me envolvían el torso. Cada vez que sonaba la campana, y yo corría a sacar una bandeja, o llenar una copa de vino, me imaginaba que era Dominik quien la tocaba. Una multitud de imágenes inundaba mi mente, imágenes de todas las formas posibles en las que me gustaría que me tomara y me usara, como si mi cabeza se hubiera abandonado al deseo.

Charlotte me miraba de una manera rara.

–Más tarde tengo una sorpresa para ti –me susurró al oído, mientras le llenaba la copa. Me había llamado con la campana más veces que nadie aquella noche.

–¿En serio? –contesté, con cierto desinterés.

Mis fantasías eran mucho más excitantes, francamente, que cualquiera cosa que ella tuviera pensada para mí.

La cena había terminado y Charlotte estaba sentada en las rodillas de un hombre que reconocí. Tardé un poco en recordar dónde lo había visto. Era el de las mallas de lentejuelas y la gorra militar que me llamó la atención en el club fetichista del barco, antes de que entráramos en la mazmorra. Charlotte sabía que me atraía, de eso estaba segura. Me pregunté si lo había invitado a propósito, y si estaba sentada en sus rodillas solo para fastidiarme. Quizá era una tontería –yo ni siquiera había hablado con su amigo–, pero Charlotte ya había jugado otras veces con hombres que me gustaban. Creo que se divertía viendo mi reacción, así que hice lo que pude para parecer impasible.

Estaba en la cocina, sirviendo postres en cuencos, cuando oí el sonido transparente de una viola en el salón, y las voces ahora apagadas de los invitados de Charlotte, que escuchaban la música. Era una pieza de Black Violin, aunque sin el habitual violín acompañando a la viola. Chris. Era uno de los temas que tocábamos juntos; lo tocamos la noche que le presenté a Charlotte. Después ella se pegó a él, yo me irrité y él se sintió incómodo, aunque nuestra amistad nunca hubiera tenido la más remota chispa sexual, algo que siempre me había parecido curioso: yo tenía chispa sexual con prácticamente todo el mundo, hasta con el lechero. Era agradable tener un amigo con el que pudiera estar relajada sin preocuparme por las consecuencias.

¿Qué pensaría de mí ahora?

La canción terminó, y entonces oí el penetrante tintineo de la campana, que llegó a mis oídos por encima del estruendo de la ovación. Sin duda, Charlotte exigiendo los postres. Cargué todos los cuencos que pude y los llevé al salón. En parte, porque la campana de Dominik me llamaba como el canto de la sirena, y me sentía obligada a seguirla, y en parte porque sabía que Charlotte me estaba lanzando un desafío y no tenía la menor intención de dejarla ganar. No me escondería en la cocina ni intentaría ocultarme. Chris tendría que tragar.

Se le abrieron mucho los ojos cuando aparecí. Lo miré y después bajé la cabeza, esperando que entendiera mi silencioso gesto y no dijera nada. No lo entendió.

Fue Charlotte la que habló primero.

–¿Qué te parece nuestra camarera? –le preguntó a Chris.

–Creo que está preciosa –contestó él, sin vacilar.

Y se puso a tocar otra vez, negándose a seguir hablando. Respiré aliviada y volví a desaparecer en la cocina. Di gracias por los buenos amigos. Decidí que nunca más abandonaría a Chris, opinara lo que opinara cualquier futuro amante de nuestra relación platónica.

Terminó su interpretación y antes de marcharse me arrinconó en la cocina. Era evidente que estaba asombrado con el comportamiento de los invitados de Charlotte, que estaban festejando en el salón como si hubieran llegado al último plato de un banquete romano. El ambiente reventaba de tensión sexual y sospeché que la carta podía incluir una orgía, justo después de los postres.

–Sum –dijo, manteniendo decididamente el contacto ocular para no mirar a mi pecho desnudo–, ¿conoces a esta gente?

–Bueno, no exactamente, solo a Charlotte.

Era cierto. No me había presentado a ninguno de los invitados, lo normal teniendo en cuenta mi función aquella noche. Pensándolo bien era curioso que el papel que me había asignado me hubiera absorbido de tal manera en cuanto me puse el delantal y oí sonar la campana por primera vez.

–¿Es todo muy raro, no? –dijo en un susurro, mirando a una chica en topless sentada a la mesa del comedor que subía y bajaba la mano sin disimulo por el muslo del hombre del vestido rosa–: Si tanto necesitabas el dinero, podrías habérmelo dicho. Deberías haberme llamado.

Se me encogió el corazón. Creía que lo hacía por dinero. No me sentí capaz de decirle que trabajaba vestida así gratis. ¿Cómo podría explicarle aquella locura?

Asentí, en silencio, demasiado avergonzada para mirarlo a los ojos. Me dio un apretón en el hombro.

–Tengo que irme, cielo. Luego tengo una actuación. Te daría un abrazo, pero... bueno... sería un poco raro.

Se me llenaron los ojos de lágrimas. Siempre había creído que Chris era la única persona que me comprendía de verdad. No sé qué haría si lo perdía por culpa de aquello.

Se inclinó, evitando cuidadosamente mis pechos y me dio un besito en la mejilla.

–¿Llámame, vale? O si quieres, pasa luego, cuando... cuando termines aquí.

–De acuerdo –contesté–. Nos vemos luego.

Se marchó y la campana volvió a sonar.

Charlotte tardó un momento en verbalizar su petición, porque estaba ocupada, arrodillada en el suelo, desnuda, con la cara enterrada en la entrepierna de otra chica. Esperó a que tuviera tiempo de observar la escena y entonces me pidió que le diera una cuchara y otro cuenco de helado.

–Quédate –dijo–, quiero que mires.

Me quedé allí clavada, no solo porque me había ordenado que lo hiciera. Charlotte estaba metiendo tranquilamente helado en el sexo de su pareja y después lo chupaba. La mujer se estremecía con cada transición de calor a frío, pero era evidente que disfrutaba. El hombre del club, en cuyas rodillas se sentaba Charlotte hacía un momento, también miraba, con el pene bajo los vaqueros. Me moría de ganas por bajarle la cremallera y sacarlo, pero mis brazos no reaccionaban moviéndose, o bien por lealtad a Dominik, comprimida como estaba en los confines de su corsé, o bien porque no me parecía correcto ser tan osada en mi papel de criada.

Charlotte volvió la cabeza para mirar al hombre que estaba detrás de ella, hizo un gesto de asentimiento con la cabeza y separó las piernas. Él se bajó los vaqueros y el miembro salió disparado, liberado de la ropa interior. Lo tenía especialmente hermoso, perfectamente recto, de color uniforme, y con una longitud y anchura prometedoras. Era como algo que esperarías ver tallado en mármol en una galería de arte. Se entretuvo un momento recogiendo los vaqueros y buscando un condón en el bolsillo.

Entonces dobló las rodillas lo justo para poder introducir su miembro dentro de ella. Al hacerlo, la cara de Charlotte se transformó, de puro placer, en una expresión de éxtasis casi religioso. Se olvidó de mí, sumida en la sensación del grueso mástil que la embestía.

En aquel momento la perdoné. Charlotte no era menos cautiva que yo de sus deseos y estaba hermosa en el calor de la pasión.

Recogí su plato vacío y la cuchara y volví a la cocina. La campana no volvió a sonar, pero seguí esperando, encerrada en el corsé y los zapatos de tacón, con los pies doloridos. El malestar me daba una sensación de paz, no muy diferente al dolor que sentía después de hacer muchos largos en la piscina.

Por fin los invitados se marcharon y Charlotte llamó un taxi para mí.

–¿Te ha parecido todo bien, cariño? –preguntó, pasándome afectuosamente un brazo por los hombros.

–Sí –contesté–. La verdad es que lo he pasado bien.

–Me alegro –dijo.

Se quedó en la puerta, envuelta en una sábana como única protección frente a la mirada curiosa del taxista, y me siguió con la mirada hasta que desaparecí en la noche.

Dominik me llamó al día siguiente, para confirmar nuestra cita.

–Tu voz es diferente –dijo.

–Sí –contesté.

–Cuéntame.

Me pareció detectar cierta preocupación, pero no estaba segura. Tanto si realmente se preocupaba por mí como si solo era otro giro en su juego, no me sentí menos obligada a responder a sus preguntas de lo que me había sentido obligada a responder a su campana. Le conté lo del corsé, y lo de Charlotte, y cómo me había sentido viendo cómo la colmaban desde atrás.

La noche anterior a nuestro encuentro, me mandó un *sms:* «Mañana ven a las diez de la noche. Tendrás público. Más de uno».

# 8

## *Un hombre y su invitado*

Summer todavía no conocía esa habitación de la casa de Dominik. En el último piso. Posiblemente fuera un desván, pero estaba reformada de arriba abajo. En ciertas zonas, el techo descendía siguiendo la inclinación del tejado. Solo dos de las paredes estaban cubiertas de estanterías, mayormente llenas de libros con el lomo amarillo y de revistas de cine, aunque en el estante más alto de la pared de la izquierda se veía un surtido de volúmenes más antiguos, encuadernados en piel y con la mayoría de los títulos en francés. Summer no tuvo tiempo de examinar con más atención los estantes ni mirar los libros a fondo. No había ventanas y la única luz procedía de dos tragaluces cuadrados abiertos en el techo.

En la habitación no había nada más, como si Dominik la hubiera vaciado aposta de muebles o lo que fuera para evitar distracciones.

Le había pedido que fuera a las diez de la noche. Sería una actuación nocturna. La primera que hacía a una hora tan tardía. Los encuentros previos incluidos en el contrato no escrito que había entre ellos se habían celebrado durante el día o a última hora de la tarde.

Dominik la recibió en la puerta y le dio un beso en la mejilla. Como siempre, sus rasgos eran inescrutables, y Summer supo que no obtendría ninguna explicación de él, así que permaneció en silencio. La llevó arriba, donde abrió la puerta que llevaba a la planta más alta de la casa.

–Aquí –dijo.

Summer dejó el estuche del violín en el suelo de madera.

–¿Ahora? –preguntó.

–Sí, ahora –confirmó él.

Summer se moría de ganas por saber quién más habría entre el público, pero se lo pensó mejor antes de preguntar. La sola idea de imaginarse el público que presenciaría su recital, su servicio, espiando todos sus movimientos y gestos, le provocaba punzadas de excitación que se arremolinaban en su interior.

Se desvistió. Había ido a casa de Dominik con unos vaqueros viejos y una camiseta blanca ajustada. Él le dijo que no hacía falta que se arreglara. Ni medias ni tacones, precisó. Estaría totalmente desnuda. Por su manera de planificar las diferentes actuaciones, el proceso continuo de sus exhibiciones, como un director excesivo pero considerado, parecía disfrutar con las variaciones sutiles de ropa y desnudez.

Se quitó la ropa rápidamente y se quedó quieta, desnuda, mirándolo. Por un momento, deseó que la tomara allí y ahora, a cuatro patas sobre el suelo de madera, pero se dio cuenta de que no era su intención, o al menos no antes de que interpretara la música que lo erotizaba. Una vez más acordaron de antemano la pieza que Summer tocaría: el solo del movimiento final del concierto para violín de Max Bruch.

Los ojos de Dominik siguieron radiografiándola. La habitación estaba caldeada; haces mortecinos de sol se filtraban por los tragaluces.

–¿Llevas un pintalabios nuevo? –preguntó, fijándose en sus labios.

Era observador. Normalmente Summer cambiaba de pintalabios dependiendo de la hora del día y utilizaba un tono rojo más oscuro por la noche. Hacía años que tenía esa costumbre. Intensificaba la transición entre el día y la noche.

–Nuevo no –respondió–. Por la noche me gusta ponerme un tono de pintalabios más oscuro, más cálido.

–Qué interesante –comentó él, insólitamente reflexivo–. ¿Llevas el pintalabios encima?

–Llevo los dos, por supuesto –dijo Summer, señalando un bolsito que estaba en el suelo junto a los vaqueros y la camiseta.

Dominik se acercó al bolso, lo abrió y sacó los dos pintalabios; los miró atentamente, comparando los tonos.

–Noche y día –dijo.

–Sí –confirmó Summer.

Se deshizo de uno, apretó el otro entre los pulgares y lo giró, haciendo emerger de la funda de plástico la barra oscura del pintalabios en forma de dedo. Había elegido el color nocturno.

–Ven –ordenó.

Summer obedeció, sin tener claro todavía lo que Dominik tenía pensado.

–Pon la espalda recta –dijo.

Summer lo hizo, sacando los pechos un poco hacia fuera.

Dominik se acercó a ella apuntando el pintalabios a sus pezones y le pintó cuidadosamente las puntas endurecidas. Summer tragó saliva. Un pezón. Dos pezones.

Pintada. Decorada. Resaltada. Se miró. Hacía que se sintiera muy atrevida. Sonrió, admirando la imaginación morbosa de Dominik.

Pero no había terminado.

Se apartó y miró a Summer a los ojos.

–Separa las piernas –dijo, y dobló una rodilla, todavía con el pintalabios en la mano. Le ordenó que mirara hacia delante, no hacia abajo.

Summer sintió que le separaba los labios de la vulva con el dedo, introduciéndose en su humedad, pellizcándole primero uno y luego el otro, sujetándolos mientras con la otra mano empezaba a pasarle el pintalabios verticalmente por el pubis y después por los labios.

Un temblor recorrió el cuerpo de Summer, y por un momento creyó que iban a fallarle las piernas. Solo podía imaginar el aspecto que tenía en aquel momento.

Dominik se levantó.

Ya estaba arreglada para su inminente interpretación.

–Pintada como la Gran Puta de Babilonia –concluyó Dominik–. Adornada. Perfecta.

Todavía asombrada por lo ocurrido, Summer no sabía qué decir.

Dominik sacó un trozo de tela negra de uno de los bolsillos de los pantalones y lo ató como una venda alrededor de la cabeza de Summer, que quedó sumida en la oscuridad.

–¿No sabré quién está presente? –protestó con poca convicción.

–No.

–¿Ni si hay una persona o más?

–Eso lo sabré yo pero tú solo podrás imaginarlo –respondió Dominik.

Otra variación del ritual.

Con los pensamientos sobre las consecuencias de la situación agolpándose en su cabeza, Summer respiró hondo.

–Te dejo sola –dijo Dominik–. Puedes ensayar si quieres. Volveré con mi invitado... o invitados. –Summer percibió el tono irónico deliberado en su voz–. Cuando regrese, dentro de un cuarto de hora aproximadamente, no estaré solo. Llamaré tres veces a la puerta y entraré. Entonces tocarás para nosotros. ¿Entiendes las reglas?

Summer expresó su conformidad.

Dominik salió.

Summer recogió el violín y empezó sus ejercicios de afinación.

Dominik le pidió a Victor que dejara los zapatos abajo, para que cuando entraran en la habitación de arriba, Summer no pudiera analizar el sonido de los calcetines sobre la madera con suficiente precisión como para deducir el número de visitantes.

Al ver a Summer de pie en toda su magnificencia, con el violín en la mano y su sexo destacado por el tono escarlata del pintalabios, Victor sonrió y se volvió hacia Dominik como para felicitarlo. Sabía que no le estaba permitido hablar.

Desde que ayudó a Dominik a contratar el cuarteto de cuerda incompleto de Lauralynn, le estuvo persiguiendo para que le diera información concreta sobre lo que se traía entre manos. Dominik siempre había sospechado que Victor era algo más que un simple conocido para Lauralynn, y que se conocían íntimamente. Victor era un personaje turbio en el campus y en la vida social académica de Dominik. Tenía unas intrincadas raíces familiares en el Este de Europa, que variaban maliciosamente dependiendo de quién fuera su interlocutor. Era profesor invitado de literatura, gozaba de reconocido prestigio, y tenía afición por la música; un erudito de nivel medio que cambiaba a menudo de universidad. Pocas veces se quedaba mucho tiempo en un lugar, pero deleitaba a su público con una inteligencia ingeniosa, un entusiasmo ensayado y complejas tesis que publicaba en editoriales minoritarias. Victor era de altura media, con los cabellos grises y una barba mefistofélica, que recortaba con precisión maniática.

Dominik no estaba al tanto de los cotilleos, pero sabía que a Victor lo perseguían los rumores y que a menudo eran maravillosamente falsos. Era el hombre al que acudir si se trataba de intrigas y temas liberales, y se suponía que tenía un currículum personal de aventuras con un harén de alumnas. En una ocasión, un jefe de departamento había comentado con desaprobación que siempre que una investigadora posgraduada quería que Victor le supervisara la tesis aparecían automáticamente tareas extracurriculares obligatorias. Sin duda a nadie se le escapaba que aceptaba pocas estudiantes que no fueran agraciadas.

Ya hacía un tiempo que Victor adulaba a Dominik para sacarle información de lo que él denominaba su «proyecto». Dominik acabó rindiéndose, reconociendo la existencia de Summer y contándole el juego que mantenía con ella, aunque se guardó para él los detalles más íntimos.

–Debo verla –dijo Victor–. Es imperativo.

–Es muy fascinante, lo reconozco –contestó Dominik–. Quizá...

–Quizá no, querido amigo. Tienes que dejarme. Aunque solo sea una vez. ¿Crees que no lo consentirá?

–Bueno, hasta ahora ha consentido a todo, o al menos ha tolerado la extraña dirección que ha tomado esto –reconoció Dominik.

–Solo quiero ser espectador. Pero no del todo desinteresado, naturalmente. ¿No llevamos todos un voyerista dentro?

–Lo sé –dijo Dominik.

–¿Se lo preguntarás? Por favor.

–A veces su consentimiento no se expresa con palabras. Lo doy por sentado. O lo veo en sus ojos, en cómo se mueve.

–Comprendo –asintió Victor–. ¿Lo harás, entonces, Dominik? Estoy totalmente fascinado con el objeto de tu experimento.

–¿Mi experimento?

–¿No es lo que es?

–Sí, ahora que lo dices, supongo que sí.

–Bien. Entonces estamos de acuerdo, ¿no?

–La verás tocar; eso es todo, ¿entendido?

–Por supuesto, querido amigo, por supuesto.

Mientras Summer tocaba, Victor se tocaba la barba distraídamente, con desgana, a intervalos regulares. Los pezones de Summer eran como blancos iluminados por la débil luz de la luna que entraba por los tragaluces cuadrados. La rodeaban como un halo misterioso que parecía reverberar al compás de la música mientras la melodía se desplegaba, viajando a través de avenidas y un intrincado laberinto de calles antes de alcanzar la perfección de su destino final.

Los dedos de ella y el fluido movimiento del arco sobre las tensas cuerdas recordaban la cabalgadura del surfista sobre una ola. La melodía recorría su cuerpo a un nivel subcutáneo, y la transportaba. Los dos hombres la contemplaban en silenciosa comunión inmersos en la música que envolvía la habitación: ella sabiendo que la observaban; ellos mirándola y deleitándose con sus encantos físicos y su vulnerabilidad. Respecto a quién tenía el control, no estaba claro en absoluto.

De pie junto a Victor, Dominik percibió la respiración del otro hombre subiendo y bajando, y se dio cuenta de que estaba tan cautivado como él. Desnuda, Summer ejercía ese efecto en sus oyentes, con la espalda tan erguida como si se ofreciera voluptuosamente para que la usaran, la examinaran o la saquearan. Le asaltó un pensamiento temerario. De ninguna manera. ¿O sí? Se mordió la lengua.

Con un gesto superfluo de satisfacción, Summer llegó al final de la pieza. Roto el hechizo, Victor estuvo a punto de aplaudir, pero Dominik le impidió rápidamente el movimiento y se llevó los dedos a los labios para indicarle que el silencio seguía siendo imperativo. Summer no debía saber quién o cuántas personas estaban presentes.

Los dos hombres se miraron. Dominik sintió como si Victor lo estuviera azuzando. ¿O eran imaginaciones suyas? Summer esperaba, sosteniendo el Bailly a un lado, orgullosamente desnuda. Los ojos de Dominik se posaron en su cintura, y después más abajo. En la penumbra que iluminaba la habitación, percibió su sexo detrás de la fina cortina del escaso vello rizado.

Dio un par de pasos hacia ella, agarró el violín de la mano de Summer y lo dejó cuidadosamente en el suelo detrás de él, donde estaría a salvo.

–Te deseo –dijo–. Haces que te desee, Summer –continuó.

Ella seguía con los ojos vendados, así que Dominik no pudo interpretar la respuesta en sus ojos. Le puso una mano en el pecho. El pezón estaba duro como una piedra. Era suficiente respuesta para él.

Acercó la boca a su oído.

–Quiero tomarte ahora, aquí mismo –susurró.

Le pareció ver un indicio de asentimiento, aunque no podía estar seguro.

–Y habrá alguien mirando...

Summer inhaló profundamente y su pecho subió. Dominik la sintió estremecerse un segundo.

Su mano izquierda se posó en el hombro de Summer aplicando una ligera presión.

–De rodillas, a cuatro patas.

Y entonces la folló.

Victor observó en absoluto silencio, fascinado por el espectáculo del grueso miembro de Dominik entrando y saliendo de la vagina, abriéndose paso entre los labios con fuerza implacable, para penetrarla profundamente. Estaba pendiente de cómo subía y bajaba la respiración de Summer con las embestidas, la delicadeza de los pechos balanceándose, impulsados por el movimiento regular del cuerpo de Dominik contra ella, el choque rítmico de los testículos contra las nalgas.

Victor se secó la frente y rozó su creciente erección a través de la tela de pana de sus pantalones verdes.

Con el rabillo del ojo, mientras seguía entrando y saliendo de Summer, Dominik podía ver lo excitado que estaba su colega; percibió que le sonreía pero rápidamente concentró su atención en la abertura anal de la chica ensanchándose con cada impacto de su miembro dentro de ella. Era como una ola que tuviera su origen en el interior de su vagina y subiera en círculos concéntricos, reavivando primero la abertura anal y después el resto del cuerpo, activando las sensaciones epidérmicas de todo su cuerpo a medida que la cima del placer la alcanzaba.

El agujero del trasero se contrajo sutilmente y Dominik no pudo evitar pensar que algún día le gustaría penetrarla por ahí. Aquel pensamiento lo distrajo y no se dio cuenta del rápido movimiento de Victor; el profesor de filosofía estaba delante de él, junto a la cara inclinada de Summer. Por un instante, Dominik imaginó que Victor estaba a punto de sacar su miembro y meterlo en la boca de Summer, el clásico «empalado», como sabía que se denominaba en círculos más vulgares. Fue a protestar, pero Victor se limitó a sacar un pañuelo del bolsillo del pantalón y, con infinita ternura, secó el sudor de la frente de Summer, al mismo tiempo que obsequiaba a Dominik con una sonrisa beatífica.

Percibiendo que no era Dominik quien la tocaba, aunque fuera con tanta suavidad, Summer se retrajo por un segundo y él sintió que los músculos de la vagina le apretaban el miembro con inusitado vigor. Su cabeza se llenó de golpe de imágenes imposibles, inapropiadas, que lo llevaron a recordar algo que había leído –¿fue en el Marqués de Sade?–. Al parecer, cuando una mujer moría durante el coito, los músculos de la vagina se paralizaban y el miembro del hombre podía quedar allí atrapado, fijo como un tornillo. ¿O fue en otras narraciones pornográficas con mujeres y perros, como describían no muy eufemísticamente los anuncios personales de la Craigslist? Aquel recuerdo perturbador lo agredió como un rayo y se corrió, violentamente, casi asqueado por sus propios pensamientos.

Cuando levantó la cabeza, Victor había salido de la habitación. Debajo de él, Summer jadeaba intentando recuperar el aliento.

–¿Estás bien? –preguntó solícitamente, saliendo de ella.

–Sí –respondió ella, con la respiración entrecortada.

Se dejó caer al suelo, desfallecida.

–¿Te ha excitado saber que nos observaban? –preguntó Dominik.

Summer se quitó la venda de los ojos y lo miró. Tenía la cara muy roja.

–Muchísimo –confesó, y bajó los ojos.

Dominik ya sabía cómo funcionaba su mente, cómo reaccionaba su cuerpo a la mirada de un voyerista, pero ella aún no estaba segura de hasta dónde llegaría con él.

Hacía tiempo que Dominik había aceptado asistir a una conferencia en el extranjero en la que sería uno de los oradores principales. Eran las vacaciones de fin de trimestre en la universidad y decidió quedarse unos días más en la ciudad anfitriona.

Cuando Summer le preguntó cuándo volverían a verse, él le comunicó que estaría ausente unos días. Su expresión de decepción fue evidente. Estaban en la cocina de Dominik en la planta baja comiendo una tostada con mantequilla tras el polvo en el piso superior. Summer se había puesto la camiseta, y aunque seguía húmeda por los fluidos del sexo, a propuesta de Dominik no se había vuelto a poner los vaqueros y estaba sentada con el culo al aire sobre la silla de metal ante la superficie de granito de la cocina donde él puso los platos y unos vasos de zumo de pomelo.

Las tiras de metal del asiento que se le clavaban en el trasero hacían que Summer fuera enormemente consciente de su desnudez. Sin duda, en cuanto se levantara, él sería testigo de otra serie de marcas provisionales estampadas en su culo y, sin duda, disfrutaría del espectáculo cuando finalmente tuviera que subir las escaleras para recoger sus vaqueros, con Dominik detrás y una visión perfecta.

Él volvía a ser el hombre distante de siempre y parecía incapaz de iniciar ningún tema de conversación importante, y menos aún abordar lo que quería de ella a largo plazo. De todos modos, Summer era pragmática y estaba dispuesta a seguirle la corriente. Esperaba que se lo explicara cuando llegara el momento. Por ahora, se conformaría con la conversación banal. Deseaba preguntarle muchas cosas a aquel hombre insólito, sobre él y su pasado, para intentar «interpretarlo», comprenderlo mejor, pero quizá su reserva, su distancia, formara parte integral del juego. Por una parte, se sentía enormemente atraída por él, pero, por otra, había algo oscuro en Dominik, una oscuridad que le producía deseo y temor al mismo tiempo.

Cada paso que daban en aquella especie de relación era un avance sigiloso de un viaje a un lugar completamente desconocido.

–¿Has estado en Roma? –preguntó él casualmente.

–No –contestó Summer–. Hay muchos lugares en Europa que todavía no he visitado. Cuando llegué de Nueva Zelanda, juré que aprovecharía para viajar a todas partes, pero el dinero siempre ha escaseado, así que no he podido. Estuve en París una semana con una banda de rock con la que a veces tocaba el violín, pero eso es todo.

–¿Te gustó?

–Fue maravilloso. La comida era exquisita, los museos inmensos, el ambiente estimulante, pero como fue una sustitución de última hora y no había tocado muy a menudo con ese grupo, tuve que ensayar mucho y no tuve tiempo de visitar todos los sitios que quería. Me juré que volvería, vería más sitios y haría más cosas. Un día conoceré París como es debido.

–Creo que París tiene unos locales privados muy animados.

–¿Clubes fetichistas? –preguntó Summer.

–No exactamente –dijo Dominik–. Los llaman *clubs échangistes,* que se traduce como «locales de intercambio». Puede pasar de todo.

–¿Has estado alguna vez?

–No. Nunca he tenido a nadie con quien ir.

¿La estaba invitando indirectamente?, se preguntó Summer.

–Hay uno muy famoso que se llama Les Chandelles, «las velas». Es increíblemente elegante, no tiene nada de sórdido –dijo con énfasis esbozando una leve sonrisa.

Y dejó el tema.

Qué hombre tan irritante. Precisamente cuando ella deseaba hacerle mil preguntas. ¿Pensaba llevarla y ordenarle que actuara? ¿Solo música? ¿O que también se exhibiera sexualmente? ¿Quizá que se dejara montar en público? ¿Incluso por otros? La imaginación de Summer estaba desbocada.

–¿Tienes planes para los días que estaré fuera? ¿Tal vez más aventuras fetichistas? –preguntó Dominik.

–Por ahora no –respondió ella, aunque sabía que era probable que pasara algo. Era lo más normal. Todos los nervios de su cuerpo estaban encendidos como una antorcha. Sabía que su excitación y su curiosidad se movían por una pendiente resbaladiza, y que el impulso crecía cada día.

Resultaba evidente que Dominik era consciente de ello. Su expresión se volvió más solemne.

–Sabes que no me debes nada –dijo–. Eres libre de hacer tu vida durante mi ausencia, aunque me gustaría pedirte una sola cosa.

–¿Qué?

–Hagas lo que hagas, sea lo que sea en lo que te involucres aparte de las banalidades normales de la vida cotidiana, trabajar, dormir, tocar con tu grupo, quiero que me lo cuentes. Que me lo escribas. Con todo detalle. Que me informes. Por correo electrónico, o *sms,* o incluso con una carta a la antigua usanza si el tiempo lo permite. ¿Lo harás?

Summer aceptó.

–¿Te acompaño en coche a casa?

Ella declinó la oferta. Su casa estaba a solo cinco minutos de una estación de la Northern line y necesitaba tiempo para pensar, un tiempo libre que no fuera propiedad de Dominik.

Dominik rechazó la oferta de la Università della Sapienza de Roma de buscarle un alojamiento en un hotel cercano al campus. Prefirió buscárselo él mismo y reservó una habitación en un cuatro estrellas de Via Manzoni, a diez minutos en taxi de la Stazione Termini, donde le dejaría el tren del aeropuerto.

Daría la conferencia, una charla de literatura comparada sobre «Aspectos de la desesperación en la literatura entre 1930 y 1950», que se centraba en el escritor italiano Cesare Pavese, perteneciente a una larga tradición de escritores suicidas, cuyos motivos de poner fin a su vida eran equivocados. Un tema no muy alegre en el que él había acabado siendo una autoridad por defecto. Se relacionaría con colegas de todo el mundo, pero también quería tiempo a solas para reflexionar sobre las semanas que había pasado con Summer. Le hacía mucha falta aclarar las ideas, analizar sus sentimientos y decidir por dónde iba a seguir. Tenía la sensación de que había un montón de conflictos internos pendientes. Demasiados. La relación podía volverse confusa.

Tras acabar la charla, en el segundo día de su estancia en Roma, se unió a un grupo de oradores y asistentes a la conferencia para cenar en un restaurante cerca del Campo dei Fiori, donde las *fragole di bosco*, las fresas salvajes, tenían un toque intenso y un especiado preciso, y el azúcar flor espolvoreado las hacía alcanzar la perfección cuando la fruta tocaba la lengua.

–¿Están buenas, no?

Al otro lado de la mesa rectangular, una mujer morena, que no le habían presentado, le sonreía. Dominik levantó la cabeza y apartó los ojos del suculento concierto de colores primarios de su plato.

–Están deliciosas –afirmó.

–Las cultivan en la montaña, en los valles –siguió ella–. No en el bosque como dice su nombre.

–Ah.

–Me ha gustado su conferencia, mucho. Es un tema interesante.

–Gracias.

–También me gusta el libro que escribió hace tres años sobre Scott Fitzgerald. Un tema muy romántico, ¿no?

–Gracias de nuevo. Siempre es una sorpresa agradable tropezar con un lector de verdad.

–¿Conoce bien Roma, *professore* Dominik? –preguntó la mujer, mientras el camarero pasaba por la mesa haciendo equilibrios con una bandeja llena de tazas de café.

–No especialmente –dijo él–. He estado un par de veces, pero me temo que no soy un buen turista. No me entusiasman las iglesias ni las piedras antiguas, ¿sabe? En cambio, me encanta el ambiente, las personas. Se puede percibir la historia sin salir de safari cultural.

–Mejor aún –observó ella–. Es bueno ser dueño de sí mismo y no seguir lo trillado. Por cierto, me llamo Alessandra –dijo–. Vivo en Pescara, pero trabajo en la Universidad de Florencia. Enseño literatura clásica.

–Qué interesante.

–¿Cuánto tiempo piensa quedarse en Roma, *professore* Dominik?

–Cinco días más. –Las conferencias acababan al día siguiente, y no tenía planes de irse. Simplemente pensaba relajarse, disfrutar de la comida, del clima y dedicar un tiempo a reflexionar.

–Si le apetece, le puedo hacer de guía. Enseñarle la auténtica Roma, no la de los turistas. Sin iglesias, se lo prometo. ¿Qué me dice?

¿Por qué no?, pensó Dominik. Los cabellos negros de la mujer eran un caos de rizos indomables y su bronceado, una promesa de calidez. ¿No acordó con Summer en Londres que lo que estaba naciendo entre los dos no era exclusivo? ¿O no? Él no le pidió que le hiciera ninguna promesa y ella tampoco le había exigido nada. Estaban en una fase en la que la historia era una aventura, no una relación.

–Digo que sí –le respondió a Alessandra–. Es una idea estupenda.

–¿Conoce bien el Trastévere? –preguntó.

–Espero conocerlo pronto –dijo Dominik con una sonrisa.

La seducción es un juego entre hombres y mujeres adultos, en el que ninguna de las dos partes es consciente de quién es el seductor y quién el seducido. Exactamente eso fue lo que sucedió con Alessandra de Pescara. El que acabaran en la habitación de hotel de ella fue solo cuestión de conveniencia geográfica, ya que el bar donde tomaron las últimas copas –martini blanco para ella y el habitual vaso de coca-cola sin hielo para Dominik; era abstemio porque el alcohol nunca le gustó, ni siquiera cuando era joven– estaba más cerca de la *pensione* con encanto de ella que de la impersonal, minimalista y cara habitación de su hotel.

Su teléfono vibró justo cuando entraba en la habitación de la mano de Alessandra, después de besarla en el ascensor y palparle el trasero descuidadamente, y con su permiso, a través del fino algodón de la falda.

Se disculpó con Alessandra, con el pretexto de un asunto de trabajo pendiente y consultó el mensaje de texto que acababa de llegar. Era de Summer.

«Me siento vacía», decía. «No dejo de pensar en tus retorcidos deseos. Confundida, caliente, un poco perdida.» Estaba firmado solo «S».

Mientras Alessandra iba al cuarto de baño, Dominik salió al balcón con vistas a las colinas de Roma que envolvían el paisaje circundante en el caluroso aire de la noche y le respondió:

«Haz lo que debas, pero cuéntamelo todo cuando vuelva. Acéptate tal como eres. Considéralo un consejo más que una orden. D.»

Cruzó las finas cortinas del balcón para volver a entrar en la habitación. Alessandra había servido dos copas. La de ella parecía vino blanco, la de él agua mineral.

Se había desabrochado los dos botones de arriba de la blusa blanca, dejando al descubierto el abismo de su imponente escote, y lo esperaba sentada en una silla estrecha. La puerta del dormitorio estaba entreabierta y la oscuridad de detrás recordaba a una cueva. Dominik fue a situarse detrás de la silla y le agarró los cabellos, apretando la selva de rizos descuidados. Tiró con más fuerza y Alessandra reaccionó con un gemido. Dominik los soltó, se inclinó y le besó la nuca mientras le rodeaba el cuello con las manos.

–Sí –dijo Alessandra, con la respiración entrecortada.

Todavía de pie detrás de ella, percibió cómo aumentaba el calor que irradiaba de su cuerpo.

–Sí, ¿significa? –preguntó.

–Significa que follamos, ¿no?

–Por supuesto –confirmó Dominik y sus manos bajaron y se introdujeron bajo la tela de la blusa y le agarraron los pechos. El corazón de ella latía aceleradamente, al ritmo de un redoble de tambor sobre la superficie de su piel.

Con el pulgar frotó la textura volcánica de sus pezones. Por el color de su piel se imaginó que serían marrón oscuro. Recordó la delicada sinfonía de beis y rosa que dibujaba el perfil de los pezones de Kathryn, que casi nunca se endurecían, y después el marrón claro, más áspero, de los de Summer. Luego los pechos de otra y después otra mujer de las que poblaban su pasado, las que habían venido, las que se habían ido, las que había amado, las que había deseado, abandonado, traicionado, incluso herido.

Arrancó la blusa de Alessandra con cierta violencia, como si lo consumiera la ira de que fuera ella la que estaba en la habitación con él y no otra. Como si, al no estar consumida por la palidez, su piel no fuera del tono adecuado. Como si su voz, que se expresaba con un acento ligeramente extranjero, solo sirviera para recordarle la entonación de los antípodas de Summer. Sabía que no debía reprochar a Alessandra que su cuerpo fuera voluptuoso y no tuviera una cinturita estrecha sobre unas caderas anchas. Sentía que era el cuerpo equivocado en el momento correcto, pero eso no la convertía en su enemiga. Ella alargó una mano para desabrocharle los pantalones, le sacó el miembro semierecto de los calzoncillos y se lo introdujo en la boca cálida y húmeda. Mierda, Summer todavía no se la había chupado nunca. ¿Tenía algún significado o simplemente él no la había invitado a hacerlo todavía? La lengua de Alessandra empezó a jugar con su glande, deslizándose en un baile habilidoso de excitación alrededor de él, rozando deliberadamente la piel más delicada con los dientes afilados. Con un movimiento rápido Dominik empujó, introduciéndose tan al fondo como pudo, infiltrándose dentro de ella. Por un momento, Dominik sintió que estaba a punto de ahogarla, y la mirada de miedo y enfado que vio en los ojos de Alessandra cuando levantó la cabeza desde su posición de sumisión lo dejó helado, pero no se detuvo. Sabía que solo era la rabia la que dictaba la aspereza de sus gestos. Una profunda irritación porque no fuera la mujer con la que quería estar: Summer.

Dominik se relajó y se desnudó, mientras Alessandra hacía lo mismo en silencio, luego se echó boca arriba en la cama dispuesta a que alcanzaran el clímax juntos. Por la expresión de sus ojos, ambos sabían que sería sexo duro, un desahogo mecánico sin elementos de romanticismo o cariño. Era lo que querían los dos. Sería un único polvo. Un error tal vez. Desconocidos que se agarraban a la misma boya en la noche. Quizá ella también añoraba los brazos y el miembro de otro, especuló Dominik, por lo que su unión de aquella noche no significaba nada.

Se separarían por la mañana con pocas palabras o muestras de afecto, y cada uno se marcharía por su lado. Dominik no tenía planes de volver a Roma en un futuro próximo. En cuanto los dos estuvieron desnudos, se lanzó sobre ella, piel contra piel, sudor contra sudor, le separó las piernas y la penetró. Sin decir palabra.

Por detrás, el móvil de Dominik zumbó de nuevo, pero no leería el mensaje de Summer hasta la mañana siguiente:

«Así sea. S.»

Summer estaba angustiada por el dinero. Desde que no tocaba en el metro, su mísero sueldo y las propinas del empleo a media jornada en el restaurante no le alcanzaban. El grupo se había tomado un descanso. Chris estaba produciendo material nuevo en un estudio barato a las afueras de Londres, en la casa de campo de un amigo. Ella había grabado su pequeña parte de violín hacía semanas y no le pagarían el trabajo hasta que la grabación diera algún dinero. Por ello se había visto obligada a tirar de sus escasos ahorros. Demasiados taxis a destinos lejanos: Hampstead, los clubes fetichistas y otros. Citas y lugares inaccesibles en transporte público, si no quería sentirse incómoda. No pensaba pedir ayuda a Dominik de ninguna de las maneras. Ni a nadie en realidad.

Había oído hablar de un tablón de anuncios con empleos, sesiones de estudio o puestos para dar clase en la Escuela de Música de Kensington. Cuando llegó, vio que el vestíbulo principal estaba casi desierto y se dio cuenta de que eran los días de vacaciones de fin de trimestre.

Mierda. ¡Todo lo que habría en el tablón serían propuestas antiguas y caducadas!

Fue hasta la pared del fondo a echar un vistazo a los anuncios y las tarjetas rectangulares clavadas en la superficie del tablón, sacó un cuaderno del bolso y apuntó algunos números, comprobando en qué fecha se habían puesto para no perder el tiempo con solicitudes muy antiguas.

Entre las ofertas para dar clases de violín a niños y cuatro propuestas bien remuneradas para grupos de cuerda –traer vestido negro y maquillaje– para tocar de fondo en programas de televisión con grupos de rock necesitados de la credibilidad de la música clásica, se fijó en una tarjeta, cuyo texto le resultó familiar, y descubrió cómo había encontrado Dominik a los tres músicos que la habían acompañado en la cripta. Sonrió. Todos los caminos conducían a Roma... A continuación experimentó un momento de duda al ver que el número de teléfono que figuraba no era el de Dominik. A lo mejor utilizaba otro número dependiendo de la ocasión o la necesidad. Archivó la información.

–¿Buscas alguna actuación? –dijo una voz meliflua de chica en su oído.

Summer se dio la vuelta para mirar a su interlocutora.

–Sí, pero no hay mucho donde elegir, ¿verdad?

La chica era insólitamente alta, como una amazona, rubia teñida y bastante espectacular. Vestía una cazadora de piel negra y vaqueros negros ceñidos que acababan en unas botas brillantes con tacones vertiginosos. Tenía un aire familiar. Era la sonrisa maliciosa en las comisuras de los labios, la forma en como miraba a Summer con un distanciamiento socarrón y una actitud artificial de superioridad.

–Este es interesante, ¿no? –dijo la recién llegada, señalando la tarjeta que ya había llamado la atención de Summer.

–Sí. Un poco misterioso y críptico –comentó Summer.

–Seguro que ya está caducado –dijo la otra–, pero han olvidado arrancarlo del tablero.

–Puede ser –dijo Summer.

–Veo que no me reconoces –dijo la rubia.

Entonces Summer lo recordó todo en un instante y se ruborizó. Era la violonchelista de la primera sesión en la cripta.

–Ah, Laura, ¿verdad?

–Lauralynn, en realidad. Siento haberte causado tan poca impresión, pero supongo que tenías la cabeza en otra parte. Por la música, sin duda.

La malicia de su voz era evidente y Summer recordó que aquel día pensó por un momento que Lauralynn había sido testigo de su desnudez detrás de la venda que le tapaba los ojos.

–Me pareció que tocábamos bien juntos. Aunque no pudiéramos verte –acabó Lauralynn con un énfasis provocador.

–Es cierto –confirmó Summer.

Habían creado rápidamente un vínculo musical sólido a pesar del carácter poco convencional de la interpretación.

–¿Y qué es lo que buscas? –preguntó Lauralynn.

–Trabajo. Trabajos. Lo que sea, la verdad. Preferiblemente algo relacionado con la música. En este momento mis ingresos son muy bajos –reconoció Summer.

–Ya. Mira, los mejores empleos no se anuncian aquí. No estudias en la universidad, ¿no? Las mejores actuaciones normalmente te llegan de boca en boca.

–Ah.

–¿Tomamos un café? –propuso Lauralynn–. Hay una cafetería que está bien en el primer piso, y como todo el mundo está de vacaciones no habrá mucha gente. Podremos hablar tranquilamente.

Summer aceptó y siguió a Lauralynn por una escalera circular. El contorno de su culo se pegaba a la tela de los vaqueros como una segunda piel. Summer nunca se había sentido atraída por las mujeres, pero aquella rubia tenía un aura innegable, un aire de autoridad y seguridad en sí misma que no había visto a menudo en los hombres.

Se entendieron enseguida y descubrieron que habían coincidido en Australia durante unos años, aunque vivían en ciudades diferentes, y conocían los mismos locales de música. Summer sintió que se relajaba y que Lauralynn le caía bien a pesar de los tonos ambiguos de manipulación que instintivamente percibía en ella. Tras dos rondas de café decidieron dejar a un lado la cafeína y se pasaron al *prosecco.* Lauralynn insistió en pagar.

–¿Eres bastante flexible? –le preguntó a Summer, de repente, en medio de una conversación sobre la acústica de los locales de Sydney.

–¿Flexible en qué sentido? –preguntó Summer, no muy segura de a qué se refería, si aquella pregunta tenía un doble sentido.

–Respecto a vivir en un sitio o en otro.

–Razonablemente flexible, supongo –contestó Summer–. ¿Por qué?

–Sé que hay un puesto vacante en un grupo clásico de segunda división. Creo que eres bastante buena. Pasarías la audición sin ningún problema. No tengo ninguna duda. Incluso con los ojos vendados –añadió riendo.

–Suena de maravilla.

–Pero es en Nueva York. Y quieren a alguien que acepte un contrato mínimo de un año.

–Oh.

–Estoy en contacto con la cazatalentos de Bishopsgate que lo gestiona. También es de Nueva Zelanda, o sea que ya tenéis algo en común. A mí me habría encantado pasar un tiempo en Nueva York, pero ahora mismo no hay demanda de violonchelistas.

–No lo sé.

–¿Dudas por culpa de él?

–¿Él?

–Tu chico, tu benefactor, por decirlo así. ¿O es tu amo?

–Ni hablar –protestó Summer–. No es nada de eso en absoluto.

–No hace falta que finjas. Me imaginé lo que estaba pasando, lo que vosotros dos os traíais entre manos en la cripta. Quería que tocaras desnuda, ¿no? Le ponía que tocaras así mientras los demás seguíamos vestidos, ¿no?

Summer tragó saliva.

–A ti también te puso, ¿eh? –continuó Lauralynn.

Summer encontró refugio en el silencio. Tomó otro sorbo del vino espumoso; estaban a punto de terminar la botella.

–¿Cómo lo supiste? –preguntó.

–No lo sabía –contestó Lauralynn–. Me lo imaginé. Pero un amigo mío que tiene experiencia en cosas raras puso el anuncio en nombre de tu chico, tu amigo, así que pude intuir que todo el episodio se apartaba un poco de lo normal. No te creas que me parece mal. Yo también he hecho mis pinitos –dijo con una sonrisa conspiradora.

–Cuéntame más –pidió Summer.

# 9

## *Una chica y su nueva amiga*

–Puedo hacer algo mejor –propuso Lauralynn–. Te lo enseñaré.

Seguíamos en la cafetería de la universidad, hablando de la conexión de Lauralynn con el ambiente de las prácticas liberales.

Alargó uno de sus largos y delgados brazos por encima de la mesa, agarró mi mano y acarició mi muñeca suavemente con las uñas.

Tragué saliva.

No tenía claro si era una declaración de principios o si me estaba invitando a algo, ni tampoco para qué.

–¿Has visto alguna vez a una dómina en acción? –preguntó.

Puso mucho énfasis en el género de la palabra, aunque fuera de los círculos fuera más habitual utilizar «dominatrix».

–Un par de veces –respondí–, pero solo en clubes. En... en la intimidad, no.

Íbamos por la segunda botella de *prosecco* y estaba segura de habérmela bebido casi toda yo. O esto o Lauralynn tenía una tolerancia al alcohol extraordinaria, porque yo ya estaba francamente achispada mientras que ella parecía totalmente sobria.

–Deberías mejorar tu educación catando el otro bando. No todo trata de los hombres.

Alzó una ceja al decir «catando» y yo me ruboricé. No estaba acostumbrada a flirtear con mujeres y me sentía descolocada. La situación me recordaba mi primer encuentro con Dominik, en el café de St. Katharine Docks. Sentados a la mesa, estudiándonos, en una batalla no verbalizada sobre la dominación y la sumisión, la atracción y el orgullo.

–Y... ¿y qué tendría que hacer?

–Con que lo sepa yo es suficiente. No quiero estropearte la sorpresa.

Había apartado la mano de la mía y ahora apoyaba el antebrazo en la mesa y pasaba el dedo índice alrededor de la copa de vino en círculos lentos y deliberados. Se fijó en que mi mirada seguía el curso de la punta de su dedo, la presión firme, implacable contra el cristal, y sonrió maliciosamente.

–¿Piensas en tu hombre? –preguntó–. ¿O en mí?

Me acordé de Dominik. Aunque acordamos que éramos libres de explorar nuestros deseos, y yo le había informado de los detalles de mis incursiones, tal como me pidió, no estaba segura de cómo le sentaría que me dejara dominar por otro, en lugar de un polvo casual, o una visita a un club. Por alguna razón, parecía distinto. Sobre todo teniendo en cuenta que la instigadora era Lauralynn, que hacía poco había sido empleada de Dominik. Me imaginaba que en cierto modo aún lo era ya que se había comprometido a mantener en secreto los detalles de nuestro recital.

De hecho, no podría contarle a Dominik nada de aquello. No había manera de ponerlo al corriente de mi encuentro con Lauralynn sin mencionarla. Él pretendía que no volviéramos a estar en contacto después del concierto, de eso estaba segura. Tendría que desobedecer sus instrucciones si quería aceptar la oferta de Lauralynn.

La idea me llenó de una excitación rebelde. Dominik no era mi dueño. De todos modos, su poder sobre mi comportamiento solo se extendía hasta donde yo lo permitiera. Además nunca me había ordenado concretamente que no tuviera relaciones sexuales con Lauralynn, o lo que fuera que ella tenía pensado para mí.

Recordé cómo los vaqueros parecían haberse esculpido sobre su trasero, y cómo le bailaba la sonrisa en los labios. Estaba segura de que era muy indecente.

Aparte de un par de besuqueos y un amago de caricias, nunca había estado con una mujer. Era algo que siempre había querido probar, pero nunca tuve el valor suficiente para ir más allá, por prometedor que me pareciera en su momento.

Estaba animada por el *prosecco* y por la evidente seguridad de Lauralynn. Ella tenía más que de sobra por las dos.

–No es mi hombre –protesté, mirándola a los ojos.

–Bien.

Diez minutos después estábamos en el asiento trasero de un taxi negro, dirigiéndonos a toda velocidad a su apartamento, en South Kensington.

Al entrar en la casa, pensé que parecía irle bien económicamente. Era antigua, sí, como casi todo en Londres, pero mucho más grande que la mayoría de los estudios que había visto, y tenía dos plantas. El interior era tal como lo esperaba, con líneas esenciales y simples, todo blanco y sin apenas adornos o chorraditas. El efecto podía resultar frío, pero el personaje de Lauralynn tenía un sustrato humorístico que insinuaba que la imagen que transmitía de reina del hielo podía ser una actuación. Estaba convencida de que debajo había una persona más cálida.

Vio que miraba la casa.

–Control de ruidos –dijo–, por eso me mudé aquí.

–¿Control de ruidos?

–Está bien aislado.

–¡Ah!

–¡No se oyen los gritos!

De nuevo la sonrisa maliciosa.

–Mis vecinos de antes se quejaban, así que me marché –continuó, alzándose de hombros.

Reprimí una sonrisa. Siempre me hacía gracia que lo cotidiano se encontrara con lo obsceno. Visto desde fuera, ese mundo del que ahora formaba parte parecía oscuro y lleno de *glamour* desde fuera. Sin embargo, en cualquier lugar del mundo, las personas sin prejuicios ante el sexo tenían que encajar sus actividades extracurriculares con la rutina de la vida diaria: pagar el alquiler, explicar la presencia de artículos insólitos en su casa a los compañeros de piso curiosos y a los caseros, aprender y practicar su arte, a veces, en los lugares más vulgares.

Lauralynn fue a la cocina. Oí el choque del hielo cayendo en una copa y el siseo de una botella al abrirse.

–Siéntate –dijo, y me pasó un vaso largo y pesado. Me indicó un gran sofá de piel color crema en ángulo recto que ocupaba casi dos paredes del salón–. Voy a cambiarme... a ponerme algo más adecuado.

Asentí y tomé un sorbo de mi copa. Agua mineral. Quizá había notado que el *prosecco* se me había subido a la cabeza. Alcohol y actividades sexuales físicamente exigentes no combinan bien, una de las razones por las que me costó tan poco confiar en Dominik y en cómo trataría mi cuerpo. Sabía que no bebía.

Al llegar al pie de la escalera, volvió a mirarme.

–Eh, Summer.

–¿Sí?

–Esperamos visita.

Me dejó veinte minutos sola para que me pusiera nerviosa, pendiente del timbre de la puerta y preguntándome qué haría si llamaban antes de que ella volviera. También aproveché para ir al baño.

¿Bajaría a mi entrepierna?, me pregunté, y por si acaso me lavé un poco. ¿O esperaría que bajara yo? Tenía mucha experiencia haciendo felaciones, algo que me gustaba especialmente, porque disfrutaba del poder que sentía introduciendo dentro de mí lo más esencial de un hombre, dándole tanto placer que se olvidaba de todo, cautivo de mi boca, aunque fuera yo la que estaba arrodillada. Pero nunca había puesto la lengua sobre el sexo de una mujer, y no sabía muy bien cómo hacerlo. Pestañeé pensando en lo mucho que les costaba a mis amantes provocarme un orgasmo, un resultado que solo se alcanzaba con un ritmo perfectamente orquestado de tacto y concentración, e incluso así no estaba ni mucho menos asegurado. ¿Sería capaz de llevar a Lauralynn al clímax? Ni siquiera estaba segura de que intentarlo formara parte del juego.

Por lo poco que sabía, la relación entre los sumisos, o esclavos, y sus dóminas no era sexual, sino más bien un intercambio de poder; un baile complejo entre servicial y admirador, por un lado, y un ejercicio de autoridad benevolente y teatralidad por el otro. En todas aquellas escenas, parecía que la dominatrix estaba al mando, pero solía esforzarse por comprender la psicología particular de cada cliente y darle exactamente lo que quería.

No era una tarea fácil, sin duda. Para Lauralynn probablemente fuera una fuente de ingresos. Eso explicaría el piso caro y por qué las habitaciones estaban amuebladas de manera tan impersonal y todo estaba tan impoluto.

Oí sus tacones en la escalera y me apresuré a terminar de lavarme. Lauralynn estaba abriendo la puerta cuando salí del baño.

Ahora llevaba un mono de látex, pero con la cabeza descubierta, y estaba imponente. Se había puesto otras botas, con más tacón aún, unos rascacielos tan altos que me asombró que pudiera caminar con ellos sin tropezar. Se había alisado el pelo y aplicado un ligero brillo para aumentar su luminosidad: una cortina rubia que se balanceaba al compás de sus movimientos. Parecía salida de una película de superhéroes.

Una diosa, sin duda. Entendía, sin ninguna vacilación, por qué querría un hombre adorar a Lauralynn. Pensé que incluso las flores se inclinarían con deferencia a su paso.

–Marcus –dijo, saludando al recién llegado.

Se había apartado un poco para dejarme ver.

Era de altura y constitución media, con cabello castaño oscuro, atractivo pero no impresionante. Vestía ropa impersonal, vaqueros de un estilo corriente y camisa blanca de manga corta con cuello, bien planchada. Un hombre como muchos otros, de los que sería difícil identificar con certeza en una rueda de reconocimiento.

–Ama –contestó, en un tono de evidente reverencia a la vez que bajaba la cabeza para besarle la mano.

–Pasa.

Le dio la espalda, imponiéndose, y él la siguió dentro del piso como un cachorrito a su dueño. Nos presentó. A mí también me besó la mano. El gesto me resultaba totalmente extraño y me sentí incómoda inmediatamente con aquella muestra de sometimiento. Quería explicarle que yo no era una dómina, pero la expresión en la cara de Lauralynn me lo impidió. Estábamos en su escenario y yo respetaría el papel que ella quisiera otorgarme.

Marcus y yo seguimos a Lauralynn en silencio. Nos paramos cuando llegamos al pie de la escalera.

–De rodillas –le ordenó a Marcus, quien cayó inmediatamente a mis espaldas–. Y no mires por debajo de su falda.

Así se estableció una especie de orden: Lauralynn al mando, yo como una especie de cómplice y Marcus, el sumiso de Lauralynn, esclavo o siervo, todavía no tenía bastantes conocimientos para identificar la diferencia, si es que la había.

–Siéntate, Summer –me dijo, haciendo un gesto hacia la cama enorme, decorada por entero en negro, un cambio total respecto al blanco de la planta inferior. Pensé que quizá no permitía que los hombres se corrieran aquí, porque sería difícil mantener las sábanas limpias.

Me senté.

–Lávale los pies –le ordenó a Marcus, que seguía arrodillado, con el cuerpo erguido, recibiendo las órdenes de Lauralynn con la ansiedad de un perro a la espera de un hueso.

Me incliné para descalzarme.

–No –dijo ella–. Lo hará él.

Marcus se arrastró hacia ella, que tenía una palangana y una toalla a punto. Sin duda lo había preparado con antelación.

Volvió arrastrándose de rodillas, con la palangana en una mano y la toalla colgada del brazo, moviéndose con cierta elegancia, como un camarero.

Me agarró un pie, me quitó el zapato y empezó con las abluciones, teniendo mucho cuidado de no mirarme, con la vista fija en el suelo por encima de mi hombro, evitando así cualquier visión accidental por debajo de mi falda. Su tacto era agradable, experto, y teniendo en cuenta que lo hacía a ciegas era muy hábil; en su otra vida podía ser esteticista; quizá ya lo era.

Fue bastante placentero, pero el acto en sí me hizo sentir espantosamente incómoda. Intenté parecer complacida, porque no quería que Marcus creyera que no estaba contenta con su trabajo, aunque quizá él habría disfrutado más. Lauralynn me vigilaba con una mirada de halcón, mientras paseaba por la habitación, ligera como una pantera en su traje ajustado; el látex era tan brillante que podía verme reflejada en él cuando se acercaba a mí. Ahora tenía una fusta en la mano, que de vez en cuando la agitaba delante de nosotros con un gesto ampuloso, no sé si como una amenaza o una promesa.

Por fin, acabó de lavarme los pies. Suspiré aliviada.

–Gracias –dije amablemente al hombre arrodillado a mis pies.

–No le des las gracias –ordenó Lauralynn. Le puso la fusta bajo la barbilla y le levantó un poco la cabeza–. Arriba.

Él obedeció.

–Quítate la ropa.

Se quitó la camisa y los vaqueros dócilmente. Era guapo, en realidad. Proporcionado. Todo estaba en su sitio, tenía un cuerpo razonablemente en forma, y sin embargo no había nada en él que me resultara atractivo.

Lauralynn me dejaba sin aliento y me aceleraba el pulso, pero mis sentimientos hacia Marcus flotaban entre la ambivalencia y la repulsión. Parecía tan vulnerable, de pie sin ropa, siguiendo las órdenes de ella, más desnudo que desnudo, como un león recién esquilado.

¿Era esto lo que veían los demás cuando me dominaban? Me dio que pensar. Tal vez sí. Quizá dependía de la idiosincrasia particular del observador. Por lo visto, mi singular configuración sexual no incluía la atracción por los hombres sumisos. Lo cual, teniendo en cuenta mi historial de relaciones, no era una sorpresa. Cada uno teníamos nuestras manías y reacciones.

–Túmbate en la cama –gruñó Lauralynn. Lo cercaba, como un gato alrededor de la presa.

Marcus se apresuró a obedecer.

Ella se inclinó, le vendó los ojos y, con una caricia, comprobó que la venda estaba tensa, como si tranquilizara a una mascota antes de castigarla.

–Ahora esperarás a que volvamos.

Lo dejó en la cama y me indicó que la siguiera al baño. Cerró la puerta y se agachó, abrió el armario de debajo del lavabo y, de unas bolsas con cierre hermético, sacó dos dildos grandes y negros, cada uno sujeto a un arnés blanco. Otro artilugio que había visto en *sex shops* y películas porno, pero nunca en una persona. Por supuesto que había visto en acción a chicas con chicas en fiestas sexuales, pero la penetración, ahora que caía en la cuenta, para mí siempre había sido un acto heterosexual. Una pena, la verdad, porque me gustaría ver a dos mujeres, o a dos hombres, unidos así.

Lauralynn me dio uno y entonces lo entendí.

–Póntelo –dijo.

–¡Oh! no. ¡No puedo follármelo!

–Te sorprendería lo que puedes hacer. Y le encanta. Le harás un favor, créeme.

Volvió a mirarme a la cara y su expresión se ablandó.

–De acuerdo –dijo–. Te dejo elegir. ¿Qué prefieres? ¿Delante o detrás?

–Delante, por favor –contesté, segura de que preferiría no elegir ninguno, pero aceptando el arnés que me ofrecía de todos modos. Pesaba mucho y no parecía cómodo. Sería un trabajo duro–. ¿Tengo que desnudarme?

–No. No se le permite ver a mujeres desnudas. No te quites la ropa, por si se le cae la venda.

¿Qué sentido tenía aquello? Imaginé que el hecho de no poder tener un solo atisbo de su yo vulnerable, de su carne desnuda, hacía que Lauralynn pareciera aún más intocable.

Con el arnés puesto, volvimos al dormitorio, donde Marcus nos esperaba a cuatro patas, ofreciéndose con paciencia para que lo utilizáramos. Tragué saliva. No estaba segura de poder hacerlo, pero había llegado tan lejos que no quería que Lauralynn quedara mal por mi culpa.

Estaba fabulosa con el dildo. Lo llevaba como si estuviera acostumbrada a tener pene. En cierto modo imaginaba que lo tenía. De repente deseé ser Marcus. Quería estar a cuatro patas, postrada ante ella, sintiendo su miembro negro y grande invadiendo las paredes de mi vagina. Se mantendría erecto para siempre, pensé, con una punzada de envidia, y después de rabia. Marcus me había quitado el sitio, y no me gustaba.

No pude verme en el espejo, pero me sentía rara y torpe, tonta, con el arnés atado sobre la ropa. Era demasiado voluminoso, y la correa de la cintura muy grande para mí, así que rebotaba absurdamente cuando caminaba.

Lauralynn ya estaba detrás de él. Le había girado el culo para tenerlo de cara a ella, y observé cómo se ponía un guante quirúrgico en una mano y se cubría los dedos medio e índice con lubricante. Al oír el chasquido del guante subiendo por la muñeca de Lauralynn, Marcus gimió excitado y levantó el culo con entusiasmo, como una perra en celo a la espera de que la monten.

Le introdujo uno y después dos dedos en el ano, provocando un evidente gozo.

–¿Qué tienes que decir, esclavo desagradecido? –gritó.

–¡Oh, gracias, ama, gracias!

Él empezó a moverse adelante y atrás, adelante y atrás contra los dedos de ella, y los testículos le golpeaban con fuerza la palma de la mano.

Me hizo un gesto para que me situara frente a la cara de Marcus.

–Abre la boca y chupa el pene de la señora, esclavo.

Avancé un poco, para que me alcanzara, y observé cómo empezaba a lamer codiciosamente la punta de mi dildo. Empecé a empujar.

–¿Ya estás a punto para mi gran miembro? –preguntó Lauralynn, sacándole los dedos del ano. Se quitó el guante con cuidado y lo dejó sobre un pañuelo de papel. Me fijé en que había puesto una toallita debajo de Marcus, justo en el camino de su pene completamente erecto. Así mantenía las sábanas limpias, por lo visto.

Marcus soltó un gemido, una mezcla gutural de dolor y placer que se le escapó de entre los labios cuando Lauralynn se introdujo en su ano, arponeando su abertura con su asta, embistiendo adelante y atrás como un pistón.

Me miró y me sostuvo la mirada.

–Fóllatelo –dijo.

Estaba al mismo tiempo excitada y rabiosa. Quería que Lauralynn me follara a mí, no a aquel lastimoso hombre que yacía en su cama. Era yo la que debería haber estado con las piernas abiertas delante de ella, no él.

Le agarré la cabeza por la venda que le tapaba los ojos y empujé mi dildo, ahogándolo. «¡Esto es lo que se siente!», quería gritar. «¿Te gusta, eh, mierdecilla debilucha?»

Sentí que le venían arcadas y aflojé la mano con la que le retenía la cabeza, pero él continuó agarrado a mi pene, y siguió metiéndoselo todo lo dentro de la garganta que podía.

Lauralynn, al otro extremo, se inclinó hacia delante y me agarró por los hombros, empujándole el culo al hacerlo con una última embestida potente.

Soltó mi dildo y se corrió con un grito, expulsando un semen blancuzco sobre la toalla, con tanta fuerza que estuvo a punto de mancharme la falda. Lauralynn se retiró y dejó que Marcus cayera sobre la cama hecho un ovillo. Inclinándose, le quitó la venda y le acarició tiernamente la cabeza.

–Buen chico –dijo–. ¿Te ha gustado?

–Oh, sí, ama.

–Amas –dijo con firmeza, poniendo énfasis en el plural.

Fruncí el ceño y la seguí al baño, mientras Marcus se recuperaba.

–Vaya, Summer Zahova –me dijo con una sonrisita mientras se desprendía del arnés–, no eras tan sumisa como pensabas, eh?

Dos horas después estaba en casa otra vez, acurrucada en mi cama y mirando por la ventana la vista decididamente poco panorámica de la pared de ladrillo del edificio contiguo, como si pudiera extraer alguna sabiduría de la certeza omnipresente del ladrillo y el mortero.

La agente neozelandesa de la que me habló Lauralynn había dejado un mensaje en el contestador para hacerme una audición con vistas al puesto de la orquesta en Nueva York. Yo aún no lo había solicitado. Lauralynn le debió de enviar mis datos justo después de que me marchara de su casa.

Toda la vida había querido ir a Nueva York, y hacía años que soñaba con que se presentara una oportunidad como aquella, pero ya me estaba adaptando a Londres, a crearme una vida que por fin me gustaba, por muy confusa que fuera, con Dominik y ahora Lauralynn.

Ya no sabía quién era, o quién quería ser. De lo único de lo que estaba segura era de mi violín, mi maravilloso Bailly, e incluso eso tampoco parecía del todo mío. Nunca podía sujetarlo sin pensar en Dominik.

El estuche de mi violín estaba en un rincón y su presencia no solo era alegre sino también acusadora.

Me sentía espantosamente culpable de mi aventura con Lauralynn. Lo único que me había pedido Dominik era que fuera sincera con él, y no lo había sido, o al menos pensaba no serlo. ¿Cómo podría contarle alguna vez mi experiencia con el esclavo de Lauralynn y el dildo con arnés? Se alejaba tanto de todo lo que sabía de mí... Pensaría que no me conocía en absoluto.

Mi turno empezaba en un par de horas, y no podía permitirme estar distraída. Sabía que las últimas semanas no había estado tan alegre y optimista como siempre, absorta como estaba en los sucesos de mi vida personal. Al día siguiente del último recital en casa de Dominik, me llamaron la atención en el restaurante. Lo sucedido me dejó tan confusa que se me cayeron dos copas y, por lo visto, le había devuelto mal el cambio a un cliente. Al final, al hacer caja faltaban veinte libras y yo fui la persona que más veces había cobrado...

Para animarme un poco, me puse las zapatillas y la ropa de deporte y salí a correr desde casa hacia el puente de la Torre y después al Támesis, cortando por el puente del Milenio hasta completar el circuito por el lado contrario. Para ayudarme a tomar la decisión, me puse música norteamericana: el último disco de los Black Keys. Era una de las bandas favoritas de Chris. Nos conocimos la misma semana que yo llegué a Londres, en la primera fila de su concierto en el Hackney Empire.

Al regresar a casa, llamé a Chris, solo para oír su voz, pero no me contestó. No lo veía desde la fiesta de Charlotte, y cuanto más me adentraba en el mundo fetichista, más me preocupaba no ser capaz de salvar el abismo, casar los dos lados de mi vida, y lograr mantener nuestra amistad sin tener que ocultarle aquello que yo creía que no aprobaría.

La carrera me ayudó un poco a despejar la mente, pero todavía seguía algo crispada cuando llegué al trabajo. Intenté desconectar, eliminar todo lo que no fuera el zumbido constante de la cafetera, el cloc–cloc del soporte que sujetaba el café al encajar en su sitio, y el gemido de la leche calentándose en la jarra.

Mi peculiar poder de autohipnosis no tardó en hacer efecto, y estaba completamente absorta en una larga cola de pedidos de cafés y cafés con leche cuando entró un grupo de hombres y se sentó sin esperar que los acompañaran a una mesa. A juzgar por los trajes bien cortados y el aire de arrogancia, debían de ser banqueros o asesores de ventas, pensé, cuando por fin me fijé en ellos.

–Summer, échanos una mano, por favor.

Salí de mi ensueño, me di cuenta de que faltaba una de las camareras, que estaba fuera en su descanso y que mi jefe estaba cobrando a otros clientes. Me hizo un gesto indicando la mesa de los recién llegados y dejé un momento los cafés pendientes para llevarles las cartas. Me fijé en que un par de ellos ya estaban bebidos, a juzgar por sus gritos y sus caras sudorosas. Quizá una botella de champán en la oficina para celebrar algún negocio importante.

El que parecía el cabecilla del grupo me agarró de la muñeca cuando ya me marchaba.

–Eh, guapa, es el cumpleaños de este –dijo, señalando a un hombre que estaba sobrio y avergonzado al otro lado de la mesa–. A lo mejor puedes ofrecernos algo especial, no sé si me entiendes.

Me deshice discretamente de su mano y le sonreí amablemente.

–Por supuesto –dije–. Su camarero llegará enseguida y les ofrecerá todos nuestros platos especiales.

Intenté marcharme. Seguro que se me estaban acumulando los cafés pendientes y la gente solía ser muy impaciente cuando se trataba de su chute de cafeína, sobre todo si era para llevar.

–Ah, no –contestó–, ¿por qué no te quedas y nos hablas de los especiales, cariño?

El cumpleañero se dio cuenta de mi incómoda situación e intentó intervenir.

–No le toca nuestra mesa –siseó a sus amigos borrachos–. Dejadla en paz.

El sonido de su voz despertó un recuerdo vago que pugnó por salir a la superficie desde un rincón de mi mente.

De repente me acordé. El cumpleañero era la persona anónima que me había azotado en el club fetichista del este de Londres al que fui sola, después de la primera vez que toqué desnuda para Dominik. Habría reconocido su voz en cualquier parte; su sonido quedó inmortalizado en mi mente para siempre junto con el resto de la experiencia, que en aquel momento era tan nueva para mí.

Una expresión de reconocimiento pasó por su cara al mismo tiempo que sentí que pasaba por la mía y nos miramos, sosteniendo la mirada un momento más de la cuenta, lo que alertó a sus compañeros.

–¿Qué pasa aquí? ¿Os conocéis?

Habían levantado mucho la voz, y los demás comensales callaron como reacción a la escena que se estaba desplegando ante ellos, aunque fueran demasiado educados para mirar directamente.

El color de la cara del cumpleañero se puso roja, de un rojo vivo, y el otro hombre pestañeó, tal vez porque recibió una patada por debajo de la mesa.

–Rob, calla.

Rob hizo exactamente lo contrario, como si de repente se enfadara conmigo por mi supuesto desafío.

–¡Ah, claro! –gritó, golpeando la mesa con la palma de la mano con tanta fuerza que su tenedor rebotó en el aire–. ¡Eres la chica de aquel club tan raro donde fuimos! ¡Un culo estupendo, preciosa!

Lanzó la mano para darme un cachete en el trasero y yo la esquivé antes de que me alcanzara, al mismo tiempo que le golpeaba el brazo. Sus gruesos gemelos se engancharon en el mantel de la mesa de al lado y al retirar la mano lo arrastró, de modo que la botella de vino que había encima se volcó y cayó directamente sobre las rodillas de la mujer que ocupaba la mesa.

Era vino tinto y caro, a juzgar por el elegante traje de la mujer, ahora totalmente manchado. Saltó de la silla aturdida, y yo aproveché para desaparecer con ella en dirección al baño, donde podría limpiarse la ropa.

Me quedé en el baño tanto tiempo como pude y la mujer fue muy amable conmigo.

–No ha sido culpa tuya –dijo, enjuagándose la blusa con cara de mal humor–. Conozco a ese tío del trabajo. Es un gilipollas.

Vaya, no era tan refinada, pensé, observándola de nuevo.

Mi jefe se había acercado a la mesa cuando yo corría al baño. Sabía que tendría la situación controlada, pero lo más probable era que se ciñera al lema de «el cliente siempre tiene la razón». Como mínimo, habría asumido el vino de la cuenta de la mujer, y probablemente también su comida, que era posible que se aproximara a un par de cientos de libras.

No estaba segura de salir airosa de aquello.

Volví a la sala para encarar el problema justo cuando los hombres se marchaban. Rob encantado consigo mismo, y mi jefe apretando los dientes en una expresión de cortesía que disimulaba un humor de perros.

–Summer –dijo mi jefe, cuando se marcharon todos–, ven. –Me indicó el cuarto del personal.

»Mira –siguió, cuando cerramos la puerta–, lo que hagas con tu vida privada es cosa tuya, y sé que ese tío era un imbécil... –Abrí la boca para hablar, pero levantó la mano para detenerme– ...pero cuando tu vida privada se vuelve pública, en mi restaurante, pasa a ser cosa mía. No puedes continuar trabajando aquí, Summer.

–¡Pero si no ha sido culpa mía! Ha intentado tocarme. ¿Qué esperabas que hiciera?

–Bueno, quizá si fueras un poco más... discreta... esto no habría pasado.

–¿Qué quieres decir con discreta?

–Ya te lo he dicho, Summer, lo que hagas fuera del trabajo es asunto tuyo, no mío, pero anda con cuidado, por favor. Vas a meterte en líos.

–¿Perder mi empleo no es bastante lío?

–Lo siento, en serio.

Recogí el bolso y me marché sin esperar más.

¡Maldita sea! Ese cabrón de mierda con sus asquerosas manazas. Lo tenía claro. Ya me habían dado unos días de aplazamiento para pagar el alquiler, y sabía que aquella habitación era una ganga. No quería darle al casero un motivo más para echarme. Otro retraso en el pago sería la gota que colmara el vaso.

Mierda.

No podía llamar a Chris, porque entonces tendría que explicarle lo que había ocurrido, y no me apetecía darle más razones para censurar mi forma de vida. Podía llamar a mis padres a Nueva Zelanda, pero no quería que se preocuparan: además ya les había dicho que todo me iba bien, para que no me dieran la lata con que volviera a casa.

Seguramente Charlotte podría ayudarme, pero era demasiado orgullosa para pedirle dinero, y me daba la sensación de que de alguna manera utilizaría mis problemas económicos contra mí. Estaba el trabajo en Nueva York, con un sueldo garantizado, pero primero tenía que pasar la audición, y sabía que la competencia sería feroz.

Solo quedaba Dominik.

No le pediría un préstamo –jamás–, pero necesitaba verlo desesperadamente. Su voz me tranquilizaría, me ayudaría a encontrar una salida. Todos mis tendones estaban en tensión, mis músculos contraídos al máximo, mi cabeza acelerada de pura ansiedad. Nada podía aliviarme de aquella presión mejor que Dominik asumiendo el mando de mi mente y mi cuerpo, follándome con aquella absurda combinación de furia y cariño que me hacía sentir tan relajada y viva.

No sabía si me atrevería a verlo, con el episodio de Lauralynn tan fresco en mi cabeza.

Tendría que sincerarme, hablar con él. No había otra forma. La idea me revolvió el estómago, pero era eso o vivir martirizada para siempre, y no podía permitir que la culpa se interpusiera entre mi violín y yo. Si la música dejaba de fluir, sencillamente yo dejaría de existir.

Volví a casa desde mi exlugar de trabajo, me duché rápidamente y elegí la ropa, algo adecuado para el campus y algo que hiciera sentir a Dominik que era suya. Me puse lo mismo que la última vez, vaqueros y una camiseta, unos zapatos planos y el pintalabios diurno más claro. Esperaba que le recordara nuestro último encuentro, cuando me había entregado a él por completo.

Busqué universidades en el norte de Londres en Google y encontré un curso de literatura que daba Dominik. Me imaginé que habría una lista de clases en algún tablón de anuncios de la Facultad de Bellas Artes, como el que había en la de música. Lo encontraría.

Tardé un poco en localizar el aula, pero al final la encontré, precisamente cuando empezaba a dar su clase.

Era un curso concurrido, lleno de mujeres, muchas de ellas muy atractivas, que miraron con ojos brillantes de deseo a Dominik cuando se aclaró la garganta y empezó a hablar. Sentí una punzada de celos y me senté delante, directamente en su campo de visión. Tenía ganas de levantarme y gritar «¡Es mío!», pero no lo hice, y sabía que no me pertenecía como yo no le pertenecía a él, o como nadie pertenece realmente a otra persona.

Tardó unos minutos en darse cuenta de que yo estaba allí, absorto como estaba, dando la clase. Cuando me vio, sus ojos brillaron un momento –¿de rabia?, ¿de deseo?–, pero después sus facciones se relajaron y siguió como si yo no existiera. No había leído el libro del que hablaba, pero no me importó y seguí el ritmo de sus palabras, la musicalidad de su lenguaje. Era como un director de orquesta, que empezaba bajito, y subía *in crescendo*, para volver a descender al final. No era de extrañar que sus clases fueran populares. Me miraba de vez en cuando, y cuando lo hacía, yo no reaccionaba con ningún movimiento, me quedaba muda, pero esperaba que recordara la última vez que él me vistió con esa misma ropa que llevaba, que llevé la misma barra de labios, y él eligió el color más oscuro y me pintó los pezones y los labios de la vulva, me marcó, me hizo suya.

Se acabó la clase y los estudiantes empezaron a salir. Contuve la respiración. No podía quedarme allí todo el día si sencillamente decidía ignorarme.

–Summer –dijo en voz baja, por encima del estruendo de mochilas y libros.

Me levanté y bajé la escalera hacia la parte delantera del aula, donde él estaba recogiendo sus papeles detrás del atril.

Irguió la espalda y me miró torvamente.

–¿Para qué has venido?

–Necesitaba verte.

Su expresión se suavizó un poco, quizá porque se dio cuenta de mi malestar.

–¿Por qué? –preguntó.

Me senté en el último escalón, de modo que él estaba de pie sobre mí, y se lo conté todo: Lauralynn, el esclavo, que me puse el arnés con el dildo y lo introduje con furia en su boca y que me gustó... A pesar de todo, quería que Dominik me dominara. Quería ser suya.

Se lo conté todo, menos la posibilidad de trabajar en Nueva York y mi estado actual de desempleo. Incluso sentada a sus pies, en su mundo, era demasiado orgullosa para contárselo.

–No deberías haber venido, Summer –dijo.

Recogió su bolsa y se marchó.

Su mensaje llegó más tarde, cuando ya había regresado a casa. Estaba echada en la cama abrazada al estuche del violín, esperando contra todo pronóstico que, pasara lo que pasara con Dominik y conmigo, me permitiera quedarme con el Bailly. De nuevo, sentí una inmensa vergüenza por desear quedarme algo de él.

Entonces sonó mi móvil. Una disculpa.

«Lo siento. Me has pillado desprevenido. Perdóname.»

«OK», contesté.

«¿Volverás a tocar para mí?»

«Sí.»

Los detalles de la hora, la fecha y la dirección llegaron en otro mensaje. Mañana, en otro lugar, no en su casa.

Esta vez me pidió que llevara público. Elígelo tú. ¿Una prueba de mi resiliencia?

Me imaginé volviendo a tocar para él y repitiendo el formato de nuestras últimas y exitosas citas, si nuestros encuentros podían llamarse así. Intentaba rebobinar en el tiempo, volver a ponernos en el camino que habíamos emprendido.

Pensé a quién podía invitar. A Lauralynn no. Eso solo añadiría insulto a la herida.

Solo me quedaba Charlotte, por mucho que dudara de incluirla en esta ocasión tan delicada. Tenía la costumbre de asumir el mando y no era lo bastante empática para notar la tensión entre Dominik y yo, pero sí mi única opción. Había conocido otras personas del mundillo, pero siguiendo las normas de esta clase de fiestas, no habíamos ido más allá del breve espacio del placer a algo más significativo que pudiera denominarse amistad.

–Oooh, de fábula –dijo Charlotte–. ¿Puedo llevar un amigo?

–Supongo que sí –contesté.

Había dicho que llevara público, y sería raro si aparecía solo con Charlotte. Sola seguro que se metería por medio.

Lo único que deseaba yo era follar con Dominik, pero quería demostrarle que podía hacer funcionar aquella extraña relación, y si me había pedido público, tendría público.

Me puse otra vez el vestido largo de terciopelo, el que me había puesto el día del cenador, y salí con el Bailly. No me lo había pedido concretamente, pensé con preocupación, pero me había pedido que tocara para él, así que tendría que tocar. Además, sentía los brazos vacíos sin el violín.

La dirección era del norte de Londres, otro lugar anónimo, pero esta vez con un salón grande, cocina y baño, bastante elegante, aunque decorado sin gracia, con un par de sofás de piel a un lado, unas alfombras en el suelo y una mesa de cristal en medio. En un rincón había una gran cama.

Casi todo el espacio estaba lleno, ya que Charlotte había aparecido con quince personas, incluido Jasper, su guapo acompañante. ¿Cobraría por horas?

Y con Chris.

¡Oh, no!, ¿por qué lo había hecho?

En cambio, vi con alivio que Dominik parecía contento. Se me acercó enseguida, me besó afectuosamente en los labios y me dio un apretón en los hombros.

–Summer –dijo bajito. Parecía tan aliviado como yo. Quizá había temido que no apareciera.

Chris y Charlotte charlaban animadamente en un rincón, con Jasper. Estaban en pleno cónclave y ninguno de ellos me había visto. Mejor. Así tendría tiempo de hablar con Dominik.

Justo antes de que pudiera abrir la boca, para proponer que buscáramos un lugar tranquilo, los dos solos, aunque no fuera más que un momento, Charlotte apareció de la nada y me lanzó los brazos al cuello.

–¡Summer! –gritó–. Ahora ya puede empezar la fiesta.

Chris me abrazó por el otro lado y me dio un beso afectuoso en la mejilla.

Estaba rodeada. Una expresión de frustración cruzó la cara de Dominik, pero recuperó rápidamente la compostura habitual. Se fue a la cocina. Charlotte lo siguió, con una expresión más maliciosa de lo normal. ¿Qué tramaba? Eché un vistazo a la sala, donde las parejas esperaban, escasamente vestidas pero absteniéndose de mantener relaciones sexuales, a pesar de las vibraciones eróticas que llenaban la habitación. No parecía del estilo de Dominik en absoluto. Me pregunté cuánto de aquello lo habría preparado él y cuánto Charlotte. Sospechaba que había tenido más que ver esta última.

Qué más daba... Pronto empezaría a tocar y me olvidaría de todos.

Chris parecía contento de verme e intentaba hablar conmigo, pero yo solo podía pensar en Charlotte y Dominik en la cocina. Estaban manteniendo alguna clase de conversación extraña. ¿De qué iban a hablar que no fuera de mí? La cara de Dominik era imposible de interpretar en circunstancias normales, pero por cómo apretaba la boca me di cuenta de que algo no le gustaba, y Charlotte no paraba de hablar y hablar.

–Tierra llamando a Summer... ¿Afinamos? –me preguntó Chris sacudiéndome un hombro.

–Sí, claro –contesté, agarré el estuche y fui a un espacio en el otro extremo de la habitación, donde él había dejado la viola, y donde imaginaba que estaría nuestro escenario.

Entonces Dominik me llamó.

–Summer, ven.

Dejé el estuche al lado del de Chris y me acerqué a Dominik.

–Esta noche no tocarás. Así no, al menos.

Se inclinó y me besó en los labios. Vi la cara de Charlotte con el rabillo del ojo, cuando Dominik se apartó. Parecía satisfecha de sí misma. Lo que fuera que habían discutido, había ganado ella. Dominik estaba ardiente y aturullado. Sentía el calor que desprendía su cuerpo. No me habría sorprendido que hubiera empezado a echar vapor.

En algún lugar de la habitación, chasqueó un mechero.

Pestañeé.

Charlotte había sacado una soga y otros artilugios de una bolsa. Recordé que me comentó que había estado leyendo sobre el tema. Esperé que hubiera hecho algún curso y no se limitara a atar al primero que se lo permitiera.

Apartó la mesa de cristal unos centímetros y se subió encima, ofreciendo a todos la visión de sus largas piernas y su culo, enfundado en un vestido blanco hasta los pies, que con la luz era completamente transparente. No llevaba ropa interior, pero yo tampoco, en realidad, y a Charlotte se le debía reconocer que tenía unas piernas estupendas.

Dominik me apretó la mano para tranquilizarme. No estaba tranquila. Charlotte volvió a bajar al suelo y apartó la mesa de en medio. Había atado una soga larga a una anilla de metal del techo.

–¿Lo harás por mí? –dijo Dominik.

Bueno, todavía no sabía qué quería que hiciera pero, fuera lo que fuera, lo haría. No confiaba en Charlotte cuando se ponía así, pero sí en Dominik, aunque aquel día se comportara de un modo raro.

Charlotte me agarró por los hombros y me empujó hasta situarme bajo las sogas.

–Levanta los brazos y no te preocupes... te va a encantar.

Imaginé que iba a colgarme.

–Primero quítale el vestido –gritó alguien, alegremente, desde uno de los sofás.

Charlotte obedeció: me bajó los tirantes y me desabrochó la cremallera de la espalda antes de que tuviera ocasión de levantar los brazos. El vestido cayó al suelo. Volvía a estar desnuda ante un público, aunque ya empezaba a acostumbrarme a la sensación.

Por suerte Chris no estaba a la vista. Quizá se había cansado de esperar o le asustó la gente, que se estaba poniendo más provocadora por momentos, y se había marchado.

Levanté los brazos y sentí la soga rodeándome las muñecas y creando unas esposas intricadas. Charlotte introdujo un dedo entre mi muñeca y la soga para comprobar que no estaba demasiado apretada. Al fin y al cabo puede que tuviera corazón.

–¿Está bien así? –preguntó–. ¿No está demasiado apretada?

–Está bien –contesté. Seguía teniendo los pies firmemente apoyados en el suelo y aunque no pudiera soltarme, me había dejado los brazos un poco sueltos para que no me sintiera incómoda demasiado rápido.

–Es toda tuya –le dijo Charlotte a Dominik, con aire conspirador.

Sentí agua que corría en otra habitación y, después, el ruido de una puerta que se abría y se cerraba.

Chris.

Estaba en el baño.

Mierda.

–Eh –le dijo a Dominik–, ¿qué coño haces?

Su voz estaba llena de rabia.

No me preguntó a mí qué hacía, solo a Dominik. ¿No veía que no me resistía, que había elegido hacerlo, que actuaba por propia voluntad, no solo siguiendo el capricho del hombre con el que estaba?

De repente me enfadé con él por no comprenderme, por querer que me ajustara a sus expectativas.

–¡Oh, déjalo, Chris, por favor! ¡Estoy bien! Estamos todos bien. No entiendes nada.

–¡Summer! ¿Es que no te ves? ¡Te has vuelto completamente loca! Tienes suerte de que os deje con vuestros morbosos juegos y no llame a la Policía.

Recogió su viola y su chaqueta y salió en tromba por la puerta, dando un portazo.

–Vaya –dijo la misma voz del sofá que había hablado antes–. Por este tipo de situaciones no se deben admitir vainillas a fiestas liberales.

Algunas personas rieron, despejando la tensión.

A la mierda. Era mi cuerpo y haría lo que me diera la gana con él. Eso incluía cualquier cosa que Dominik quisiera hacer con él.

Dominik me acarició el pelo, volvió a besarme suavemente y me tocó el pecho.

–¿Seguro que estás bien? –preguntó.

–Sí. Estoy bien, mejor que bien.

Solo quería que hiciera lo que tenía que hacer, que me follara y me soltara, para que no me dolieran los brazos y pudiera tocar el Bailly.

Entonces Dominik sacó una navaja.

# 10

## *Un hombre y su oscuridad*

Cada vez hacía más calor.

En la habitación llena de humo. En sus mentes.

Chris se había marchado, pero sus palabras resonaban en los oídos de Summer. Una parte de ella sentía el escozor de sus acusaciones, mientras que otra, más traviesa e irresponsable, estaba enfadada porque él hubiera osado criticarla y creer que entendía la esencia contradictoria de sus impulsos.

Summer suspiró y se apoyó en el otro pie para redistribuir el peso del cuerpo. Levantó la cabeza y vio a Dominik en la otra punta de la habitación, de pie, hablando animadamente con Charlotte, con las manos sobre el cuerpo casi desnudo de ella. A su lado estaba Jasper, completamente desnudo y con una erección espectacular, tocándose con indolencia con una mano mientras con la otra se afanaba activamente en la oscuridad de la entrepierna de Charlotte. Las caricias combinadas de los dos hombres entre los que yo había quedado atrapada no parecían desconcertar a Charlotte que, aparentemente, dominaba aquella inusual situación. Dominik, todavía vestido de arriba abajo de negro, se había quitado la chaqueta, la única concesión que había hecho a la situación, y la lana suave de su jersey de cachemir de cuello redondo sin duda frotaba agradablemente los pechos de Charlotte, que se apretujaba contra él.

En la penumbra Summer podía ver, y oír, a las parejas distribuidas por el suelo, en el sofá que estaba en un rincón de la habitación e incluso sobre la mesa rectangular, ahora vacía de comida y copas. Estaban ocupadas en toda clase de actividades sexuales, entre gemidos, susurros y abrazos. Los dedos de alguien le rozaron los cabellos, pero no se giró, y quien fuera no se entretuvo y pasó a otro enredo de miembros. Sus ojos estaban fijos en el trío compuesto por Dominik, Charlotte y Jasper. ¿De qué estarían hablando? ¿De ella?

La mente de Summer discurría a toda velocidad.

Lo que había empezado como otra fase en la partida que jugaba de buena gana con Dominik estaba en caída libre.

De vez en cuando, los tres componentes del grupo de conspiradores se volvían y la miraban, y a Summer le parecía que se sonreían despectivamente, como si ella se hubiera convertido en un trasto inservible abandonado en un desván.

La invadieron los recuerdos: tocando sola para Dominik en el cenador del parque; después, desnuda con el cuarteto de cuerda con los ojos vendados; más tarde, desnuda para él, sola, en la cripta, donde acabaron follando por fin. Y el último episodio, que todavía le ardía en la cabeza, cuando le vendó los ojos y ella actuó para un espectador invisible (ahora pensaba que solo había una persona presente y su instinto le decía que era un hombre), y después Dominik la poseyó sin preámbulos ante el todavía desconocido. Aquello los había llevado a esa noche.

¿Qué podría pasar? ¿Qué esperaba? ¿Alguna forma de progresión cruel en el ritual de su insólita relación? Era indudable que le había echado de menos mientras estuvo en Italia dando su conferencia. Le faltaba su seguridad silenciosa, sus órdenes suaves pero perentorias. El cuerpo se lo había reclamado y ella reaccionó teniendo sus propias aventuras fetichistas.

Deseaba que esa noche fuera especial, no únicamente como una nueva variante, sino como una puesta en escena canalla.

Summer se estremeció, sintiendo todavía el roce cortante de la hoja de afeitar sobre su vulva; miró hacia abajo y descubrió que sus genitales estaban totalmente rasurados. Tuvo un escalofrío; aquella desnudez extrema era una pizca perturbadora. ¿Llegaría a acostumbrarse? ¿Dejaría de ser consciente de su extrema desnudez delante de otras personas, de que había sido expuesta de la forma más humillante? En el fondo había esperado que, después de exponerla de aquella manera, Dominik le soltara las manos y al menos le permitiera tocar su precioso Bailly para el público. Sin embargo, Charlotte había tomado las riendas de la velada, y ella se quedó donde estaba; ya no colgaba de la soga, pero seguía atada, desnuda y desvalida, como una mera espectadora de las oleadas de lubricidad que había desencadenado involuntariamente y que se desplegaban con total libertad entre el pequeño grupo inmerso en la satisfacción de sus deseos. En la cabeza de Summer se alzaba una vocecita que decía «Dominik, fóllame, tómame delante de todos, ahora, ahora mismo». Pero las palabras no lograban cruzar la barrera de sus labios sellados fuertemente. Porque, a pesar de todo lo que había hecho con él, sentía que decirlo sería denigrante. En el fondo pensaba que no era ella quien debía pedirlo, quien debía suplicar. La orden tenía que salir de Dominik.

Vio que Charlotte bajaba la cabeza y besaba a Dominik en los labios. Jasper se apretujó más y empezó a jugar con el lóbulo de la oreja de Charlotte. Los gemidos de una pareja invisible que hacía el amor sobre la alfombra detrás de ella resonaban por la habitación.

Alertado por el ruido, Dominik se separó del abrazo de Charlotte y se acercó a Summer y, sin decir palabra, le desató las manos. Bajó los brazos, agradecida de que por fin se acordara de ella antes de que se le durmieran los brazos. Dominik le besó la frente con toda la delicadeza del mundo y entonces llegó Charlotte.

–Estabas preciosa, cariño –le dijo, acariciándole la mejilla–. Preciosa de verdad.

Summer esperaba que Dominik se dedicara entonces exclusivamente a ella, pero Charlotte, seguida del permanentemente erecto Jasper en todo su esplendor, lo agarró de la mano y se lo llevó.

Allí desnuda, recuperando la circulación en los brazos, Summer sintió una punzada de celos por la forma en la que su amiga se había apoderado de Dominik y lo acosaba. ¿Acaso no sabía que no era capaz de explicar que Dominik era suyo? Era de Summer. ¿Por qué no podía dejarlos en paz? Charlotte no tenía derecho a entrometerse.

–Creo que necesito otra copa –dijo Dominik, por fin–. ¿Alguien quiere una? Summer, ¿te apetece agua?

Summer asintió y Dominik los dejó para ir a la cocina, saltando sobre los cuerpos en movimiento, esquivando las diversas escenas sexuales desplegadas por la sala.

–Me gusta mucho tu chico, Summer –dijo Charlotte al oído de Summer, en cuanto él desapareció–. ¿Puedo tomarlo prestado?

Aturdida por la pregunta, Summer calló, hirviendo de rabia por dentro. Si las circunstancias hubieran sido diferentes, si estuvieran en un bar, en una fiesta normal, cualquier cosa menos aquella sala llena de parejas tocándose y copulando como resultado de su obligada exhibición y depilación ceremonial, se habría opuesto firmemente. Pero el carácter excesivo del entorno se lo impidió. ¿La singular etiqueta de las orgías, quizá?

Sin embargo por dentro ardía de furia. ¿Cómo se atrevía Charlotte? ¿No se suponía que era su amiga?

Summer seguía enfurecida cuando volvió Dominik y se acercó a ella cautelosamente con unos vasos en la mano.

Le pasó uno con agua; tenía los labios secos y bebió con avidez. Charlotte, como siempre seguida de Jasper, puso las manos en la cintura de Dominik con ademán posesivo.

–¿Qué divertido, eh? –comentó.

Lo cual desencadenó el arrebato de locura de Summer.

O de despecho.

Le devolvió el vaso a Dominik, se giró de cara a Jasper, bajó la mano izquierda lentamente y le agarró el pene con descaro.

–Sí que es divertido –dijo–, y encima entre amigos.

–Muy acogedor –observó Charlotte, con una sonrisa estampada en la cara notando el gesto de Summer.

En algún lugar de la sala, alguien se corrió con un suave suspiro de abandono.

En la mano de Summer el pene cálido de Jasper estaba increíblemente duro. Más firme que ningún otro que hubiera tenido la ocasión de tocar. Al agarrar, vio la sombra de una sonrisa expandiéndose en la cara de Jasper y sintió una oleada de deseo. Summer se negó a mirar la reacción de Dominik.

Se puso de rodillas, se introdujo el largo, grueso y aterciopelado miembro de Jasper en la boca y lo sintió crecer aún más.

–A por él –oyó decir a Charlotte, y sintió los ojos de Dominik perforándola desde arriba.

Por un momento, Summer se preguntó qué sabor tendría el pene de Dominik. Todavía no lo había probado y le extrañaba que no se hubiera presentado la ocasión. Volvió a concentrarse en la tarea que la ocupaba, su lengua y sus labios jugaban con el miembro del acompañante de Charlotte: chupando, lamiendo, mordiendo delicadamente, ajustando el ritmo al pulso que se trasladaba del corazón al glande, como el eco de un tambor en una selva exótica. Con el rabillo del ojo vio que Charlotte movía la mano hacia el cinturón de Dominik, sin duda con la intención de emularla.

Summer sintió una fuerte punzada de celos. Estaba decidida a llevarlo al clímax. Pero los mejores planes pueden torcerse con facilidad, y justo cuando sintió un débil temblor incipiente en el atlético cuerpo de Jasper, que probablemente se consumaría dentro de su boca, este se apartó delicadamente. Summer se quedó con la boca abierta en una «O» de interrogación y decepción, y Jasper tiró de ella con la mano y la llevó a un sofá cercano que estaba vacío. A diferencia de Dominik y Charlotte que estaban en un estado de semidesnudez –ella llevaba un corsé y las medias, y él, aún con los pantalones bajados, seguía con los calzoncillos puestos–, tanto Jasper como Summer estaban desnudos, y sus cuerpos eran como reflejos de deseo y palidez en un espejo. Summer se arrodilló, exponiéndose ante cualquiera. Oyó el ruido de un envoltorio al rasgarse y a Jasper poniéndose un preservativo rápidamente sobre el miembro. A continuación le separó las piernas y se colocó detrás de ella, tentándola con el pene a las puertas de su entrada totalmente pelada.

Summer inspiró profundamente, se giró y vio la honda oscuridad de los ojos de Dominik que contemplaba fijamente el espectáculo que ofrecían ella y Jasper. Entonces sintió el grueso pene de Jasper rasgándola de una sola embestida, ensanchándola inesperadamente y colmándola con su virilidad. Mierda, la tenía enorme. Summer exhaló, como si todo el aire de sus pulmones hubiera salido expulsado por la fuerza y la determinación de la embestida inicial de Jasper. El miembro empezó a moverse dentro y fuera y Summer desconectó, dejando flotar su cuerpo en un mar de vacío, rindiéndose al momento, despojándose de cualquier vestigio de defensa. No pensaba en nada, estaba abierta a lo que pudiera suceder a partir de entonces, voluntariamente desvalida, un juguete abandonado en la tempestad del deseo.

Cerró los ojos. La carne funcionando como un superconductor, pensamientos evanescentes, sus células grises transmutando, abdicando de la fuerza de voluntad para someterse al poderoso fuego del deseo.

En un compartimento oculto de su mente –¿o era su alma?–, Summer se imaginó que estaba dentro del cuerpo de Dominik, no para sentir cómo Charlotte le hacía una experta felación sino para compartir su mirada, que la observaba hipnotizado mientras Jasper la penetraba. Oh, cómo debía ver el pene de su acompañante introduciéndose en sus profundidades, embistiéndola, humedeciéndole el labio superior de sudor, entrecortando su respiración. Mira, Dominik, mira, así me folla otro hombre, y qué bien que lo hace. ¿No te gustaría estar en su lugar? Oh, qué grande la tiene. Cómo me posee. Cómo me hace temblar y estremecerme. Con qué fuerza me folla. Y aún más fuerte. No para. No para nunca. Como una máquina. Como un guerrero.

Soltó un grito de placer ronco y se dio cuenta de que no eran solo los intensos movimientos de Jasper dentro de ella lo que la había excitado tanto sino el saber que Dominik estaba mirando.

Entonces se corrió.

Gritó.

Un momento después Jasper se corrió también, inundándola con el calor de su semilla dentro de la fina funda de látex que le envolvía el pene. Y un pensamiento irracional y repentino la torturó –¿estoy loca? ¿estoy enferma?– mientras se preguntaba qué sabor tendría el semen de Dominik cuando lo llevara hasta el final, si algún día tenía la posibilidad de hacerlo. Summer se dijo que los pensamientos absurdos tienen por costumbre aparecer en los momentos más inoportunos.

Respiró hondo mientras Jasper salía de dentro de ella y se levantaba, con el pene finalmente flácido pero aún imponente por su envergadura. Summer cerró los ojos, sintió una oleada de arrepentimiento mezclado con placer. Ya no deseaba saber qué hacían Dominik y Charlotte.

Estaba cansada, muy cansada.

Giró el cuerpo agotado, hundió la cara en la piel olorosa del sofá y se echó a llorar en silencio.

En la sala, alrededor de ella, como si Summer fuera su centro de gravedad, la orgía llegaba a su fin.

–Estoy decepcionado –dijo Dominik.

–¿No era lo que querías? –preguntó Summer.

Estaban sentados en el café donde quedaron la primera vez, en St. Katharine Docks. Era tarde, la gente salía de trabajar para sumergirse en los embotellamientos y los coches rugían sobre el puente cercano. Summer arremetió con otra pregunta:

–¿No querías ver cómo otro hombre me follaba y...?

–No. –Dominik interrumpió el flujo furioso de sus palabras–. Por supuesto que no.

–¿Qué querías entonces? –continuó Summer alzando la voz, con el dolor y la confusión estampados en la cara. Antes de que él pudiera responder, siguió, abandonada al diablo interior que la empujaba a sacar toda su ira y angustia–. Estoy segura de que te puso, ¿o no?

Él apartó la mirada un momento.

–Sí –reconoció en voz baja, como si se declarara culpable de un cargo menor.

–Ya –dijo Summer, con el tono triunfal del que se cree cargado de razón.

–Ya no sé lo que quiero –dijo Dominik.

–No me lo creo –respondió Summer, con la cabeza dominada por el arrebato de ira.

–Creía que teníamos un acuerdo.

–No me digas.

–Te juro que sí.

–Por mucho que me lo juraras, aunque lo hicieras mil veces, no te creería.

–¿Por qué estás tan agresiva? –preguntó él, presintiendo que la conversación estaba tomando un cariz malo, muy malo.

–O sea que yo soy la culpable de haber ido demasiado lejos, ¿no?

–No he dicho eso.

–¿Y quién permitió que Charlotte le metiera mano, como si yo no existiera y no estuviera desnuda como el día que nací, rasurada y como una esclava? –continuó.

–Nunca he pensado en ti como en una esclava, ni antes, ni ahora, ni lo pensaré nunca –insistió él.

–Pero no tienes ningún problema en tratarme como tal. –Casi se atragantaba de furia–. No soy una esclava y no lo seré nunca.

Dominik, en un último intento por recuperar la iniciativa, la interrumpió.

–Solo pensé que denigrándote con ese... gigoló, nos estabas fallando a los dos.

Summer calló, con lágrimas de vergüenza y rabia escociéndole en los ojos. Tenía ganas de tirarle el vaso de agua que tenía en la mano a la cara, pero se lo pensó mejor.

–Nunca te prometí nada –dijo finalmente.

–Ni yo te lo pedí.

–Fue un... impulso. No pude controlarme –contestó, a modo de excusa, pero enseguida contraatacó de nuevo–. Tú me pusiste en esa situación y luego me abandonaste. Fue como si desencadenaras mis demonios y te marcharas a kilómetros de distancia, dejándome sola con... Dios sabe qué. No sé cómo explicarlo, Dominik.

–Lo sé. En parte también fue culpa mía. Solo puedo disculparme.

–Disculpas aceptadas.

Summer bebió. El hielo se había fundido hacía rato y el agua estaba tibia. El silencio volvió a imponerse entre ellos.

–Entonces... –dijo finalmente Dominik.

–Entonces.

–¿Quieres seguir?

–¿Seguir con qué? –preguntó Summer.

–Viéndome.

–¿En calidad de qué?

–De amante, de amigo, de cómplice en el placer. Lo que tú quieras.

Summer vaciló.

–No lo sé –dijo–. La verdad es que no lo sé.

–Lo comprendo. –Dominik asintió con resignación–. En serio.

–Es todo muy complicado –continuó Summer.

–Lo es. Por un lado, quiero estar contigo. Me apetece mucho, Summer. No solo como amante, o como juguete sexual, sino como algo más. Por otro, no sé explicar esta atracción y cómo se ha distorsionado todo tan rápidamente.

–Mmm... O sea que no me propondrás matrimonio, ¿eh? –Summer sonrió de oreja a oreja.

–No –confirmó él–. ¿Alguna clase de acuerdo quizá?

–Creía que eso era lo que teníamos.

–Puede ser –asintió Dominik.

–Y es obvio que no ha funcionado. Hay demasiados factores en juego.

Ambos suspiraron al unísono, lo que los hizo sonreír. Al menos podían ver la situación con sentido del humor.

–Puede que debamos dejar de vernos una temporada.

No importaba quién de los dos lo dijo; ambos lo tenían en la punta de la lengua.

–¿Quieres que te devuelva el violín? –preguntó Summer.

–Por supuesto que no. Siempre ha sido tuyo. De manera incondicional.

–Gracias. De verdad. Es el mejor regalo que me han hecho en mi vida.

–Te mereces cien veces más. La música que tocaste para mí fue inolvidable.

–¿Con ropa y sin ropa?

–Sí, con ropa y sin ropa.

–Entonces...

–Esperamos, creo. Veamos qué pasa y cuándo pasa, si es que pasa.

–¿Sin promesas?

–Sin promesas.

Dominik dejó un billete de cinco libras sobre la mesa y con el corazón encogido vio cómo Summer salía del café y su silueta se iba perdiendo poco a poco en la noche.

Miró su reloj, el Tag Heuer que se compró cuando consiguió la plaza en la universidad.

No miró la hora, que estaba en el impreciso y borroso cruce entre la tarde y la noche, se fijó en la fecha. Hacía cuarenta días que vio a Summer por primera vez, cuando tocaba en la estación de Tottenham Court Road con su viejo violín: una fecha para recordar.

La cita con la cazatalentos que buscaba músicos para la orquesta de Estados Unidos fue particularmente bien, y apenas una semana después Summer aterrizaba en el aeropuerto JFK, tras dejar sin ceremonias su alojamiento en la casa de Whitechapel y olvidarse deliberadamente de la fianza. No se había despedido de Charlotte ni del resto de sus conocidos. Solo de Chris, con quien se explicó lo mejor que pudo, con el fin de que le diera su bendición.

No llamó a Dominik, a pesar de que, entre otros motivos, la tentación de decir la última palabra era fuerte.

La agencia le había buscado un alojamiento provisional en un piso compartido con otros miembros extranjeros de la orquesta, al lado del Bowery. La avisaron de que todos eran de la sección de viento, como si su instrumento fuera a determinar su personalidad. El comentario –¿o era una advertencia?– le hizo gracia.

Era la primera vez que pisaba Nueva York. Cuando el taxi amarillo se acercaba al Midtown Tunnel, atisbó el perfil de Manhattan, impresionante como en cualquiera de las películas que había visto. La dejó literalmente sin aliento.

Summer pensó que, sin duda, era una buena manera de empezar una nueva vida. El breve trayecto entre el atasco de Queens y Jamaica, a la salida del aeropuerto, solo le había dejado entrever un paisaje vulgar de urbanizaciones, pero ahora, a través de la sucia ventana del taxi, con la vista fija en el perfil lejano de edificios altos y monumentos reconocibles, se llenó de alegría y esperanza.

La primera semana en la ciudad le dejó poco tiempo libre porque tuvo que adaptarse a los inevitables ensayos de última hora, tramitar los documentos de residencia, aclimatarse a la geografía peculiar del arcano Lower East Side y hacerse un sitio en aquella ciudad nueva, desconocida y maravillosa.

Sus compañeros de piso eran discretos, lo que no representaba ningún problema para ella. En Londres apenas había llegado a conocer el nombre de muchos de sus vecinos.

Enseguida llegó el día de su primera actuación en público con la orquesta, la Gramercy Symphonia, y con ella el programa inicial de conciertos de otoño en una sala que se había restaurado recientemente para devolverle su antiguo esplendor. Tocaron una sinfonía de Mahler, que por alguna razón no conectaba con ella, y le costó transmitir sensaciones a la música. Por suerte, era una más entre una docena de violinistas en la sección de cuerda y técnicamente era lo suficientemente apta como para ser capaz de ocultarse entre ellos sin llamar la atención por su falta de sentimiento.

En quince días, tocarían un repertorio clásico más tradicional: Beethoven, algo de Brahms y una serie de piezas de románticos rusos. A Summer le apetecía mucho, aunque no el concierto final de la temporada, que vio que tenía programada una pieza de Penderecki, una pesadilla para los músicos de cuerda; además, personalmente no le gustaba nada: era estridente, impersonal y muy pretenciosa, a su modo de ver. Pero aún quedaba mucho tiempo y los ensayos no estaban previstos hasta finales de otoño. Mientras, intentaría disfrutar al máximo.

El tiempo en Nueva York era insólitamente cálido, aunque Summer tuvo la mala pata de encontrarse con chubascos las pocas veces que se aventuró más allá del Greenwich Village o el Soho. La manera en la que sus finos vestidos de algodón empapados se le pegaban a la piel mientras corría a refugiarse o hacia su casa bajo la lluvia le recordaba el final de la primavera en Nueva Zelanda. Era una sensación rara, no de nostalgia. Le parecía estar viviendo la vida de otra persona.

No tenía ganas de salir ni hacer amigos, conocer hombres, tener relaciones sexuales. Se sentía como si estuviera de vacaciones. Por la noche, en la soledad de su habitación escasamente amueblada, escuchaba el ruido de la calle; las sirenas que no dejaban de aullar durante toda la noche entre intervalos de silencio; todos los sonidos del latido de aquella ciudad nueva. A veces, a través de la fina pared que separaba su habitación de otro dormitorio del piso, ocupado por una pareja casada, unos músicos de viento croatas, les oía hacer el amor. Un minirecital de voces en una lengua extranjera, de susurros reprimidos, el inevitable chirrido de los muelles de la cama y la respiración acelerada. Después el previsible grito de clarín de la flautista al correrse con un diluvio escandaloso de tacos en croata. Al menos así le sonaba a Summer mientras escuchaba atentamente sus forcejeos e intentaba imaginarse el espectáculo de pene y vagina en amor y guerra entre las sábanas y el agresivo martillazo del trompetista penetrando a su esposa. Summer le había visto a menudo en el piso en calzoncillos, inmune a su presencia. Era bajo y peludo, y su miembro parecía empujar la tela de los calzoncillos al límite. Por algún motivo decidió que no estaba circuncidado y se imaginó la punta del glande emergiendo de los pliegues sin domesticar de su piel cuando se desplegaba en toda su longitud durante la erección. Siempre ahuyentaba de su mente el recuerdo de otros que había conocido, recortados y sin cortar.

Entonces se masturbaba, separando delicadamente con los dedos los labios de su sexo y tocando su sabia melodía.

Ah, sí, ser músico tenía sus ventajas... La música de su cuerpo se arremolinaba en la habitación vacía del piso compartido como un torrente. Le aportaba tanto placer como olvido, ahuyentando el dolor persistente que sentía cuando comenzaba a pensar en Dominik.

Pasaron los días y la primera actuación de la temporada de la orquesta estaba al caer. Summer y sus colegas se pasaron la mayor parte del fin de semana en una húmeda sala de ensayo cerca de Battery Park, y ella tuvo que tocar su parte hasta que sintió que sería incapaz de volver a extraer un arpegio de su Bailly.

Se lavó la cara con agua fría en el lavabo del sótano de la sala de ensayo y fue una de las últimas en salir. Los últimos rayos de sol del día se desvanecían sobre el río Hudson. Lo único que deseaba en aquel momento era comer algo, quizá un plato para llevar de sashimi de Toto, en la calle Thompson, y dormir toda la noche de un tirón.

Al salir a la calle, estaba a punto de encaminarse hacia el norte cuando oyó una voz que la llamaba.

–¿Summer? ¿Summer Zahova?

Se giró y vio a un hombre de mediana edad atractivo, de altura media, con los cabellos grises y una barba corta, bien cuidada, del mismo tono. Llevaba una americana de lino con rayas azules finas y pantalones negros y zapatos gruesos oscuros, tan lustrados que casi parecían espejos.

No lo conocía.

–¿Sí?

–Perdona si te molesto, pero unos conocidos de los productores de la orquesta me han invitado a asistir a vuestro ensayo. Me he quedado impresionado.

Tenía una voz grave y sonora, con una entonación curiosa. No era norteamericano, pero tampoco podía identificar su país de origen.

–Todavía es pronto –dijo Summer–. El director nos está marcando uno por uno, para que el conjunto tenga más cohesión.

–Ya lo sé –dijo el hombre–. Lleva tiempo. Tengo experiencia observando orquestas, pero me ha parecido que te integrabas bien, aunque todavía sea pronto.

–¿Cómo has sabido que era recién llegada?

–Me lo han dicho.

–¿Quién?

–Digamos que tenemos amigos comunes –dijo con una sonrisa.

–Ah –exclamó Summer, dispuesta a seguir su camino.

–Tienes un violín maravilloso –continuó el hombre, con los ojos fijos en el estuche que llevaba ella en la mano derecha. Iba vestida con una minifalda de piel corta muy por encima de la rodilla, un cinturón bien apretado con una hebilla enorme, botas marrones hasta media pantorrilla sin medias–. Diría que es un Bailly.

–Lo es –confirmó Summer, sonriendo por primera vez al reconocer a un experto.

–En fin –dijo él–, sabía que eras nueva en la ciudad y he pensado que quizá te gustaría venir a una fiesta mañana conmigo y unos amigos. Una cosa íntima. Solo amigos músicos, de modo que te sentirás como en casa. Sé lo grande que es Nueva York; seguramente no has tenido tiempo de hacer muchos amigos, ¿no? Nada especial, unas copas en un bar y quizá después algunos vayamos al piso que tengo alquilado para seguir charlando. Cuando te apetezca, te vas.

–¿Dónde vives? –preguntó Summer.

–En un *loft* en Tribeca –dijo el hombre–. Solo vivo en Nueva York unos meses al año, pero lo mantengo. Vivo en Londres.

–¿Me lo puedo pensar? –preguntó Summer–. Mañana no creo que acabemos de ensayar antes de las siete. ¿Dónde habéis quedado?

El hombre le dio una tarjeta.

«Dr. Victor Rittenberg », decía. Summer pensó que sería de Europa del Este.

–¿De dónde eres? –preguntó.

–Ah, es un poco complicado. Algún día quizá...

–¿Pero de nacimiento?

–Ucrania.

Por algún motivo aquella información la reconfortó.

–Mis abuelos paternos eran ucranianos –dijo Summer–. Emigraron a Australia y después a Nueva Zelanda. De ahí viene mi apellido. Nunca los conocí.

–Pues ya tenemos otra cosa en común –dijo Victor, con una sonrisa grande y enigmática en su cara barbuda.

–Supongo que sí –aceptó Summer.

–¿Conoces el Raccoon Lodge de la calle Warren, en Tribeca?

–No.

–Allí hemos quedado. Mañana, a partir de las siete y media. ¿Te acordarás?

–Seguro que me acuerdo –dijo Summer.

–Estupendo. –Se volvió con una pequeña reverencia y caminó en una dirección diferente a la que debía tomar Summer para volver a casa.

¿Por qué no?, pensó Summer. No podía ser una ermitaña indefinidamente, y especuló sobre quién podía ser su amigo común.

Victor sedujo a Summer en un proceso gradual en el que su astucia se desplegó con gran determinación. Sabiendo lo que ya sabía de ella en Londres, lo que Dominik había dicho y le había descrito en conversaciones informales, pronto llegó a la conclusión de que Summer, tanto si era consciente de ello como si no, tenía todos los rasgos de una sumisa. Qué maravillosa coincidencia había sido que, en su momento más bajo, el empleo en Nueva York que Lauralynn, su antigua cómplice de diabluras, le había facilitado, coincidiera con su propio traslado a la Gran Manzana, algo que había decidido mucho antes, cuando aceptó un puesto en el Hunter College, donde estaba dando clases de filosofía poshegeliana.

Victor, libertino de largo recorrido, también era un gran conocedor de los sumisos y sabía cómo manipularlos y atraerlos hacia él utilizando las maneras más tortuosas, explotando sus debilidades y apelando a sus necesidades.

Por cómo Summer cayó voluntariamente en los brazos de Dominik unido a lo que él mismo había observado aquella vez pudo verla en acción, sabía qué teclas debía tocar y de qué cuerdas invisibles tirar. Explotando su soledad de recién llegada a Nueva York, Victor se encargó de provocar que su sumisión natural saliera a la luz, paso a paso, dando un empujón sutil a su vena exhibicionista, o satisfaciendo el insensato orgullo que la hacía meterse por capricho en situaciones sexuales desconocidas para ella.

En comparación con él, Summer era una aficionada, y no se dio cuenta de que estaba jugando con ella.

Victor sabía que los deseos de Summer estaban revueltos, y que anhelaba la búsqueda de nuevas sensaciones después de sus experiencias con Dominik. Nueva York era una ciudad grande y podía hacer que te sintieras muy solo. Dominik estaba al otro lado del océano y Summer estaba allí, desvalida y sola.

Durante la primera velada que pasaron juntos, en la fiesta que celebró en su *loft* de Tribeca, Victor le reveló cautelosamente su interés por el BDSM, guiando la conversación hacia el tema de ciertos clubes privados de Manhattan y lugares más lejanos de Nueva Jersey. Vio la reacción de Summer, el deseo ardiendo en sus ojos, la incapacidad de negar sus inclinaciones sexuales. La llama estaba encendida, y rápidamente gravitó hacia ella como una polilla, incontrolable en su danza hacia la luz.

Por mucho que lo intentara, no pudo resistir la llamada de su cuerpo, esquivar la compleja telaraña tejida por Victor. Summer añoraba a Dominik, sus extraños juegos sexuales y el gozo que ella había sentido al seguirle la corriente. La voz de Victor era distinta, de tono firme e implacable, sin la suavidad de la entonación de Dominik. Pero si cerraba los ojos, casi podía imaginar que era Dominik quien le daba instrucciones, quien la doblegaba a su voluntad.

Pronto Summer vio que Victor sabía más de ella de lo que debería, y empezó a sospechar que Lauralynn era su informadora. No era ingenua, pero quería saber adónde la llevaría todo aquello. La seducción de los pensamientos retorcidos y el canto de sirena de su cuerpo en un estado de necesidad no podían ignorarse mucho tiempo más.

En el tercer encuentro, en un bar oscuro de la calle Lafayette, se encontró cómoda con las maniobras de Victor y no le sorprendió en absoluto que, a mitad de una conversación civilizada sobre la fealdad de las formas más modernas de música clásica –aunque ella personalmente viera con buenos ojos la obra de Philip Glass, a quien Victor no podía soportar–, él la mirara y, sin más, le hizo una pregunta:

–Ya has servido, creo.

Ella asintió.

–Eres un amo, ¿no?

Victor sonrió.

El tiempo para los juegos psicológicos había llegado a su fin.

–Creo que nos entenderemos, Summer, ¿no te parece? –le preguntó, poniendo la palma de su mano sobre la de ella.

Se entendieron. El mundo real, ese universo secreto alrededor del cual había estado orbitando como una gallina decapitada, volvía a reclamarla, seduciéndola con sus melodías más dulces.

Sabía que se embarcaba en una travesía sin billete de vuelta, pero quería hacerlo de todos modos, porque no hacerlo le haría sentirse incompleta.

El siguiente encuentro tuvo lugar tras una larga sesión de ensayo con la orquesta, dos días antes de su primera actuación oficial con el concierto inaugural de la nueva temporada. Se sentía un poco colocada por el flujo de la música y el sonido de su exquisito Bailly, ya incorporado al conjunto de la orquesta. Sus esfuerzos estaban dando frutos. Con la adrenalina a tope, estaba dispuesta a afrontar cualquier clase de perversión que Victor se inventara. En realidad, lo estaba deseando.

Fue en una mazmorra improvisada del sótano de un edificio imponente de ladrillo del centro, muy cerca de Lexington. Le dijeron que fuera a las ocho, y decidió ponerse el corsé que estrenó en el experimento de criada en Londres; parecía que había pasado una eternidad desde aquello. Con el traje que le compró Dominik, se podía imaginar que iba a la fiesta porque se lo había pedido él, que era su voluntad la que obedecía.

Mientras se arreglaba y se ponía el corsé, Summer volvió a maravillarse con la suavidad del material. Lo acarició con los dedos y no pudo evitar pensar un momento en él. ¿Por qué le costaba tanto quitárselo de la cabeza?

De todos modos, el pensamiento no se extendió mucho porque le sonó el móvil. La limusina que le mandaba Victor la esperaba fuera. Se puso la gabardina roja larga de piel. No era nada adecuada para aquella temperatura calurosa, pero la tapaba hasta los tobillos, ocultando el sorprendente espectáculo de su corsé atado con cordones, los pechos al aire y las medias negras que le habían pedido que se pusiera. Le llegaban hasta medio muslo y descubrían territorios de piel muy blanca hasta el tanga prácticamente invisible. Había notado con cierta irritación que el vello púbico le había empezado a crecer de forma desigual y que su ingle estaba un poco descuidada, pero no tenía tiempo para arreglarlo.

Victor vestía un esmoquin elegante, como todos los invitados, mientras que las mujeres llevaban vestidos de cóctel llamativos, modelos de alta costura en todos los tonos del arcoíris. Le quitaron la gabardina de los hombros y Summer se sintió incómoda siendo la única que llevaba los pechos descubiertos en el gran comedor, donde los invitados bebían y fumaban. En el ambiente flotaba una gran humareda de tabaco y puros.

–Nuestra última invitada –anunció Victor. La señaló y añadió–: Os presento a Summer. A partir de hoy se unirá a nuestro grupito íntimo. Viene muy bien recomendada.

¿Recomendada por quién?, se preguntó Summer.

Sintió la mirada de veinte o más desconocidos sobre ella, explorándola, interrogándola. Se le endurecieron los pezones.

–¿Vamos? –dijo Victor con un ademán ostentoso, indicando la puerta del sótano.

Summer siguió el movimiento de su mano y caminó con paso vacilante sobre los altos tacones hacia la puerta.

Estaba un poco aturdida, ahora que se acercaba el momento. Era su primera escena desde la orgía de Londres que había acabado tan mal y los había separado a ella y a Dominik.

Una docena de escalones la llevaron a un sótano, o bodega, grande y bien iluminado, con las paredes forradas con alfombras exóticas de procedencia árabe. En algún momento había sabido cómo se llamaban, pero no fue capaz de recordar la palabra cuando se dio cuenta de la presencia de seis mujeres más que estaban de pie en un círculo en el centro de la improvisada mazmorra. Summer las contó.

Estaban todas desnudas de cintura para abajo. Sin ropa interior, ni medias ni zapatos. Por encima, llevaban blusas, camisas, tops de seda con distintos grados de transparencia. Todas tenían los cabellos recogidos hacia arriba en un moño, y el color de los cabellos iba del platino casi blanco al negro azabache. Ella era la única pelirroja. Dos de las mujeres llevaban gargantillas finas de terciopelo y las otras se adornaban con collares: una con algo metálico, otra con un collar como de perro con una hilera de tachuelas y una tercera con un cinturón estrecho de piel cerrado con un candado grueso de metal.

¿Esclavas?

Los invitados entraron en la mazmorra y se situaron contra la pared.

–Como ves, querida... –Victor se había situado silenciosamente a su lado y le susurraba al oído– no estás sola.

Summer estaba a punto de responder, pero él le puso rápidamente un dedo en los labios para exigirle silencio. Ya no le estaba permitido hablar.

Su mano le rozó la cadera y tiró suavemente de la cinta elástica del minúsculo tanga.

–Desnúdate –ordenó.

Summer levantó una pierna y tiró de la fina pieza interior hacia abajo y se la quitó.

–El resto –siguió él.

Summer miró a las otras mujeres, que estaban con el trasero al aire, y entendió la orden. Consciente de que todos los ojos del sótano estaban puestos en ella, e intentando no perder el equilibrio y no caer al suelo, enrolló las medias hacia abajo y se quitó los zapatos, sin que Victor le ofreciera ningún apoyo. El suelo estaba frío. Piedra.

Ahora estaba con el trasero al aire como las demás, solo con el corsé que le apretaba la cintura y le levantaba los pechos con su delicada pero firme estructura, a la vista de todos, erguidos.

Mirando a las demás mujeres silenciosas, de pie, en círculo, como ella, Summer se dio cuenta de lo obscenas que resultaban. La desnudez era natural, incluso en público, pero aquello era algo más: un travestismo de la realidad sexual, una forma ingeniosa de humillación.

Le tocaron el hombro y la guiaron hacia las mujeres expuestas, que se separaron para dejarla entrar en el círculo. También se fijó en que todas estaban depiladas. Muy bien depiladas, como si se hubieran hecho la depilación permanente. Algo a lo que se habían comprometido en algún momento de sus vidas, al asumir su posición como esclavas, su pérdida de poder. Se avergonzó de su desaliño.

–Deberías haber sido más cuidadosa, Summer –dijo Victor, justo cuando ella estaba pensándolo–. Tu entrepierna está desaliñada. En el futuro debes venir totalmente depilada. Más tarde te castigaré.

¿Le leía el pensamiento?

Summer se ruborizó y sintió que el calor le corría por debajo de la piel de las mejillas.

Oyó que se encendía una cerilla y, creyendo que era el inicio de algún ritual de dolor, se le encogió el corazón, pero solo era alguien que encendía un cigarrillo.

–Bien, Summer, te unes a nosotros –dijo Victor, rodeándola en círculos. Le introdujo los dedos de una mano en la melena mientras posaba la otra sobre sus nalgas.

–Sí –susurró Summer.

–¡Sí, señor! –rugió él, y su mano aterrizó con una fuerza brutal sobre la nalga derecha.

Summer se encogió. El público contuvo la respiración. La sonrisa de una de las mujeres que observaba la escena tenía la fealdad de la reina malvada de cuento. Summer vio a otra que se humedecía los labios con la lengua. ¿Se le hacía la boca agua?

–Sí, señor –dijo dócilmente, reprimiendo su reticencia a entrar tan fácilmente en el papel.

–Bien –dijo él–. Conoces las reglas: nos servirás; no harás preguntas; nos mostrarás respeto. ¿Entendido?

–Sí, señor. –Ya había aprendido la rutina.

Le agarró un pezón y lo apretó con fuerza. Summer contuvo la respiración para controlar el dolor.

Ahora Victor estaba detrás de ella y sus palabras le perforaban los oídos.

–Eres una putita.

Summer no respondió y enseguida sintió otra vez un fuerte azote en el culo.

–Soy una putita.

–Soy una putita ¿qué? –De nuevo el escozor de la palma de la mano le provocó un espasmo de dolor ardiente.

–Soy una putita, señor –dijo.

–Mejor.

Hubo un momento de silencio, y con el rabillo del ojo Summer vio que una de las esclavas sonreía. ¿Se estaban riendo de ella?

–Te gusta que cualquiera pueda ver tu cuerpo, puta. ¿A que sí? –continuó Victor–. Te gusta que te vean, exhibirte.

–Sí, señor, me gusta –contestó ella.

–Entonces, lo harás bien.

–Gracias, señor.

–Desde este momento, soy tu dueño –anunció Victor.

Summer tenía ganas de protestar. Por una parte, la idea era terriblemente excitante, pero por otra, algo de su personalidad se rebelaba.

Por el momento, en aquella mazmorra, con los pechos y la ingle mal depilada a la vista, con la humedad que involuntariamente rezumaba confirmando su excitación, eran solo palabras.

Summer se sentía con fuerzas para afrontar lo que fuera que le deparara el futuro.

# 11

## *Una chica y su amo*

El primer azote fue tan fuerte que supe que me quedaría la marca de la mano en la nalga durante horas, perfilada en rosa como una versión infantil de un cuadro abstracto.

Tragué saliva.

Todos tenían su mirada puesta en mí, esperando mi reacción, deseando verme retroceder. Apreté los dientes. No pensaba darles el gusto. Al menos, aún no.

La voz de Victor tenía una dureza que no había percibido antes, como si su auténtica naturaleza estuviera emergiendo a la superficie. Además, al hacerme quitar la poca ropa que llevaba exceptuando el corsé, por fin me tenía en un estado de vulnerabilidad que lo satisfacía. «Señor» esto, «señor» lo otro; era autoritario, insistente. Obedecí sus instrucciones, aunque me irritara esa forma de dirigirme a él. Dominik no me había pedido nunca que lo llamara «señor». Siempre me había parecido una estupidez, sentía que convertía un juego arriesgado en ridículo. Intenté no perder la dignidad a pesar de lo absurdo de la situación.

Me quedé inmóvil, una más en un desfile de esclavas, todas en fila como patos en un campo de tiro. La rubia delgada con los pechos pequeños; la morena de piel oscura con el centro de gravedad bajo; la mujer de pelo de rata, con las curvas voluptuosas y una prominente marca de nacimiento en el muslo derecho; la alta, la baja, la gordita. Y yo, la pelirroja con un corsé apretado, la que llevaba la ropa que llamaba más la atención sobre su sexualidad, los pezones duros, la entrepierna húmeda y expectante.

–Arrodillaos –ordenó una voz.

Esta vez no era la de Victor, que se había retirado con el grupo de invitados, donde pasaba inadvertido entre los hombres y mujeres vestidos con ropa oscura.

Nos arrodillamos todas.

–La cabeza abajo.

Todas las mujeres obedecieron, casi tocando el suelo de piedra con la barbilla. Si aquello era sumisión, a mí no me iba. Bajé la cabeza pero mantuve una distancia mínima con el suelo. Sentí un pie en los riñones, forzándome a agacharme y aumentar la curva de mi columna para que se me levantara y expusiera más el culo.

–Tiene un culo suculento –dijo una mujer–. Esa cintura tan estrecha lo resalta mucho.

El pie se retiró. Los invitados empezaron a rodearnos, a mí y a las demás esclavas, con zapatos oscuros lustrados y tacones de doce centímetros, paseándose entre nosotras, valorándonos, evaluando la mercancía. Con el rabillo del ojo vi a mi lado una rodilla enfundada en un pantalón que tocaba el suelo, y que aparecía una mano y sopesaba mis pechos colgantes. Otro participante invisible deslizó un dedo por el surco de mis nalgas, lo clavó en mi vagina y comprobó mi humedad, después lo retiró y probó la constricción de mi abertura anal. Me encogí, intentando impedirle la entrada, pero aun así se introdujo un segundo. Me sorprendió que lograra hacerlo, aunque fuera brevemente, sin utilizar ningún lubricante. Aunque la posición en la que estaba, con mi intimidad a la vista, sin duda lo hacía más fácil.

–Esto no ha sido muy utilizado –comentó, y me azotó el culo alegremente antes de pasar a otro cuerpo expuesto.

De repente, sentí el aliento de Victor en el oído.

–Te gusta exhibirte, ¿no, Summer? –comentó con un tonillo divertido–. Te pone. Lo veo por lo húmeda que estás. No puedes disimularlo. ¿No te da vergüenza?

Estaba pegajosa abajo y sin duda tenía las mejillas encendidas mientras me seguía examinando de cerca.

–¿Se la puede utilizar? –preguntó un hombre.

–No toda –contestó Victor–. Por hoy solo la boca. Tengo preparadas cosas más interesantes para ella.

–Para mí es suficiente –intervino otro.

–A esta mujer le gusta que la vean, que la usen en público –siguió Victor.

De nuevo oí el roce leve de su pie arrastrándose por el suelo, a pocos centímetros de mi nariz. Tenía una ligera cojera, que hacía distintivos sus andares. Estaba furiosa, pero no tuve tiempo de manifestar mi ira. Victor me puso la mano bajo la barbilla, forzándome a levantar la cabeza. Quedé con los ojos al nivel de los pantalones del otro invitado, un desconocido con la bragueta abierta, que se sacaba el miembro y me lo ofrecía. Un ligero olor a orina flotó en mi dirección y casi tuve una arcada, pero la mano de Victor me agarraba el hombro, obligándome a hacer su voluntad. Separé los labios.

El pene del desconocido era corto y grueso. Empezó sus embestidas frenéticas, sujetándome por los cabellos, de modo que no tuve más remedio que introducírmelo todo, en una parodia de glotonería.

Se corrió enseguida y el chorro de su semen me golpeó la garganta. El hombre me mantuvo agarrada la cabeza sin retirarse hasta que, de mala gana, me tragué su eyaculación para vaciar mi boca. Entonces me soltó. Su sabor amargo permaneció y deseé poder correr al baño para frotarme la lengua y borrar su semen. En ese momento me habría bebido ácido con tal de quitarme ese sabor.

Eché un vistazo a mi alrededor y vi que las infelices esclavas estaban siendo utilizadas por los invitados masculinos, que las penetraban por la boca o las montaban al estilo canino. Todas, menos la que me recordaba a un ama de casa de clase media, que se afanaba en chuparle el sexo a una de las invitadas, cuyo vestido escarlata de seda estaba subido hasta la cintura y piaba como un pajarito cada vez que la lengua de la esclava le tocaba el clítoris u otros puntos de placer.

No tuve tiempo de reflexionar más sobre la situación, porque llegó Victor y me ordenó que me echara sobre una manta gruesa que había extendido en el suelo. Avanzó hacia mí con las piernas muy separadas, los pantalones bajados hasta los tobillos y el miembro, de tamaño respetable, enfundado ya en un condón. Tomé nota de que, a diferencia de Dominik, se había puesto un preservativo. ¿Era porque no se fiaba de mí, de mi buena salud, o simplemente Dominik se había comportado de forma irresponsable?

Se introdujo dentro de mí con fuerza y empezó a follarme. De repente me di cuenta de que, aunque hubiera elegido rendir mi cuerpo a su voluntad, mi mente seguía siendo mía, para hacer con ella lo que quisiera. Busqué aquel lugar en mi cabeza, la puerta que me llevaría lejos mental e incluso físicamente. Pronto el entorno se esfumó, los hombres, las mujeres y las esclavas se fundieron en una dimensión ausente, cuerpos y gemidos. Todo. Me alejé de la realidad, cerré los ojos y dejé que las mareas de excitación me inundaran. Victor satisfizo rápidamente su ansia y se apartó un par de pasos.

No tuve tiempo ni de parpadear antes de que el pene de otro hombre se ofreciera ante mi boca apenas recuperada. Un tono distinto de rosa y marrón, un glande grande, otro leve olor, esta vez de jabón herbal. No miré para saber a qué cara pertenecía. Qué más daba. Salvé el abismo entre él y mis labios, y lamí su calidez en una apariencia de deseo.

El resto de la noche la recuerdo borrosa.

Hombres totalmente anónimos. Mujeres con un toque de crueldad en sus órdenes y una mezcla de fragancias empalagosamente dulces. Había desconectado rápidamente de mi yo pensante; mi mente y mi cuerpo funcionaban con el piloto automático.

Cuando volví a abrir los ojos por completo y miré alrededor, el grupo inicial se había dispersado y los últimos invitados se abrochaban o alisaban la ropa. Solo quedaba el círculo de esclavas en el centro de la habitación, sucias, cansadas, resignadas.

Alguien me acarició la cabeza como si fuera una mascota.

–Muy bien, Summer. Prometes mucho.

Era Victor.

Su comentario me sorprendió. Sabía que había estado distanciada, lejana, mecánica, totalmente desconectada; solo era una actriz en un plató. Un plató porno, para ser más exactos.

–Ven –dijo, alargando un brazo en mi dirección, ofreciéndome la mano para levantarme de mi indecorosa posición. Había recogido mi gabardina roja del vestíbulo donde la dejé al llegar y me ayudó a ponérmela.

Fuera de la mansión nos esperaba la limusina.

Me dejó en casa. El trayecto transcurrió en silencio.

Te conviertes en una zombi de puro cansancio, mental y físico. Todo el día ensayando, dos actuaciones de media a la semana, y siempre que estaba libre, me llamaba Victor.

Por supuesto podría haber dicho que no, debería haber dicho que no, informarle de que estaba yendo demasiado lejos y que ya no participaba de buena voluntad en los juegos que estaba orquestando con aquella astucia deliberada. Aun así, me daba cuenta de que una parte de mí esperaba los siguientes episodios con una curiosidad morbosa. Como si pusiera a prueba mis propios límites. Cada encuentro era un puente más abajo del río, un desafío al que mi cuerpo se sentía atraído.

Estaba perdiendo el control.

Sin Dominik como ancla, era un velero sin motor, a la deriva en mares agitados y desconocidos, a merced del viento y las tormentas. Arrastrada por el ritmo de una canción que no podía tocar con el violín.

Con vistas a una temporada de obras posrománticas de compositores rusos, teníamos a un director invitado venezolano que nos hacía trabajar sin parar. No le gustaba cómo tocábamos al principio. Quería más brío y color en nuestra interpretación. La más afectada resultó la sección de cuerda. La de viento, predominantemente masculina, se adaptó con facilidad al cambio de énfasis, pero los músicos de cuerda lo teníamos más difícil, acostumbrados como estábamos a atacar el instrumento de forma más discreta. Además, muchos provenían el Este de Europa y, cuando conoces tan bien una pieza, cuesta deshacerse de los viejos hábitos y añadir un toque de bravura a la interpretación.

El ensayo de aquella tarde había sido extenuante y Simón, el director, se había mostrado muy crítico con nuestros resultados. Al final de la doble sesión, teníamos los nervios deshechos.

Mientras volvía a casa subiendo por West Broadway, me sonó el móvil. Era Chris. Estaba en Manhattan de paso. Habían contratado a la banda para una pequeña gira por la Costa Este en clubes de rock de segunda categoría y la siguiente parada era Boston. Por lo visto me llamó el día antes para invitarme a asistir a su actuación en la calle Bleecker, pero estaba tan absorbida por los ensayos con el director venezolano y las exigencias de Victor que olvidé cargar el móvil durante varios días.

–Te echamos de menos –dijo Chris después de que intercambiáramos calurosos saludos.

–No me lo creo –contesté. Ni siquiera tocaba todas las canciones con el grupo. Un violín aporta un sonido muy particular a una banda de rock y, si se exagera, le da un toque demasiado country.

–Pues sí –insistió Chris–. Como persona y como músico, ambas cosas.

–Ah, no, con halagos no llegarás a ninguna parte.

Solo estaría en la ciudad aquella noche. Quedamos en vernos en cuanto me hubiera calmado los nervios del día con una ducha y un cambio de ropa.

A los dos nos gustaba la comida japonesa. Cruda. Yo solía juzgar a las personas por lo que les gustaba comer, y raramente me seducían las que profesaban repugnancia por el pescado crudo, los platos al estilo tártaro o las ostras. Las consideraba cobardes culinarios.

La barra de sushi era un local pequeño de la calle Thompson, donde no es habitual encontrar más que un puñado de clientes, porque la mayoría compran comida para llevar. De ahí que el cocinero estuviera poco atareado y fue generoso con nuestros platos.

–¿Cómo te va con la música clásica? –preguntó Chris, mientras tomábamos el primer sake de la noche.

–Me tiene en alerta máxima, eso seguro. El director con el que estamos trabajando es un poco tirano. Muy exigente y temperamental.

–¿No te he dicho mil veces que los roqueros somos personas mucho más civilizadas que todos esos clásicos anticuados?

–Mil veces, Chris, mil veces. Casi cada vez que hablamos. –Era una broma habitual entre los dos, pero intenté sonreír.

–Pareces cansada, Summer.

–Lo estoy.

–¿Va todo bien? –preguntó, con una expresión preocupada.

–Solo es agotamiento. No paramos de tocar. No duermo demasiado bien –confesé.

–¿Nada más?

–¿Por qué? ¿Tengo bolsas negras bajo los ojos?

Chris sonrió. Era mi amigo y a él no podía mentirle.

–Sabes de qué hablo. ¿No..., no has estado haciendo..., travesuras? Te conozco, Summer.

Tomé un pedazo de atún amarillo con los palillos.

Chris sabía prácticamente todo lo que había sucedido en Londres con Dominik. Bueno, tal vez no conocía detalles concretos: tengo mi orgullo. Pero sí sabía que me había marchado a Nueva York tan rápido para huir de él.

–¿No me digas que te ha seguido hasta aquí? No puede ser. –Mojó un rollito en la tacita de salsa de soja con wasabi.

–No –dije–, él no. –Y, superando mi reticencia a confesar mis sentimientos verdaderos, añadí–: Ojalá fuera él.

–¿Qué quieres decir, Summer?

–He conocido a otro hombre. Parecido... pero creo que peor. No es fácil de explicar.

–¿Qué es lo que les atrae de ti a esos cabrones, Summer? Nunca habría pensado que disfrutaras con el castigo.

Callé.

–Mira, sé que Darren era un gilipollas, pero los tipos que parecen sentirse atraídos por ti últimamente son peligrosos.

–Lo son –confirmé.

–Si lo sabes, ¿por qué lo haces? –De nuevo estaba a punto de perder la paciencia conmigo. ¿Por qué últimamente nos pasaba esto cada vez que nos veíamos?

–Sabes que no consumo drogas. Bueno, no las drogas habituales. Puede que esto sea como una droga. Me da subidón. Como si pusiera la mano sobre una llama y viera hasta dónde puedo llegar, haciendo malabarismos entre el dolor y el placer. Pero no todo es malo, Chris... aunque entiendo que a ti te lo parezca. A cada uno lo que le gusta. No lo juzgues hasta que no lo hayas probado.

–Mmm... No creo que esto sea para mí. Estás chalada, chica.

–Claro, Chris, pero me conoces, y tienes que aceptar lo bueno y lo malo, ¿o no?

–Pero ¿eres feliz? –preguntó, mientras la camarera oriental retiraba nuestros platos y boles, y dejaba los pedacitos de piña de cortesía.

De nuevo rehusé contestar, pero temía que la expresión de mis ojos me delatara.

Fuimos a un bar cercano y tomamos una ronda de cervezas antes de despedirnos, no demasiado contentos.

–Llámame –dijo Chris–. Tienes mi número. Cuando te apetezca. O si tienes algún problema. Volvemos a Inglaterra al final de la semana, pero siempre puedes contar conmigo, Summer, recuérdalo.

Era de noche. Greenwich Village estaba lleno de vida, y la música inundaba las callecitas con melodías desconocidas y un toque de cacofonía. El sonido de la gran ciudad.

Por encima de todo necesitaba dormir.

La interpretación de Prokofiev en uno de los auditorios con más clase de Manhattan fue un éxito. Todos habíamos tocado a una y a la perfección, justificando el martirio de los ensayos y los nervios destrozados de la orquesta y del director de los días previos. Mi propio solo durante el segundo movimiento fluyó como un sueño hecho realidad, e incluso fui recompensada con un guiño de Simón, el joven maestro, cuando todos saludamos al final.

Mi estado de ánimo se desinfló poco después cuando encontré a Victor esperándome en la puerta de artistas.

–¿Por qué has tardado tanto? Hace más de una hora que ha terminado el concierto –comentó.

–Lo hemos celebrado –dije–. Ha ido sorprendentemente bien. No nos lo esperábamos en absoluto.

Victor frunció el ceño.

Me hizo un gesto para que lo acompañara y subió hacia el norte por la Tercera Avenida. Tal vez porque yo llevaba los zapatos de tacón, de repente me pareció más bajo que antes.

–¿Adónde vamos? –pregunté. Todavía estaba un poco aturdida, por la mezcla de los vasos de vermú del brindis y el subidón de adrenalina provocado por la actuación casi perfecta.

–No te preocupes por eso –dijo Victor bruscamente.

¿En qué estaría pensando? Todavía llevaba el vestido de terciopelo negro y la ropa interior de un día normal. Ni siquiera ligueros; medias y gracias. Y un jersey fino que me compré el día antes en Ann Taylor Loft. El corsé de Dominik, que Victor insistía a menudo que me pusiera para nuestras escenas, estaba a buen recaudo en un cajón de la cómoda.

Tal vez solo se trataba de una reunión social.

Aunque, conociendo a Victor, lo dudaba mucho.

–¿Llevas pintalabios en el bolso? –preguntó Victor, mientras seguíamos subiendo por la Tercera.

–Sí. –Siempre lo llevaba encima. Era una chica coqueta.

Entonces me vino a la cabeza el episodio del pintalabios. Y lo supe. Victor había sido mi público secreto aquella noche en el desván de Dominik, me había visto adornada como la «Puta de Babilonia», como me describió Dominik.

El local era un gran hotel de la zona de Gramercy Park. El último piso rozaba el cielo. Sobre el toldo de la entrada brillaban luces fluorescentes y un bosque de ventanitas cuadradas de casa de muñecas perforaba la noche. Me pareció una fortaleza sobrecogedora. ¿Una fortaleza, o una mazmorra? Empezaba a volverme obsesiva.

El portero de noche nos saludó llevándose la mano a la gorra cuando entramos en el vestíbulo y avanzamos hacia la hilera de ascensores. Subimos en el de la izquierda para salir directamente al ático. El piso no era accesible al público y se necesitaba meter una llave en una cerradura junto al botón de esa planta para entrar en el ascensor.

Subimos en un silencio tenso.

Las puertas se abrieron directamente a un vestíbulo grande y vacío, sin nada más que un gran banco de piel, donde los primeros invitados habían dejado sus abrigos y chaquetas. Me quité el jersey de punto y, de mala gana, dejé el estuche del violín. Cruzamos el vestíbulo y entramos en un salón inmenso rodeado de ventanales a través de los cuales podía verse parte de Manhattan y su deslumbrante horizonte de luces nocturnas. Los invitados charlaban con copas en la mano. En un rincón del salón circular había una zona elevada, como un escenario, y a la izquierda unas puertas que, sin duda, daban al resto de la suite.

Estaba a punto de acercarme al bar, donde había una serie de botellas, copas y cubos de hielo, pero Victor me disuadió.

–Esta noche no deberías beber, Summer. Quiero que estés en plena forma.

Iba a protestar. ¿Desde cuándo creía que era una borracha? Pero en aquel preciso momento se acercó a nosotros un desconocido con un esmoquin que le hacía parecer más un camarero que un hombre elegante y estrechó la mano de Victor calurosamente.

El tipo me miró con descaro de arriba abajo e, ignorando olímpicamente mi presencia, siguió hablando con Victor.

–Muy guapa, Victor. Muy pero que muy guapa. Una esclava especialmente seductora.

Mi primera reacción fue darle una patada en la espinilla, pero me contuve. ¿Así me había presentado Victor?

No era una esclava y no lo sería nunca. Era yo, Summer Zahova, una persona con una opinión propia, una sumisa, pero no una esclava. No quería tener nada que ver con aquello. Sabía que otros hombres y mujeres deseaban someterse por completo, pero yo no.

Victor sonrió al hombre, evidentemente complacido. El muy cabrón. Me dio una palmadita en el trasero con una condescendencia asquerosa.

–¿A que sí? Es la mejor.

Ambos me ignoraron como si no estuviera, como si formara parte del mobiliario.

–Pagarán un buen precio por ella –oí que decía uno de ellos. Yo ya estaba tan rabiosa que no supe distinguir cuál de los dos lo había dicho.

Sentí que la mano de Victor me apretaba la muñeca. La niebla de mi cabeza se disipó y lo miré.

–Harás lo que se te diga, Summer. ¿Lo entiendes? Sé que en tu interior tienes contradicciones con esto, y lo comprendo. Sin embargo, también sé que estás en guerra con tu propia naturaleza, y llegará un momento en el que te reconciliarás con ella. La necesidad que tienes de exhibirte, de prostituirte en público, forma parte de ti. Es tu yo auténtico. Te da vida, te permite tener sensaciones que nunca habías experimentado. La resistencia que sientes solo son trabas sociales anticuadas, educación y basta. Naciste para servir. Y es entonces cuando eres más bella. Lo único que quiero es sacar esa belleza, verte florecer, ver que asumes tu forma de ser.

Lo que dijo Victor me perturbó profundamente, pero reconocí pizcas de verdad. En los momentos de exceso mi cuerpo me traicionaba. La droga de la sumisión me seducía y era como si la auténtica Summer apareciera, disipada, osada, atrevida. Disfrutaba con esa faceta y a la vez la temía, porque me daba miedo que algún día me llevara demasiado lejos, que la atracción del peligro fuera más fuerte que mi instinto de preservación. Mi lado animal buscaba ese desahogo sexual, mientras que mi mitad racional cuestionaba los motivos. A menudo se dice que la mayoría de los hombres piensan con el pene. En mi caso me dejaba guiar por el apetito de mi entrepierna, pero paradójicamente ese hambre también residía en mi cabeza. No era que necesitara que me poseyeran, que un hombre, o unos hombres, me utilizaran; era un anhelo de algo más, del nirvana que alcanzaba en aquellos momentos en los que el sexo me hacía perder la consciencia. Incluso al sentirme degradada y humillada, estaba más viva que en cualquier otra situación. Quizá debería dedicarme al alpinismo.

Conocía mis contradicciones, las aceptaba, pero la aceptación no hacía más fácil encontrar el camino correcto.

Al mismo tiempo que me despejaba la mente, pidieron silencio en el salón, una forma no verbal de indicar que había llegado la hora.

Con Victor a un lado y el desconocido del esmoquin al otro, me dejé guiar hasta el pequeño escenario elevado del extremo del salón, donde me desnudaron rápidamente. Recuerdo que pensé que no debía parecer muy elegante mientras me bajaban las medias, pero todo ocurrió demasiado deprisa como para que tuviera tiempo de protestar.

El desconocido, que era el maestro de ceremonias en aquella extraña velada, hizo un ademán ostentoso.

–Esta es la esclava Summer, propiedad del amo Victor –anunció–. Estoy seguro de que estarán de acuerdo en que es un espécimen magnífico. Piel clara –me señaló– y un culo redondo exquisito. –Me hizo una seña para que me diera la vuelta y enseñara mi trasero a los espectadores. Se oyeron jadeos. Ya tenía nuevos admiradores.

Un golpecito en el hombro me indicó que debía girarme otra vez de cara al público, que mayoritariamente estaba compuesto por hombres, pero también había algunas mujeres dispersas aquí y allá, con elegantes vestidos de noche. Todos parecían personas corrientes; estaba claro que aquella noche no había más esclavas sirviendo.

La mano del maestro de ceremonias se posó debajo de mi pecho izquierdo y lo levantó ligeramente, mostrándolo, exponiendo su forma ante el público.

–Pequeño, pero voluptuoso a su manera –afirmó, y bajó más los dedos para demostrar que mi cintura estrecha acentuaba las curvas de los pechos y el culo.

–Un cuerpo maravillosamente anticuado... o debería decir clásico.

Tragué saliva.

Me ahorró la vergüenza de no comentar mi entrepierna impecablemente depilada y describirla al público. Todos podían verla y unas palabras de elogio no cambiarían nada en aquellas circunstancias.

–Un espécimen maravilloso, felicitamos al amo Victor, que de nuevo nos ofrece un cuerpo perfecto y tremendamente singular. He sido informado de que todavía no ha sido domesticada como es debido.

¿Domesticada? Maldita sea, ¿de qué estaba hablando?

Por detrás, una mano se metió entre mis piernas y me obligó a separarlas. Era la mano de Victor. Reconocí su tacto.

Ahora estaba completamente a la vista y sentía la mirada de al menos dos docenas de ojos sobre mi piel, explorándome, evaluándome, disfrutando del espectáculo de mi vulnerabilidad total.

Oh, Dominik, ¿qué hiciste salir a la luz?

De todos modos me daba cuenta de que siempre había estado ahí, antes de él, y que él lo había percibido y lo había sacado a la luz; me había sacado a la luz.

Un torbellino de pensamientos daba vueltas en mi cabeza.

Aturdida, seguí la «subasta» como si fuera una mera espectadora.

Por mi mente pasaban imágenes de películas malas que había visto hacía una eternidad y fragmentos de novelas de BDSM que me habían gustado. Me vi a mí misma en un mercado árabe o africano, dando vueltas, mientras el amo de esclavos de piel oscura y fornido anunciaba mis encantos, probando la tensión de mi piel, abriéndome descaradamente ante los ojos de la multitud para demostrar el tono rosa nacarado del interior de mi vulva y el contraste con mi piel pálida. Tal vez en aquellos sueños llevaba un velo, quizá no, pero en cada salto que realizaba en el horizonte de mi imaginación, estaba más y más desnuda, inmensamente expuesta, con mi sexo a la vista de todos. Imaginaba que me sacaban de una jaula de bambú en el puente de un barco pirata, tras un abordaje en alta mar. Acabarían vendiéndome a un príncipe oriental para que se divirtiera conmigo y me incluyera en su abarrotado harén. ¿Era eso lo que significaba convertirse en esclava?

La puja empezó con quinientos dólares. La inició una mujer. No estaba segura de poder servir a una mujer. Me había fascinado Lauralynn, sí, pero por lo que había visto, prefería la dominación masculina.

Pronto se sumó una manada de voces masculinas a la refriega y las apuestas se sucedieron a un ritmo acelerado. Cada vez que alguien subía la puja, yo recorría al público con la mirada intentando distinguir la cara de quien me había puesto aquel precio. Pero iba todo demasiado deprisa, y pronto se convirtió en un enjambre de voces y rasgos desconocidos.

La batalla entre los dos pujadores más insistentes terminó cuando las demás voces ya se habían apagado. El ganador parecía árabe, o al menos oriental. Llevaba un traje de cheviot anticuado, aunque elegante, y gafas. Se estaba quedando calvo, era moreno, y el gesto de su boca delataba un sustrato de crueldad.

¿Mi nuevo dueño?

¿Por qué quería deshacerse Victor de mí? Por dinero, seguro que no. Había alcanzado solo 2.500 dólares. Una cantidad considerable, pero sin duda no lo que valía una mujer actualmente.

Victor entregó un collar de perro con una correa al ganador, que me la ató alrededor del cuello.

–Es suya durante la próxima hora –le oí decir.

De modo que solo era una transacción temporal. Después volvería con Victor. Otra faceta de la partida que jugábamos mientras explorábamos nuestro lado oscuro.

El hombre que había pujado más por mí ignoró la correa que colgaba a mi lado, me agarró de la mano y se llevó su premio hacia la puerta. Daba a un gran dormitorio. Me empujó sobre la cama, cerró la puerta tras de sí y empezó a desvestirse.

Me folló.

Me utilizó.

Y cuando terminó, sin decir una sola palabra, salió de la habitación, dejándome abierta y entumecida por el constante martilleo a que me había sometido ignorándome por completo.

Contuve el aliento.

Abandonada como una muñeca de trapo en una casa de muñecas.

Al otro lado de la puerta, oía los ruidos sofocados de la fiesta privada, el tintineo de las copas, el zumbido de las conversaciones. ¿Podía ser que hablaran de mí, de mi rendimiento, de mi puntuación?

¿Habíamos acabado? ¿Entraría otro desconocido en la habitación y tomaría el relevo en el juego de follarse a la esclava nueva?

Pero no sucedió nada.

Sentí un gran alivio acompañado de una inexplicable sensación de decepción. Se había completado otra fase de mi exploración de la sexualidad. Seguía allí, insatisfecha, relativamente serena, teniendo en cuenta todo lo que había pasado. ¿Hasta dónde sería capaz de llegar antes de que fuera suficiente?

Victor entró en la habitación. No me felicitó ni hizo ningún comentario sobre lo sucedido.

–Levántate –dijo, y yo obedecí dócilmente. No me apetecía discutir con él.

Tenía el pintalabios que había sacado de mi bolso en la mano. Se acercó a mí blandiéndolo como si fuera un arma inofensiva.

–Ponte erguida –ordenó, y sentí su aliento cálido sobre la piel.

Empezó a escribir sobre mí.

Intenté mirar hacia abajo, pero chasqueó la lengua como si no fuera asunto mío.

El pintalabios bailó sobre mí por delante; después Victor me hizo girar con un movimiento de la otra mano y siguió trazando jeroglíficos sobre la curva de mi trasero.

Terminada la tarea, retrocedió un poco para admirar su obra, sacó una pequeña cámara digital del bolsillo de la americana y tomó todas las fotos que quiso. Pareció complacido con el resultado.

Me señaló la puerta, indicando que debía unirme a la concurrencia de fuera. Me sentía débil, agotada por la «paliza» que acababa de recibir, y no estaba de humor para discutir.

Al entrar en el salón circular, con aquellas vidrieras inmensas con vistas a las luces de Manhattan, vi que se giraban cabezas, personas que sonreían embelesadas, desprendiendo erotismo. No sabía qué hacer. ¿Seguir caminando? ¿Adónde? ¿Pararme?

La mano de Victor sobre mi hombro me hizo detener.

Por fin, cuando todos los presentes miraron bien las inscripciones de mi cuerpo, habló:

–Puedes vestirte. Por hoy hemos acabado –dijo.

Un poco atontada, volví a ponerme el vestido negro de terciopelo ¡y por poco me olvido de llevarme el estuche con el violín!

Una vez fuera, Victor llamó un taxi, me metió dentro y dio mi dirección al taxista. No me acompañó.

–Te llamaré. Estate preparada.

Lo primero que hice al llegar a mi casa fue desnudarme y mirarme en el espejo de cuerpo entero del baño. Por suerte, mis compañeros de piso croatas no estaban en casa.

Las gruesas letras rojas cruzaban mi piel como olas degradantes. Sobre mi estómago había escrito «PUTA», sobre mis genitales «ESCLAVA», y en mi trasero, que me costó una barbaridad descifrar porque tenía que torcer el cuerpo para ver la inscripción y al mismo tiempo leer al revés, escribió en grandes letras rojas: «PROPIEDAD DEL AMO».

Me sentí asqueada.

Tardaría tres días de duchas, baños y un rascado vigoroso en volver a sentirme limpia.

Victor me llamó a la mañana siguiente.

–Lo pasaste bien, ¿eh?

Lo negué.

–Lo dices, pero yo vi lo contrario en tu cara, Summer. Y en la reacción de tu cuerpo.

–Estoy... –intenté protestar.

–Estás hecha para esto –me cortó Victor–. Tú y yo lo pasaremos de maravilla. Te entrenaré. Serás perfecta.

Me subió la bilis del estómago a la garganta, esa sensación horrible de estar en un tren fuera de control, incapaz de cambiar su rumbo, encadenada a unas estrepitosas ruedas que corrían sobre la vía.

–Y la próxima vez... –Al otro lado de la línea percibí cómo saboreaba cada palabra–. Lo haremos oficial. Te registraremos.

–¿Registrarme? –pregunté.

–Existe un registro de esclavas en Internet. No te asustes..., tu verdadera identidad solo la conocerán las personas del círculo. Se te asignará un número y un nombre de esclava. Será nuestro secreto. Se me ha ocurrido que esclava Elena suena bien.

–¿Qué significa eso? –Mi indignación luchaba con mi curiosidad.

–Representa que aceptarás mi propiedad sobre ti, mi collar permanente.

–No creo que esté preparada –dije.

–Sí lo estás, sí –continuó él–. Se te dará la posibilidad de elegir entre un anillo o un tatuaje en tus partes íntimas, con un número o un código de barras que indicará tu posición y tu propietario. Por supuesto, solo lo veremos unos pocos elegidos.

Escuchando sus palabras, sentí al mismo tiempo vergüenza y excitación dentro de mí. ¿Cómo era posible que sucedieran esas cosas en el siglo XXI?

Aun así, la tentación era fuerte. Un canto de sirena ya estaba cosquilleando mis sentidos y mi imaginación, en lucha con la dura realidad de saber que también perdería la valiosa independencia que tanto me había costado conseguir.

–¿Cuándo? –pregunté.

Victor ronroneó. Me conocía como a un libro abierto.

–Ya te lo haré saber.

Colgó, dejando mi vida en un limbo.

Me eché en mi estrecha cama. No teníamos más ensayos durante una semana. Mucho tiempo libre, demasiado tiempo para pensar. Intenté leer, pero las palabras de todos los libros que elegí se volvían borrosas y no era capaz de concentrarme en la trama o el tema.

El sueño tampoco venía a apaciguar la tormenta que se desataba dentro de mí.

Esperé la llamada de Victor durante dos días. Durante el día vagabundeé por Greenwich Village buscando distracciones de tipo consumista y viendo películas absurdas de acción con la esperanza de que me ayudaran a olvidar, pero la llamada no llegó. Era evidente que me torturaba a propósito, asegurándose de que mi mente estuviera ardiendo de deseo cuando se pusiera en contacto conmigo. Cada vez que entraba en un cine, ponía el móvil en modo vibración con la esperanza de que llegara un mensaje durante la proyección, pero no hubo suerte.

Empezaba a asustarme de mis pensamientos, del camino sin retorno que había tomado.

A las tres de la madrugada de una noche cálida, con las ventanas abiertas y el aullido constante de las sirenas de las ambulancias y los coches patrulla yendo a toda velocidad entre las avenidas, se me ocurrió.

Una última partida.

Quizá me quitaría la decisión de las manos.

En Londres eran cinco horas menos, no era un mal momento para llamar.

Marqué el número de Chris, esperando que no tuviera el móvil apagado porque estaba en plena actuación en Camden Town o en Hoxton.

Sonó un montón de veces. Ya estaba a punto de colgar cuando contestó.

–Hola, Chris.

–Hola, cariño. ¿Has vuelto a Londres?

–No, sigo en la Gran Manzana.

–¿Cómo estás?

–Con los nervios destrozados –confesé.

–¿Las cosas no han mejorado?

–No. Puede que hayan empeorado. Ya me conoces, a veces soy mi peor enemiga.

–Dímelo a mí. –Hubo un momento de silencio calculado–. ¿Summer? Vuelve a Londres. Déjalo todo y vuelve. Si me necesitas, te ayudaré, ya lo sabes.

–No puedo.

–¿Entonces, qué?

Dudé, ensayando cada palabra con mi lengua seca.

–¿Puedo pedirte un favor enorme?

–Claro. Lo que quieras.

–¿Puedes llamar a Dominik? ¿Decirle dónde estoy?

–¿Nada más?

–Nada más.

Los dados estaban lanzados. ¿Respondería?

# 12

## *Un hombre y su nostalgia*

Las relaciones sexuales que mantenían eran regulares, mecánicas.

Dominik tenía la libido a flor de piel aunque, cuando la ocasión lo requería, podía dejar a un lado los placeres sexuales sin problemas para concentrarse en otros objetivos: sus proyectos de investigación o los artículos literarios en los que normalmente trabajaba.

Desde que Summer se fue, Dominik tenía poco en lo que ocuparse. Por mucho que procurara variar el material y mantenerlo al día, las clases las llevaba muy preparadas. Contaba con apuntes y con la experiencia necesaria para no tener que dedicar mucho tiempo a la preparación de las clases y le gustaba improvisar los temas.

Su actual grupo de alumnos era soso en el sentido extracurricular. Nadie le interesaba. Tampoco buscaba de manera activa tener una relación con alguna alumna porque era demasiado arriesgado. Esto lo dejaba para profesores con menos sentido de la ética, como Victor, que se había marchado a toda prisa del campus para ocupar un puesto en Nueva York que le habían ofrecido a última hora. Sin embargo, seguía siendo un hombre y no podía evitar notar las miradas y las sonrisas seductoras que le dedicaban las chicas, aunque él no hiciera nada al respecto, al menos mientras durara el curso.

Dominik pensaba que estaba en un paréntesis sexual –la típica sequía–, provocado por la repentina marcha de Summer. En cierto modo, lo estaba disfrutando y esperaba con ilusión que llegara la noche para ponerse al día con las lecturas pendientes que se le acumulaban: una nueva colección de libros que le envió un marchante hacía semanas. Prometían atrapar su atención, pero se habían quedado criando polvo mientras él concentraba su energía en tramar nuevas escenas para Summer.

Entonces apareció Charlotte, que se presentó en una de sus clases vespertinas de literatura. Dominik no creyó ni por un momento que fuera una casualidad, ni que de la noche a la mañana se le hubiera despertado un interés incontrolable por la literatura de mediados del siglo XX. Sabía que, sin duda ofendida por la reacción poco entusiasta a sus esfuerzos en la fiesta en la que él rasuró a Summer, lo había buscado. Le sorprendió que Charlotte llegara incluso a leer uno de sus libros, pero no le halagó. Lo interpretó como que quería algo de él y estaba dispuesta a hacer lo que fuera necesario para conseguirlo.

Iniciaron una relación enseguida, con la que simplemente satisfacían sus apetitos en el sentido sexual. Ni Dominik ni Charlotte formalizaron su acuerdo con palabras. A veces él se preguntaba qué querría de él. Dinero no: tenía suficiente. Sexo tampoco: sabía que todavía se veía con Jasper de vez en cuando y sospechaba que también mantenía relaciones con otros hombres con regularidad. Le daba igual. Dominik pensaba que Charlotte solo quería fastidiarlo, mofarse de él, asegurarse de que no se quitaba a Summer de la cabeza.

Se fijó en que había empezado a depilarse la entrepierna, de modo que cada vez que la veía desnuda, automáticamente recordaba la vez que afeitó los genitales a Summer; el ritual que a él le había parecido perfecto, el *crescendo* final para su orquesta de erotismo, pero que de algún modo había acabado arrebatándosela. Su fantasía se había vuelto contra él, los había separado en lugar de unirlos.

Por eso follaba a Charlotte con más aspereza de lo normal, y la tomaba donde le apetecía, aunque por otra parte ella siempre estaba dispuesta y parecía disfrutar. Desde la primera vez evitó hacerle un cunnilingus, a pesar de que era algo que normalmente lo deleitaba. Habría lamido el sexo de Summer todos los días, hasta que le suplicara que se detuviera, pero no tocaba a Charlotte con la lengua ni tenía intención de hacerlo. Ella no se quejaba y seguía haciéndole felaciones con una regularidad sorprendente. A veces, solo para molestarla, retenía el orgasmo, y la dejaba chupando y chupando hasta que le dolía la mandíbula, porque era demasiado orgullosa para abandonar y reconocer que no había logrado que un hombre se corriera en su boca.

Suponía que era atractiva, en el sentido estricto de la palabra, pero aunque su pene respondiera enseguida a la presencia de su piel, su mente se mantenía inconmovible. En un sentido físico, le parecía aburrida, una muñeca de plástico. No encontraba nada original, único o sorprendente en ella. Como si la personalidad la hubiera abandonado. Tal vez el problema era que le atraían las mujeres más complicadas. Y además, su olor a canela le producía dolor de cabeza.

Dominik suspiró. No quería ser cruel. No era culpa de Charlotte no ser Summer, ni que sus gustos sexuales no coincidieran por completo. Charlotte podía ser la responsable de haber encendido la chispa que avivó su relación, pero él participaba tanto como ella.

Charlotte se dio la vuelta, suspiró levemente en sueños y pegó su trasero contra su entrepierna. Dominik sintió una momentánea punzada de afecto. La única vez que Charlotte parecía completamente sincera y sin estratagemas era cuando dormía. La rodeó con un brazo y se sumió en un sueño agitado.

Tenía los sueños más escabrosos que se puedan imaginar. En todos aparecía Summer, Jasper también, u otros hombres sin rostro que la penetraban. Summer tenía sus genitales a la vista, el miembro de un desconocido contra las paredes interiores de su vagina, la cara como una imagen del éxtasis, el cuerpo retorcido por el orgasmo, mientras él miraba, indefenso, apartado, obsoleto, consumido por los celos. A veces la imaginaba colmada por una legión de hombres diferentes, uno tras otro, cada uno llenándola con su semen mientras él permanecía atrás, desvalido, olvidado.

Cuando despertaba después de uno de aquellos sueños, se pasaba la mañana preguntándose dónde estaría y hasta qué punto estaría persiguiendo sus deseos sin él. Dominik sabía que él había sido su iniciador: había levantado la tapa de aquel caldero de sumisión en ebullición, aquel pozo profundo de oscuridad que habitaba dentro de ella.

Añoraba sus correos electrónicos y los *sms* con los que lo informaba de sus aventuras. Era cierto que había sido una forma de dominar sus celos –no la poseía, aunque le hubiera gustado– pero también era una forma de vigilarla mientras todavía crecía dentro de su nueva piel; de comprobar si seguía manteniendo el control o había cedido, si no la habían llevado demasiado lejos.

¿Hasta dónde llegaría? ¿Trazaría una línea en la arena en algún momento? ¿Dónde estaría el límite de Summer?

Fue después de uno de estos sueños, cuando estaba especialmente malhumorado, el momento en que Charlotte decidió atacar.

–Nunca inventas escenas para mí –dijo–. Ni conciertos al desnudo, ni follar en público, ni cuerdas, ni exhibirme ante los demás. Nunca hacemos nada.

Tenía razón. No había hecho nada de eso para ella, no le inspiraba, como Kathryn o Summer.

Se encogió de hombros.

–¿Qué quieres que haga?

–¡Lo que sea! –respondió ella, furiosa–. Lo que sea además de follarme. ¿Eres un amo o no lo eres?

Se le escapaba la saliva por la rabia. Dominik observó su boca con una cierta distancia, recordando un programa de naturaleza que había visto recientemente en el que salía un animal con una cavidad oral anormalmente grande. Le recordaba a Charlotte.

Ella le gritaba a menudo; el aparente desinterés de Dominik hacía saltar su mal genio. Cada vez que Charlotte perdía su valorado sentido de la compostura, Dominik sentía una punzada de excitación victoriosa, una batalla ganada.

Por fin aceptó ir a un club de intercambio con ella. Siempre había sentido curiosidad por esa clase de locales. Nunca había encontrado a la persona adecuada para ir, salvo en una ocasión, años atrás en Nueva York, cuando la etiqueta del intercambio estaba en pañales. O bien la chica con la que salía era tradicional y la idea la habría horrorizado o sus sentimientos románticos por la chica eran demasiado intensos y no podía soportar la idea de cederla a otro hombre. Quizá Charlotte era la persona perfecta con quien ir a una de estas reuniones.

Además, la idea de tener relaciones sexuales en público la había distraído de su deseo de que él la dominara. Dominik no tenía esa necesidad con Charlotte; no deseaba azotarla ni que ella se le entregara. Charlotte era hedonista, jugadora. Le gustaba meter un dedo en todas las aguas que encontraba en su camino, solo por probar. Charlotte se daba un capricho, no se sometía, y esto no le inspiraba. No conmovía a Dominik como lo había hecho Summer.

El club era una nave industrial del sur de Londres, oculta entre pequeñas fábricas y viejos edificios de oficinas. Estaba discretamente señalizado y la única luz que iluminaba el exterior del local eran los faros de los escasos taxis que dejaban o recogían a clientes.

En la puerta los recibió el director del club, un hombre impersonal que llevaba traje y corbata a pesar del calor que hacía en la pequeña recepción. Pareció complacido con Charlotte y la miró de arriba abajo como si admirara un caballo de carreras. A Dominik le echó un vistazo, tolerando su presencia y poco más.

Dominik pagó las entradas por un precio exorbitante y declinó la oferta de asociarse por un año, con la que regalaban unos pasajes, para principios de temporada, en un crucero para parejas por el Mediterráneo. De todos modos, siempre se mareaba.

No podía imaginar una perspectiva más horrible que pasar una semana a bordo de un barco de esas características, sin posibilidad de huida a menos que se tirara por la borda. Una opción que empezó a plantearse cuando un hombre vestido también con traje y corbata se llevó sus chaquetas y sus móviles. Dominik estaba a punto de decir que más tarde necesitaría llamar a un taxi cuando el hombre hizo un gesto hacia un rótulo que decía que estaba prohibido el uso de aparatos con cámara.

Los acompañaron dentro del club y les presentaron a Suzanne, una anfitriona, que prometió enseñarles todo y ayudarlos a aclimatarse.

–¿Qué tal? –dijo, mostrando un alegría que no parecía forzada.

Charlotte respondió con un saludo entusiasmado. Y Dominik asintió una sola vez.

La chica le pareció muy joven, poco más de veinte años. Bajita y tirando a gorda. Era una pena que el uniforme de anfitriona le sentara tan mal. Suzanne llevaba un top rosa corto y una minifalda con tutú que no la favorecían en absoluto.

–¿Es vuestra primera vez? –preguntó, como si no estuviera segura de a quién dirigir las preguntas, si a Dominik o a Charlotte.

Dominik imaginó que en la mayoría de aquellas situaciones era razonablemente obvio cuál de los dos miembros de la pareja llevaba la voz cantante. Puede que en ese caso no lo fuera tanto.

–Sí –contestó Charlotte amablemente, salvando a la anfitriona del mal trago–. Nos apetece mucho.

Suzanne hizo un gesto con su mano regordeta hacia el bar, en la planta baja, diciéndoles que allí podrían tomarse algo si querían. A continuación los llevó arriba, a otro bar más pequeño y a una «zona de juegos», un laberinto de pasillos oscuros con una serie de habitaciones contiguas de distintos tamaños. Era evidente que algunas estaban pensadas para sexo en grupo porque cabían perfectamente veinte personas a la vez. Otras eran reservados, para dos o quizá tres parejas como mucho. La mayoría estaban abiertas de par en par, de manera que cualquiera pudiera mirar o apuntarse, pero una o dos de las más pequeñas tenían pestillos por dentro, para las parejas que preferían la intimidad.

La anfitriona explicó las características de cada una de las habitaciones, sin inmutarse. No parecía incómoda en absoluto ni con su atuendo ni con su papel en el club.

Los ojos de Dominik se pasearon por la habitación y vio las barras en el bar que invitaban a los clientes a retozar como *strippers* aficionados cuando hubieran consumido suficiente alcohol. Al menos esperaba que fueran mujeres. Unos sofás delimitaban una zona de descanso, junto al bar, y en otro rincón colgaba del techo una pieza que se parecía a un columpio, de un material de malla ancha que permitía una visión perfecta del cuerpo posado sobre él, con correas para inmovilizar brazos y piernas de modo que la persona atada no pudiera liberarse.

Todas las superficies tenían un gran cuenco transparente de condones con envoltorios de todos los colores; parecían suficientes para el suministro del club con aforo completo de parejas copulando durante un mes. Eran como cuencos de caramelos en la consulta de un médico y aportaban una singular alegría al lugar.

En un espacio adyacente a las habitaciones, una cortina fina negra sujeta al techo caía hasta el suelo, con una abertura en un lado que formaba una pequeña carpa improvisada. Estaba llena de agujeros, algunos del tamaño de un ojo, otros del tamaño de un puño, para que los espectadores pudieran espiar a la figura o las figuras de dentro, o meter anónimamente la mano y tocar lo que fuera que pasara al alcance de la mano. Dominik miró dentro. Estaba vacío.

–Siempre está así de vacío hasta medianoche –dijo Suzanne en tono de disculpa–, pero entonces se anima de verdad. Dentro de una hora más o menos esto estará hasta los topes.

Dominik reprimió una sonrisa.

Nunca le había visto la gracia a ver personas retozando en público, y la idea de un sexo tan mecánico le recordaba a Summer y Jasper, una imagen que no se quitaba de la cabeza.

La marca personal de voyerismo de Dominik exigía alguna clase de conexión con el sujeto, un contrato no verbal, un acuerdo de alguna clase entre el mirón y el observado. Sin ningún tipo de conexión con los participantes, el espectáculo lo conmovía tanto como mirar animales apareándose en un entorno natural.

En cambio Charlotte tenía un punto de vista totalmente diferente. Disfrutaba con la sensación física del sexo en sí, gozaba demostrando su osadía y su seducción en público, y le gustaba exhibirse. El intercambio de parejas era uno de sus pasatiempos favoritos.

Ya había empezado a pasear por el bar, observando a las pocas personas que había alrededor de la barra: una pareja joven que evitaba el contacto ocular con todos los demás, un hombre mayor entrado en carnes con un polo y un cinturón barato de imitación de piel, que parecía estar solo y babeaba con las anfitrionas con tutús rosas, y una pareja india más mayor que parecían clientes habituales.

Charlotte pidió las bebidas: un cóctel para ella y una pepsi para él.

Dominik se sentó a su lado y bebió mientras ella hablaba sin reparos con cualquiera que se acercara a la barra.

Suzanne, la anfitriona, tenía razón: el club empezaba a animarse.

De momento no había visto a nadie que le resultara atractivo. Algunas chicas bonitas, pero la mayoría iban vestidas con trajes ridículamente provocativos, minivestidos baratos de PVC y demasiado maquillaje y autobronceador. Nadie interesante. Los demás clientes le parecían aburridos o le repugnaban.

–¿Te vas a quedar aquí sentado? –le susurró Charlotte al oído.

Dominik no tenía ninguna intención de hacerle caso.

–Ve y diviértete –contestó–. Nos veremos más tarde.

No necesitó que se lo dijera dos veces. Charlotte desapareció entre la gente, regalando a Dominik una visión de sus nalgas al bajar del taburete alto del bar, con sus largas y bronceadas piernas en contraste con el vestido blanco corto. Apenas se había alejado dos pasos cuando los hombres empezaron a rodearla, como moscas a la miel.

Dominik permaneció en silencio mientras ella lo miraba con una expresión maliciosa y agarraba primero a un hombre y después a otro de la mano. Ninguno de ellos resultaba especialmente atractivo. Uno era el hombre solo con el polo y el cinturón barato que antes estaba en la barra. El otro más joven, estaba gordo, tenía papada y la tripa apenas le cabía dentro de la camisa.

Charlotte los condujo hacia el columpio del rincón, se subió y se tumbó boca arriba con las piernas colgando. Mostró que no llevaba ropa interior, y sus partes íntimas quedaron a la vista de todos los ocupantes de la habitación.

Dominik se acercó, más por curiosidad que por otra cosa.

Los dos hombres ataron las piernas de Charlotte a las correas. Ella agarró las cuerdas que caían del techo sobre su cabeza. Era una participante de lo más dispuesta.

El hombre del polo se desabrochó el cinturón y empezó a tocarse el pene todavía flácido. El gordo también se lo había sacado, con los pantalones arrugados en los tobillos y los faldones de la camisa que apenas le tapaban el culo desnudo. Alcanzó uno de los envoltorios de colores y se puso un condón, dio un paso adelante, entre las largas piernas de Charlotte y tiró del columpio hacia él para poder penetrarla.

Dominik se acercó más y observó el miembro del hombre entrando en Charlotte. Ella lo miró, ahora con expresión voluptuosa, anhelante, movida por un deseo mayor que su necesidad de demostrarle algo, de herirlo.

¿Lo hería? Suponía que esa era su intención, pero él se sentía totalmente distanciado de la situación, impasible.

Observó cómo la colmaban ambos hombres, primero uno, después otro. Embestían con sus miembros, dentro y fuera, mezclando sus fluidos con los de Charlotte. Oyó sus fuertes gemidos, puesto que ella no hacía ningún esfuerzo por disimular su placer por deferencia a sus sentimientos.

A su alrededor se había reunido un grupo; varios hombres se desabrochaban los pantalones y esperaban turno al lado de ella, tocándose los genitales. Algunos se acercaron para tocarla, sus manos volaban hacia donde veían una oportunidad, un espacio despejado para manosearla.

Dominik no hizo ningún intento por detenerlos. Charlotte todavía tenía las manos libres y podía rechazar las atenciones no deseadas, y tenía voz, podía gritar si quería. Además, parecía regodearse con tanta atención, su boca estaba abierta en una «O», y su cara era la viva imagen del erotismo y el deseo.

Evocó una imagen en su cabeza. Intentó imaginar a Summer allí estirada, ignorando sus deseos, entregándose a las caricias de unos desconocidos, con las piernas abiertas para que la follaran otros hombres. Recordaba cómo se había entregado a Jasper, con el miembro dentro de su boca, arrodillada en el sofá con las piernas separadas, dispuesta, como un animal esperando que lo montaran.

Al menos pensar en Summer le hacía sentir algo, no aquella monótona ausencia de conciencia, el vacío indiferente que lo embargaba sin ella.

Dominik no tenía ganas de seguir mirando a Charlotte. Apartó a los ansiosos mirones que se habían congregado para ver un atisbo de exhibicionismo y bajó la escalera hacia el bar de la planta baja, donde se sentó a esperar a que Charlotte terminara, ignorando los esfuerzos de las anfitrionas para darle conversación y las atenciones de algunas mujeres que buscaban un polvo fácil.

Por fin, Charlotte se sentó a su lado. Al hacerlo en el taburete, la falda se le levantó y no hizo ningún esfuerzo para ocultar su sexo, impúdicamente desnudo, hinchado, todavía húmedo por los fluidos del sexo. Abrió aún más las piernas perezosamente para ofrecerle una visión mejor.

–No es necesario –dijo Dominik, apartando la mirada.

–¡Por Dios! ¡Se puede saber qué te pasa! ¿Cómo te creías que sería?

–Charlotte, folla con quien quieras. Eres libre para hacer lo que te dé la gana. Creía que lo sabías.

–Sí te importó con quién follaba tu querida Summer.

–Tú no eres Summer.

–¡Ni ganas! ¿Aquella putilla miedosa? No le importa nada aparte de su precioso violín. Te utilizó, jugó contigo. ¿Es que no lo ves? ¿Crees que le importaba a quién se tiraba? ¿Que tú le importabas una mierda?

Dominik sintió un deseo repentino de abofetearla, de ver cómo se le contraía la cara de dolor, pero nunca había pegado a una mujer y aquella no iba a ser la primera vez, y menos así.

Se levantó y se fue.

La disculpa de Charlotte llegó al día siguiente en un *sms*.

«¿Vienes?»

Probablemente, para Charlotte, era lo más parecido a una disculpa.

Él no le debía nada.

Las condiciones de su relación eran obvias: follaban, se hacían daño. Summer siempre estaba en medio, ausente de la vida de ambos y al mismo tiempo presente cada día, como una herida abierta que ninguno de los dos podía dejar cicatrizar.

Fue a su casa.

La folló otra vez, con más crueldad que nunca. De nuevo cerró los ojos e imaginó que los cabellos de Charlotte eran rojizos en lugar de castaños, su cintura más estrecha y sus piernas más cortas. Su piel blanca, en lugar de morena, su culo redondo y tembloroso al tacto. Pensando en Summer sintió que su miembro aumentaba de tamaño, que se endurecía dentro de ella, y se llenó de rabia, rabia de que Charlotte no fuera la mujer que él quería que fuera. Levantó la mano y la dejó caer contra su culo, y escuchó su grito, primero de sorpresa y después de placer. Levantó la otra mano, la dejó caer en el otro lado, vio que se le enrojecía la piel. La azotó otra vez y otra. Ella se apretó contra él de placer y levantó el culo para estar más disponible.

Vio cómo empujaba el trasero hacia él y de nuevo recordó el ano de Summer, que parecía tan seductor, y el orgasmo que tuvo la primera vez que le dijo que un día la penetraría por ahí.

Dominik lamentaba no haber invadido aquel territorio virgen de Summer antes de que desapareciera. Se lo había reservado, planificando un ritual para aquella entrada, como se había reservado el rasurado de su sexo.

Se inclinó y escupió en el ano de Charlotte para lubricar la abertura, presionó con el pulgar contra el círculo del esfínter y empezó a abrirlo, sorprendido por lo apretado que estaba. Ella se sobresaltó y se apartó de su dedo, y entonces, cuando él quitó la mano, volvió a acercarse, encontró su miembro y lo dirigió una vez más hacia su vagina todavía húmeda.

Dominik estaba sorprendido. A pesar de su desinhibida sexualidad, parecía que no quería sexo anal.

Empujó el pene contra Charlotte de nuevo con toda la fuerza que pudo, penetrándola hasta muy adentro. Volvió a embestirla perdiéndose en sus pensamientos, mientras la oía gritar y alcanzar el orgasmo.

Salió con cuidado, se quitó el condón y lo tiró discretamente, antes de que ella viera que estaba vacío. Él no había alcanzado su clímax.

Charlotte se revolcó perezosamente en la cama, y Dominik se echó a su lado, acariciándole la piel suave del torso.

–No lo has hecho nunca –dijo ella, con la voz sedosa, tierna, llena del placer de su último orgasmo.

–No –contestó él, incapaz de decir nada más sobre el tema.

–No te lo tomes a mal.

–No. ¿Qué pasa?

–¿Qué clase de amo eres? Normalmente no pareces querer... dominarme.

Dominik reflexionó.

–Nunca me ha atraído mucho la «escena» –contestó–, los símbolos, los estereotipos. Tampoco tengo ningún interés en causar dolor. –Notó su piel todavía rojiza y añadió–: Habitualmente.

–¿Quieres intentarlo? –preguntó ella–. Hazlo por mí.

–¿Qué quieres? –preguntó él, un poco impaciente.

–Cuerda. Una zurra. Sorpréndeme.

–¿No se te ha ocurrido pensar que instruir a tu amo para que te domine no es muy sumiso?

Charlotte se encogió de hombros.

–Tampoco es que seas un amo de verdad, ¿no? –Se lo estaba pasando en grande.

–De acuerdo, entonces.

–¿De acuerdo?

–Tendrás tu escena.

Dominik reflexionó. No tenía ningún deseo de hacer daño a Charlotte. La utilizaba, como ella a él. Tampoco tenía ningún deseo de realizar un acto tonto de dominación en el que no creía, ni empezar a actuar. Su relación se había vuelto ridícula, sórdida, una parodia de sí misma, una burla de lo que había tenido con Summer.

Aun así, ella lo provocaba, y si ella lo provocaba, él reaccionaría.

Esperó a que estuviera en la ducha y entonces buscó su móvil en el enorme bolso de diseño. Tal como sospechaba, no tenía contraseña. Charlotte era abierta en todos los sentidos. Sin ningún interés, fue pasando todos los mensajes de otros hombres. «Qué tal, guapa» o «Qué tal, *sexy*», decían uno tras otro.

Encontró el número de Jasper, lo apuntó y cuando llegó a casa, llamó.

–¿Diga?

–¿Jasper? –dijo Dominik.

–Mmm. ¿Sí?

El tono de Jasper era inseguro. Dominik sonrió para sus adentros. Evidentemente, era el número que Jasper utilizaba para el trabajo. Quizá se preguntaba si tenía un cliente masculino.

–Soy Dominik. Nos conocimos hace poco en una fiesta. Estaba Charlotte. Y Summer.

–Ah, sí.

Dominik notó que la voz de Jasper se animaba al mencionarle a Summer y se irritó.

–¿Qué hay?

–Estoy planeando algo especial para Charlotte. Creo que le gustaría que asistieras. Te compensaré, por supuesto.

–Entonces iré encantado. ¿Cuándo tienes pensado hacerlo?

–Mañana.

Se oyó roce de páginas mientras Jasper comprobaba su agenda.

–Estoy libre e iré con mucho gusto.

Dominik cerró el acuerdo.

A continuación mandó un *sms* a Charlotte.

«Mañana por la noche, en tu casa. Prepárate.»

«Oh, qué ilusión», contestó. «¿Qué debo ponerme?»

Dominik reprimió los deseos de contestar: «Me da igual».

Entonces, dejándose llevar por un impulso de disgusto y rabia, decidió optar por la opción más convencional. «Un uniforme de colegiala», contestó.

Quedó con Jasper frente a la casa de Charlotte y le explicó las normas básicas. Dominik estaba al mando, a petición de Charlotte.

–Bueno, pagas tú –dijo Jasper–. Lo que a vosotros os apetezca me parece bien.

Estaban en el portal de Charlotte, cómplices de su futura aventura. Llamaron al timbre. Dominik todavía no había invitado a Charlotte a su casa. No le parecía bien tenerla allí. Quería mantener las distancias.

Les abrió la puerta vestida con una minifalda de cuadros, blusa blanca, calcetines hasta la rodilla y zapatos negros cerrados planos. Dominik vio que había cumplido su petición al detalle, con una cola de caballo prieta y unas gafas negras de montura gruesa. No se lo esperaba y le sorprendió su propia reacción. Se estaba poniendo duro a marchas forzadas. Al fin y al cabo, tal vez no fuera una tarea tan pesada.

Charlotte sonrió de oreja a oreja al ver a Jasper, este le dedicó una sonrisa cómplice. «Como Summer y yo», pensó Dominik con una punzada de dolor.

–Hola, señores –dijo Charlotte con recato y una pequeña reverencia.

–Hemos venido a castigarte –dijo Dominik– por ser una niña muy mala.

Dominik hizo una mueca al oír su propia voz y lo raras que le sonaban aquellas palabras. Los ojos de Charlotte brillaron de placer.

Entró en el piso pasando al lado de ella, la obligó a darse la vuelta y le puso una mano en los riñones.

–Inclínate –dijo–. Enséñame tu culo.

Charlotte rio, pero obedeció rápidamente.

Dominik dio unas vueltas a su alrededor. Recordó, antes de ahuyentar el pensamiento, cómo Summer se ofreció a él, inclinada, en la cripta, casi de mala gana, quizá con miedo, pero lo hizo de todos modos, porque él se lo había pedido. No sabía por qué se sentía inclinada a obedecerlo. Quizá la motivación que la impulsaba no era tan diferente de la que lo impulsaba a él, una poderosa ansia de dominación que se sentía atraída hacia su opuesto.

A Charlotte empezaron a temblarle las piernas. A diferencia de Summer que estaba clavada en su sitio como si estuviera hecha de hormigón, incapaz de moverse una vez que se había comprometido, Charlotte interpretaba un papel, y parecía incómoda, esperando con impaciencia su siguiente paso en el juego. Le pasó por la cabeza sentarse y observar cómo Jasper la follaba. Al fin y al cabo, parecía ser todo lo que quería.

Pero no. Había pedido dominación y tendría dominación.

Le metió un dedo por dentro de las bragas y tiró de ellas hasta sus pies. Normalmente Charlotte no usaba ropa interior. Aquel día llevaba unas bragas blancas de algodón. Todo formaba parte de la función.

–Separa las piernas.

Se movió, intentó levantarse y estirar la espalda, pero Dominik no se lo permitió. Cada vez que intentaba levantarse, para no estar tan incómoda, él presionaba contra sus riñones para inclinarla otra vez.

Le hizo un gesto a Jasper.

–Fóllala. Ahora. Sin preliminares. Sin perder el tiempo. Hazlo.

Miró mientras el joven se ponía el condón cubriendo su enorme erección.

Charlotte suspiró de placer y se olvidó de la incomodidad en cuanto sintió el gran pene de Jasper deslizándose en su interior.

Dominik los dejó momentáneamente, para ir a explorar el dormitorio de Charlotte, donde encontró un frasco de lubricante. Con sabor a canela. Era de esperar.

Volvió al salón y vio que Jasper había llevado a Charlotte hacia el sofá, para que pudiera apoyar el cuerpo contra los cojines. Volvió a guiarlos al centro de la escena. Charlotte gimió. ¿De dolor? Dominik vio que su propio miembro se había endurecido con ese pensamiento.

Se echó un poco de lubricante en los dedos, posó la mano con suavidad sobre su culo, le separó las nalgas con la palma e insertó el dedo índice en el anillo anal. Charlotte se sobresaltó y él sintió que los músculos del esfínter se cerraban, apretándole el dedo con la fuerza de una ostra, pero no protestó. Su erección creció, expandiéndose como reacción al cerramiento de su parte más profunda y oscura. Ahora tenía el miembro duro como una roca y a punto de romper la tela de los pantalones.

A través de las paredes del conducto anal, Dominik podía sentir el gran pene de Jasper entrando y saliendo de la vagina a la manera de un ariete batiendo una muralla. Insertó otro dedo, empezó a seguir el ritmo del acompañante, follándole el culo cada vez con más ferocidad.

Charlotte empezó a retorcerse, incapaz de encontrar apoyo en el suelo para contrarrestar la implacable arremetida del ataque conjunto contra su cuerpo.

Sacó los dedos, muy lentamente, sintiendo el pulso de los músculos y cómo se aflojaban a medida que los retiraba. Hizo un gesto a Jasper para que la sacara.

Dominik puso derecha a Charlotte. Tenía los ojos llenos de lágrimas.

–Buena chica –dijo–. Ahora que hemos soltado estos agujeritos tuyos tan monos, podemos empezar en serio.

Charlotte bajó la cabeza y asintió una vez.

La levantó en brazos y la trasladó al dormitorio, recordando que había hecho lo mismo la vez que fue con Summer a su casa, y la llevó en brazos al estudio, donde ella se había masturbado para él sobre su escritorio.

–A cuatro patas –le ordenó a Charlotte en tono imperioso. Ella obedeció, con la cabeza baja y sin mirarlo–. Espera aquí –añadió.

Dominik se dirigió a Jasper, que se estaba quitando el condón usado para ponerse uno nuevo.

–No la toques.

Dominik volvió al salón, recogió el lubricante y pasó por el baño a lavarse las manos. Se miró en el espejo un momento, estudiando su imagen.

¿En qué se había convertido?

Ahuyentó la sensación de su cabeza y volvió al dormitorio, donde Charlotte y Jasper esperaban. Charlotte todavía con el uniforme de colegiala puesto, las bragas arrugadas en los tobillos, la faldita de cuadros marcando una línea sobre las nalgas. Jasper se apartó a un lado, completamente desnudo. Sus vaqueros y su camiseta estaban pulcramente doblados en una pila sobre la cómoda de Charlotte.

Dominik se acercó, le agarró un mechón de pelo y tiró de él hacia atrás.

–Voy a follarte por detrás –le dijo bajito al oído.

Ella no reaccionó. Aunque la expresión de disgusto que se pintó en su cara dejó claro que sentía que la habían engañado, que no debería haber dicho nunca a Dominik que el sexo anal estaba muy por debajo en sus preferencias sexuales y que normalmente no le gustaba en absoluto.

Le levantó la falda y le separó las piernas. Charlotte tenía unas piernas tan largas que follarla por detrás era como montar un poni. Dominik deslizó el dedo por los pliegues de los labios de su sexo, y lo introdujo en su abertura. Estaba húmeda y todavía pegajosa del polvo con Jasper, que ahora permanecía de pie inmóvil junto a Charlotte, en silencio, con el miembro en posición de firmes.

Dominik introdujo una generosa dosis de lubricante en el orificio anal de Charlotte, la vio estremecerse al reaccionar con el frío y percibió su erección.

Se desabrochó el cinturón. Dominik todavía estaba completamente vestido.

Sacó su miembro y lo llevó a la abertura de Charlotte para poder sentir el calor que irradiaba. Después se lo pensó, se puso un condón y empujó el glande lentamente contra el esfínter, procurando no perder el equilibrio.

–Relájate, Charlotte, bonita –dijo.

Jasper se inclinó y le acarició los cabellos.

–Tranquila, no pasa nada –dijo.

Dominik miró a Charlotte y a Jasper. Ella apoyaba la cabeza contra él, con la cara relajada descansando contra su pecho. Él le acariciaba el pelo con ternura.

Qué romántico, pensó Dominik, viendo que se habían olvidado de él por completo, que solo era un pene más en una escena. Podría haber sido un dildo, una persona cualquiera con un consolador atado al cuerpo.

Ni podía echarle la culpa de nada ni le importaba.

Dominik se quitó el condón y se abrochó los pantalones, y antes de salir miró hacia Jasper para decirle que podía seguir con Charlotte si quería, que su contrato con Dominik había terminado. Y antes de que saliera del dormitorio, Jasper ya estaba en la cama, abrazando a Charlotte, y a los pocos minutos les oyó jadear, en plena faena.

Al pasar por el salón, echó un vistazo. Era muy consciente de que Summer nunca le dijo que fuera a su casa, el último reducto de su intimidad. Charlotte carecía de manías; le gustaba recibir y tenía invitados constantemente en su casa. Su apartamento estaba prácticamente vacío, tenía un gran salón, pero solo un sofá, un columpio, un Mac sobre una mesa de despacho en una esquina y una gran cocina, con una de las cafeteras más caras del mercado. Los habitantes de los antípodas estaban locos por los expresos y los cafés con leche, incluso más que los italianos, de quienes podría decirse que eran sus inventores.

Dominik notó una luz parpadeante encima de la máquina de café. ¿Era posible? No. No podía ser. Se acercó a mirar.

Era el móvil de Charlotte, apoyado de lado y puesto en modo vídeo. Estaba grabando.

Dominik paró la grabación y rebobinó. Había filmado la escena, al menos la parte que había transcurrido en el salón. Zorra indecente.

Era una sensación rara, verse en una película. Si alguna vez, copulando en una habitación con espejo, había visto su propia expresión durante el acto, siempre apartaba la mirada. No tenía ningún interés en contemplarse follando.

Charlotte había conseguido captar casi todo. Había apuntado la cámara al centro del suelo del salón, no sobre el sofá ni en el dormitorio. Había adivinado dónde era más probable que tuviera lugar la acción. Quizá no fuera tan misterioso como creía, ni tan sorprendente.

Dominik borró la película y volvió a colocar la cámara en su sitio, con el botón de grabar apagado. Por supuesto que Charlotte se daría cuenta de que lo habían manipulado, pero esos aparatitos a menudo se desconectaban sin más ni más. Era una alternativa mejor que grabarse alejándose de la cámara. Recogió su chaqueta, que estaba sobre el brazo del sofá. Ya había pagado al acompañante, así que esa parte estaba resuelta. Cualquier otra cosa que quisiera cobrar, por cualquier actividad que tuviera lugar después de que él se marchara, iría a cargo de Charlotte.

Entonces se le ocurrió. ¿Qué más habría grabado?

Volvió a la cafetera y buscó los vídeos en el móvil de Charlotte. Estaban ordenados por la fecha. Uno de ellos era de la última noche que había pasado con Summer, antes de la ruptura en la cafetería. La noche que la había rasurado y Jasper la folló, en su presencia.

Dominik apretó «play» con el corazón en un puño. La imagen era pequeña pero clara. Charlotte había filmado a Summer con Jasper. ¿Sabía de antemano lo que pasaría? ¿Le pagó para que lo hiciera? ¿Lo organizó todo? La cámara debía de estar metida entre los cojines del sofá, o quizá encima, sobre el alféizar de la ventana. El ángulo había captado la cara de Summer, su expresión atrapada entre el placer y el dolor. Tal vez el miembro del acompañante era demasiado grande para ella. Un par de veces miraba hacia atrás. ¿Lo buscaba? ¿Lo buscaba a él?

Pasó la grabación mil veces, incapaz de despegarse del espectáculo que Charlotte había grabado, sin duda sin el consentimiento de Summer. Apretó unas teclas, se envió la grabación a su dirección de correo y la borró del móvil de Charlotte antes de volver a dejarlo cuidadosamente en su sitio. Tampoco le importaba mucho que se diera cuenta de que la había descubierto. No deseaba volver a verla.

Dominik salió por la puerta sin mirar atrás.

Era tarde. Subió al BMW y respiró hondo antes de maniobrar hábilmente para salir de la plaza de aparcamiento en marcha atrás. Cuando llegó la calle estaba casi vacía, pero ahora se había llenado de coches: todos los residentes de la tranquila calle de Charlotte habían vuelto a sus casas después del trabajo. Tenía un BMW delante y otro detrás. Tres seguidos. Lo último que quería era romperles un faro.

Dominik miró hacia las ventanas de las casas mientras conducía lentamente en dirección a la calle principal, donde saldría a la A41 y tomaría Finchley Road hasta Hampstead. Vio luces encendidas en dormitorios y salones, vio una forma esbelta perfilada, una mujer probablemente, que echó un vistazo a la calle y después corrió las cortinas.

Seguían inundándolo los recuerdos de Summer; la imagen de ella mirándolo por encima del hombro mientras Jasper la penetraba no cesaba de pasar por su cabeza distrayéndolo, hasta el punto que tuvo que esquivar por los pelos a un coche que venía en dirección contraria por la estrecha avenida e incorporarse apresuradamente a la seguridad de su carril.

Se preguntó si la casa de Charlotte sería la única que aquella noche había alojado placeres poco convencionales o si los hombres y mujeres del barrio estarían ocupados divirtiéndose con sus propios secretos.

Una vez en casa, se desnudó rápidamente y se metió en la cama, sin tomarse la molestia de ducharse.

A la mañana siguiente tenía que entregar un artículo.

# 13

## *Un hombre y una chica*

La llamada de Victor llegó al día siguiente.

–¿Summer?

–¿Sí?

–Tienes una hora para prepararte. Un coche te recogerá a mediodía.

Colgó sin esperar a que contestara.

Reaccioné a esa llamada más o menos de la misma manera que había reaccionado ante las demás, como un soldado de cuerda que habían puesto en un camino del que ahora se sentía incapaz de desviarse.

¿Un registro de esclavos? La idea era absurda, no podía ser cierta. Pronto me despertaría y descubriría que todo había sido un sueño.

Aun así, me duché y me depilé cuidadosamente, tal como Victor me había ordenado. No quería darle ningún motivo para que me lo hiciera él. Con la navaja de afeitar en la mano, no creía que fuera tan considerado como Dominik.

Dominik. ¿Me llamaría? Pensar en él me oprimía el corazón. Él sabría comprender lo que me pasaba. Victor y Dominik compartían algo esencial, pero Victor era muy diferente. Dominik no quería domesticarme, o que le sirviera de manera mecánica. Quería algo más. Quería que lo eligiera a él.

Llegó el coche. De nuevo un vehículo enorme y reluciente con las ventanas opacas, de los que se ven en películas de la mafia. No me dediqué a mirar por la ventana y seguir el trayecto que hacíamos para saber dónde me llevaba Victor esta vez. ¿Qué más daba? Había elegido ir. No necesitaría denunciar mi secuestro a la Policía.

El móvil vibró dentro del bolso, con un zumbido apagado por el ruido del motor. Vivía con el temor constante y angustioso de que Victor me llamara durante un ensayo, y por eso lo tenía siempre en modo vibración o en silencio. Los directores o los productores de la orquesta se pondrían furiosos si el gemido de un móvil interrumpía nuestras actuaciones, y más aún si Victor me exigía que me presentara inmediatamente y yo me sentía obligada a dejar el violín y seguir sus órdenes.

Busqué el móvil en el bolso para ver quién llamaba. ¿Era Dominik? Se me paralizaron los dedos de miedo. ¿Tendría Victor cámaras instaladas en el coche? ¿Un micrófono para oír las llamadas que pudieran hacerme? Me incliné hacia delante, intentando ver a mi chofer, pero el cristal que separaba los asientos delanteros y traseros me tapaba la vista. El conductor podría ser Victor; era la clase de truco que le divertiría.

El coche redujo la velocidad. A través de la ventana de cristal tintado, vi que la silueta rechoncha de Victor aparecía en la acera. De modo que no era el conductor. En cualquier momento se abriría mi puerta: no tenía tiempo para conversaciones o para mandar un *sms,* ni siquiera para comprobar si era Dominik la persona que llamaba. Lo único que pude hacer fue apretar la tecla de apagar para que el móvil no volviera a vibrar y Victor no se enterara de que estábamos en contacto.

Solo podía esperar que Dominik, si es que era él, volviera a llamar, y que en algún momento de la pantomima, sin duda grotesca, que había planificado Victor para mí esta vez, tuviera ocasión de contestar.

Victor abrió la puerta del coche y me ofreció la mano. La tomé, y permití que me ayudara a bajar. ¿Eran ese tipo de cosas las que me habían seducido? Curiosamente, la idea de que Victor me ayudara a bajar del coche, como si fuera una mujer ridícula incapaz de bajar sola, me ofendía más que los actos sexuales a los que me había sometido; en realidad, a los que me había sometido yo misma. Deseaba ponerme muy derecha delante de él y pegarle un empujón que lo hiciera caer a la acera, pero no lo hice, no pude. Solo tomé su mano y lo seguí dócilmente.

Estábamos en su *loft* de Tribeca. Para este acontecimiento lo habían transformado en una especie de harén. Todo el lugar era un escenario, con cojines bordados por todas partes y telas transparentes de colores colgadas del techo. Había hombres y mujeres, amas y amos, vestidos con trajes que parecían lucir como una demostración de su «rango» pero que a mí me parecían simplemente ridículos.

–Baja la cabeza, esclava –me siseó Victor al oído.

Obedecí, pero con una punzada de satisfacción. Así que, con la cabeza alta y los hombros hacia atrás, parecía demasiado segura de mí misma. Bien.

Victor me quitó el bolso que llevaba colgado del hombro.

–¡Desnúdate! –ordenó.

Era evidente que mi pequeña rebeldía lo había enfurecido. Me quité el vestido y se lo entregué. Debajo no llevaba nada. ¿Para qué? Podía quitarme un vestido casi con elegancia, pero me sentía tan estúpida bajándome las bragas que últimamente ya no las usaba.

–Aquí no necesitarás posesiones –dijo, llevándose el vestido y colocándolo a un lado, junto a mi bolso.

Suerte que había dejado el violín en casa. Sentía los brazos vacíos sin el estuche, pero al menos mi Bailly estaba seguro. Me aterrorizaba que Victor viera lo apegada que estaba al violín e intentara destruirlo. No creía que pudiera domesticarme de ninguna otra manera, pero si me lo quitaba probablemente lo conseguiría.

Con la cabeza baja, solo veía el suelo y atisbos de los otros personajes de la habitación. Escuché con atención los fragmentos de conversación que llegaron a mis oídos.

–Es el último hallazgo de Victor –dijo una mujer menuda y morena, tumbada perezosamente sobre los cojines más cercanos a mí. Solo pude verla con el rabillo del ojo. Iba maquillada como una estrella de cine de la década de los cuarenta, con un pintalabios rojo brillante y una melenita bien cortada.

–Pues parece muy guerrera –contestó su compañero, un hombre alto y delgado, con un bigote fino que apenas le rozaba el labio, como si hubiera olvidado lavarse la cara después de la ducha.

–Victor ya encontrará la forma de domesticarla. Como siempre.

Observé atentamente cómo Victor dejaba mi vestido y mi bolso, con el móvil dentro, en el armario de las bebidas. Cerró la puerta con una llavecita que se guardó en el bolsillo.

Entonces se volvió hacia mí, con una sonrisa triunfal de oreja a oreja.

–Esta noche empiezan los preparativos. La ceremonia se celebrará mañana.

Oh, Dominik, pensé, mirando de soslayo el armario donde estaba encerrado mi móvil. ¿Dónde estás?

Dominik era consciente de que Chris era un amigo íntimo de Summer. Se conocieron cuando ella llegó a Londres desde Nueva Zelanda. Ambos eran músicos, y Summer había colaborado de vez en cuando con su violín en el pequeño grupo de rock de Chris. Con todo, a Dominik nunca se le había ocurrido ponerse en contacto con él cuando Summer desapareció de repente. Intentó localizarla, por supuesto, pero el número de teléfono no estaba operativo. Y cuando pasó por el piso de Whitechapel donde vivía, el casero le respondió indignado que Summer se había marchado sin avisar y la puso verde.

Quizá algo dentro de él, orgullo, dolor, le había impedido investigar más.

Nunca en su vida se había sentido tan involucrado con una mujer.

No era solo porque estuviera disponible para él y hubiera accedido voluntariamente a sus juegos y a las actividades sexuales a menudo singulares que parecían gustarles a los dos. También porque presentía que ella reprimía algo dentro, que controlaba su esencia más oscura, y lo complementaba de una forma que no sabía explicarse.

De modo que cuando Chris lo llamó de repente, lo pilló desprevenido. ¿No podía llamarle ella?

–¿En Nueva York? –preguntó.

–Sí, es lo que me dijo.

–¿Y qué quería?

–¿Cómo coño quieres que lo sepa? Que te diga dónde está, supongo. Soy su amigo y esto no me hace ninguna gracia –dijo Chris, cada vez más irritado–. Todos sus problemas empezaron cuando te conoció, así que te aseguro que no estás en mi lista de favoritos, Dominik. Y, si por mí fuera, preferiría que se mantuviera alejada de ti.

Dominik absorbió toda la información, sin despegar el teléfono de la oreja. Su mirada se paseaba inquieta por el estudio donde había recibido la llamada mientras redactaba la crítica de un libro para una revista literaria. La cama estaba llena de libros y papeles.

–¿Está bien? –preguntó a Chris.

–No, si de verdad te interesa, no lo está. Tiene problemas graves. Es lo único que sé. No quiso decirme más. Solo dijo que te llamara y te dijera dónde estaba.

Nueva York, una ciudad que siempre le había gustado y que se había convertido en su personal Triángulo de las Bermudas de mujeres y aventuras pasadas. Las imágenes volvieron en tromba: el Algonquin Hotel y sus habitaciones diminutas, decoradas con muebles antiguos, en las que no había espacio ni para rascarse y mucho menos para azotar un trasero; el Oyster Bar en Grand Central Station; el Iroquois Hotel, con habitaciones más grandes pero también más sórdidas y donde era bastante normal ver una cucaracha corriendo por la pared. Recordó un Taste of Sushi en la calle 13, su comida japonesa maravillosa y olor a Edad Media del baño, no pasaría jamás una inspección del Departamento de Salud británico; Le Trapeze Club en el Flatiron District, donde llevó a Pamela, la banquera de Boston, y contempló cómo ella satisfacía sus fantasías más ocultas; el Gershwin Hotel, al lado, donde su habitación tenía una imagen de Picasso pintarrajeada en la pared del cabecero de la cama que no podía evitar ver cada vez que follaba con una mujer en la posición del misionero y levantaba la cabeza. Nueva York, Nueva York...

Y ahora Summer estaba allí, por decisión propia. No porque la hubiera llevado él para premiarla o para pasarlo bien juntos.

Dominik volvió a la realidad y oyó la respiración fatigosa de Chris al otro extremo de la línea.

–¿Tienes su teléfono? ¿Puedes dármelo?

Con una enorme reticencia, Chris le recitó el número y Dominik lo apuntó en una esquina de sus papeles.

Siguió un silencio incómodo entre los dos hombres, y ambos sintieron un gran alivio al colgar.

Dominik se sentó en su silla de oficina de piel negra, de cara a la pantalla del ordenador en el que estaba trabajando, y observó con remota fascinación el cursor parpadeante, que había abandonado a media palabra cuando sonó el teléfono.

Por fin, respiró hondo y marcó el número que le había dado Chris. Aunque Nueva York estaba a kilómetros y horas de distancia, el timbre sonó como si estuviera en la habitación contigua.

Pero sonó y sonó y nadie respondió.

Dominik miró su reloj para calcular la diferencia horaria. Allí aún era de día. Quizá en aquel momento estuviera trabajando y no pudiera contestar. ¿Habría encontrado trabajo como música allí? El Bailly sin duda la habría ayudado mucho.

Colgó. Lo inundaron sentimientos encontrados.

Intentó concentrarse en la tarea que tenía a medias, pero los cambios sutiles en las relaciones entre los escritores ingleses y norteamericanos que vivían en la Rive Gauche parisina durante los años del existencialismo no lograban captar su completa atención y acabó rindiéndose y caminando arriba y abajo por el estudio.

Cuando creyó que ya había dejado pasar suficientes minutos, volvió a marcar el número de Summer en Nueva York. Empezó a sonar y el espacio entre cada tono parecía hacerse más y más distante. Cuando estaba a punto de colgar, le llegó un mensaje, un aviso estándar de AT&T informando que el cliente no estaba disponible.

Dominik dejó un mensaje, hablando con calma por el auricular y controlando el pánico que sentía.

«Summer... soy yo... Dominik... Llámame. Por favor. Sin juegos. Solo quiero saber de ti.» Después añadió: «Si no puedes hablar por algún motivo, déjame un mensaje, manda un *sms*, lo que sea. Te echo muchísimo de menos».

Colgó de mala gana.

Una hora después seguía dando vueltas en el estudio. Decidió buscar los próximos vuelos a Nueva York en Internet y ver si había billetes. Encontró varios desde Heathrow a primera hora de la mañana, que llegaban a Nueva York alrededor de mediodía, hora local. Impulsivamente reservó un billete en el primer vuelo en clase *business*.

Con suerte ella le llamaría antes de embarcar, porque no tenía ni idea de qué hacer al llegar sin su dirección.

Era cuestión de no perder la esperanza.

Me quedé inmóvil y esperé para ver qué hacía Victor a continuación.

Quizá percibiendo mi impaciencia por descubrir qué había planeado, se entretuvo antes de sacar su siguiente objeto del arsenal de juguetes. Era una campana, no muy distinta a la que Dominik me regaló para la noche que hice de criada, pero más grande. Su sonido transparente reverberó por la habitación, como un toque de difuntos con un eco automático. Tenía un algo vacío que me hizo rechinar los dientes.

Al sonar la campana, se abrió una puerta al fondo y apareció una mujer. Iba vestida, si puede decirse así, con una túnica blanca completamente transparente, cortada como una toga. Llevaba los cabellos recogidos en un moño suelto en la parte alta de la cabeza, con mechones que enmarcaban su cara y le daban aspecto de medusa de los tiempos modernos.

Me ignoró por completo e inclinó la cabeza ante Victor al acercarse. Era muy alta, probablemente medía más de metro ochenta, aunque iba descalza. Parecía que a Victor le gustaban así. Imaginé que sin tacones le hacían sentir menos consciente de su escasa altura.

–Esta noche Cynthia dirigirá tus preparativos, esclava. Arrodíllate ante ella.

Me arrodillé, con la cara prácticamente contra el suelo. Al hacerlo, vi que Cynthia llevaba una elegante tobillera de plata, como una pulsera de dijes, pero con solo uno, un candado diminuto. Era muy bonito. No sería tan malo si podía elegirlo, en lugar de un *piercing* o un tatuaje.

Aunque no creía que Victor me permitiera dar mi opinión sobre el asunto, y menos con el humor que parecía tener aquel día. Probablemente optaría por la marca más humillante y permanente de tatuaje que se le ocurriera.

–Victor –dijo la mujer morena y glamurosa echándose sobre los cojines en el suelo.

–Sí, Clarissa –replicó él.

Nunca se dirigía a sus compañeros con títulos de «señora», «ama» o «amo», a menos que hablara de ellos con una esclava.

–¿Dónde están esta noche todas tus esclavas? Llevo horas sentada con la copa vacía. No hay forma de conseguir que te la llenen de champán.

La había visto terminarse los restos de su copa hacía unos tres segundos.

–Santo cielo –contestó Victor–. Encontraré a la culpable y más tarde le daré una zurra.

–Bien –dijo Clarissa–. Espero que me permitas contemplarla. Mientras tanto, ¿alguien puede darme algo para mojar mi garganta seca? ¿Quieres decirle a tu chica nueva que me lo traiga? Me gusta. –Clarissa miró mi figura desnuda y arrodillada y sonrió con suficiencia.

El hombre del bigote recostado a su lado también levantó la cabeza y me echó un vistazo.

–Francamente, a mí también me apetece un trago –dijo con indolencia–. ¿No tendrás algo más fuerte? A las damas les encanta el champán, pero yo prefiero algo... más fuerte. –Me miró mientras decía esto último y yo me agaché un poco más.

Por ahora los gustos de Victor, al menos desde el punto de vista físico, habían sido bastante moderados. Nada que no pudiera soportar, o incluso disfrutar, si fingía que no era él quien llevaba la voz cantante. Pero sabía perfectamente que en el futuro podía tener amos con tendencias más violentas, o quizá sádicos, que estuvieran metidos en cosas que no me apetecían, que me hicieran daño de verdad o me lesionaran. Por ahora había tenido la suerte de que todas las marcas que me habían dejado Victor y sus amigos habían sido relativamente benignas, arañazos y moratones que podía tapar con manga larga o explicar de algún modo. No siempre tendría tanta suerte.

–Por supuesto –dijo Victor, manteniendo una aparente compostura, aunque percibí que la petición de sus invitados de mi servicio había interrumpido sus planes y lo había irritado. Me ordenó levantar–. Sirve una copa de champán al ama Clarissa, y busca whisky para el amo Edward.

Siempre elegían seudónimos ridículos. Victor tenía una excusa por su tendencia a lo clásico, al fin y al cabo era de ascendencia ucraniana.

Buscó la llave del armario de las bebidas en el bolsillo y me la dio.

–Si tocas algo que no sea el whisky –me susurró al oído–, no podrás elegir dónde te pondré la marca.

Primero serví el champán y se lo llevé a Clarissa.

–Perdonad, amo, ama, que no os sirva las bebidas a la vez –me disculpé–, pero el ama parece sedienta, y no quería que se calentara el champán.

–Oh, qué buena es –le dijo Clarissa a Victor–. ¿Cuándo se podrá usar?

–Esta noche –contestó él bruscamente.

–¡Oh! –exclamó ella–. Creía que la marcarías mañana, junto con las demás.

–Así lo había planeado –contestó Victor–, pero esta es especial. –Calló y miró su reloj–. Dentro de dos horas. A las seis. Nos da tiempo de sobra. Échale un ojo un momento, Clarissa, hazme el favor. Debo ir a hacer unos preparativos.

Victor sacó el móvil del bolsillo y desapareció por el pasillo.

–Disculpad –dije–, enseguida vuelvo con el whisky.

Como esperaba, Clarissa no me hizo el menor caso mientras iba al armario de las bebidas y volvía a encender el móvil. Eché un vistazo a las «llamadas perdidas». Dominik había llamado dos veces y dejado un mensaje. No había forma de que pudiera escucharlo ni de enviar un mensaje largo. Victor podía volver a la habitación en cualquier momento. Tecleé un mensaje breve: «Recibido mensaje. Estoy en NY. Llámame otra vez. S.».

Solo me quedaba esperar que siguiera llamando.

Volví a guardar el móvil en el armario y cerré la puerta pero sin echar la llave.

Victor regresó a la habitación y le devolví la llave.

–Buena chica –dijo–. Serás una esclava excelente, Elena.

–Lo estoy deseando, amo.

–Muy pronto llegará tu momento. Ahora debes bañarte.

Chasqueó los dedos y Cynthia apareció de nuevo a su lado y me tendió la mano. La seguí al pasillo, a un dormitorio, donde había una gran bañera ornamentada, llena de agua caliente. Parecía que estuviera aromatizada, pero no lo estaba. No había productos de baño ni jabón sobre el borde. Imaginé que Victor me quería tal como era, solo que más limpia.

Me metí en el agua caliente, y Cynthia se sentó en una esquina de la habitación en silencio. ¿Mi guardiana? ¿Necesitaría una guardiana? ¿Era prisionera?

No lo creía. Había ido por propia voluntad. Victor tenía mi ropa y mi móvil, pero nadie me impedía marcharme por la puerta y llamar a la Policía. Podía gritar y probablemente acudirían los vecinos. Ninguna de las demás «esclavas» estaba físicamente retenida; todas se encontraban allí por propia voluntad, interpretando su papel en una obra de teatro sexual, satisfaciendo sus fantasías no tan privadas, como las amas y los amos satisfacían las suyas.

Recordé lo que había dicho Victor, de que aquel era mi lugar, donde estaba más bella. Sus palabras me habían dolido, pero no podía negar que contenían una parte de verdad. Su comportamiento me asqueaba, pero al mismo tiempo me excitaba. La forma que tenía de empujarme hacia un espacio donde nada importaba, donde estaba físicamente limitada pero mentalmente libre.

Se abrió la puerta. Victor. Se había puesto un traje de gala, un esmoquin. De entrada me recordó a Danny DeVito en el papel del Pingüino en *Batman vuelve*. Reprimí una carcajada.

–Esclava Elena –dijo–, ha llegado la hora.

El vuelo de Dominik aterrizó en el JFK International con cielo despejado. Debido a la diferencia horaria, en Nueva York era solo poco después de mediodía. La cola en inmigración y control de pasaportes avanzaba con una lentitud desesperante. Tal vez porque era un mal día de la semana, no podía saberlo, pero todos los vuelos internacionales provenientes de Europa habían llegado a la misma hora con una diferencia de minutos, y habían descargado su pasaje en un auténtico embudo dentro de la terminal. El noventa por ciento de los recién llegados eran extranjeros y solo había tres funcionarios de inmigración para atenderlos que parecían totalmente indiferentes ante la impaciencia general.

Dominik llevaba equipaje de mano, pero no le sirvió de nada porque las cintas de equipaje estaban después del control de aduanas.

Cuando le preguntaron si viajaba por placer o por trabajo, dudó un momento antes de decidirse por la última opción.

Esto provocó una pregunta del funcionario.

–¿A qué se dedica?

Se dio cuenta de que debería haber dicho que estaba de vacaciones.

–Soy profesor de universidad –respondió Dominik–. He venido a dar una conferencia en Columbia –mintió.

Lo dejaron pasar.

Un rato después, en el asiento trasero de un taxi amarillo, esperó a que el coche se uniera a la riada de vehículos que se introducían en la Van Wyck Expressway en dirección a Jamaica y Queens. El taxista, detrás de la endeble mampara de seguridad, llevaba turbante. Su identificación y fotografía estaba tan descolorida que era casi invisible. Se llamaba Mohammad Iqbal. O quizá fuera su primo o alguien con quien compartía la licencia.

El aire acondicionado del taxi no funcionaba, así que tanto taxista como pasajero debían conformarse con la ventana abierta. El cambio de temperatura desde que había salido de Londres a primera hora era significativo y

Dominik ya estaba sudando e incómodo. Se quitó la americana gris de lino.

Pasado el Jamaica Hospital, el tráfico lento empezó a despejarse y el taxi aceleró hacia la ciudad. El conductor tomó un desvío a una carretera que conducía al Midtown Tunnel.

De repente, Dominik recordó que en la cola de inmigración era obligatorio tener el móvil apagado. Lo encendió y vio que se iluminaba, con más esperanza que expectativas.

Tenía un mensaje.

De Summer.

«Recibido mensaje. Estoy en NY. Llámame otra vez. S.»

¡Mierda! Ya sabía que estaba en Nueva York. No le servía de nada.

Volvió a llamarla y de nuevo le salió el buzón de voz.

Mierda, mierda. Sin más pistas, sería como buscar una aguja en un pajar.

Estaba a punto de mandarle un *sms* cuando el taxi se introdujo en el Midtown Tunnel. Había reservado una habitación en un hotel de Washington Square, que era donde había pedido al taxista que lo dejara. Una vez fuera del túnel, decidió esperar a llegar a la habitación antes de volver a intentar contactar con Summer.

Aunque la hora de entrada no era hasta las tres de la tarde, le dejaron instalarse en su habitación, que ya estaba disponible. Necesitaba ducharse y cambiarse de ropa.

Desde la ventana, la agradable visión de Washington Square Arch le guiñaba el ojo bajo un sol deslumbrante. Hasta él llegó el sonido de un músico de jazz que tocaba en la fuente central.

Poco después, todavía húmedo bajo el cálido albornoz blanco, marcó de nuevo el número de Summer, pero tampoco contestó. ¿Qué estaba pasando? ¿Por qué se ponía en contacto con él e inmediatamente después era imposible comunicarse con ella?

Estaba sacando una camisa de manga corta de la maleta cuando finalmente sonó su móvil.

Corrió a la mesa y respondió.

–¿Summer?

–No, no soy Summer. Soy Lauralynn.

–¿Lauralynn? –De entrada Dominik no recordó quién era y estuvo a punto de colgar por miedo a perderse la llamada que esperaba de Summer.

–Sí, Lauralynn. ¿Te acuerdas? Toqué en aquel... cuarteto de cuerda especial. Rubia. Con un violoncelo. ¿Te suena?

Dominik empezaba a acordarse. ¿Qué querría de él? Se estaba impacientando.

–Sí, me acuerdo de ti.

–Bien –dijo Lauralynn–. No me gustaría ser el tipo de chica que nadie recuerda –dijo riendo.

–Estoy en Nueva York –la informó.

–No me digas.

–Acabo de llegar. –Entonces recuperó los modales–. ¿Qué querías?

–Un poco difícil con tanta distancia –comentó Lauralynn–. Iba a decir que disfruté mucho con nuestro pequeño evento. Quería saber si te interesaría organizar otra cosa algún día, pero en vista de que no estás en el país, sería un poco complicado. –Su tono se volvió malicioso.

–Tienes razón. Ya hablaremos en otro momento, cuando vuelva a Londres.

Dominik fue educado pero no tenía ninguna intención de montar otro juego.

–Lo comprendo –dijo Lauralynn–. Es una lástima. Lo que pasa es que ahora que Victor está en Nueva York, ando un poco escasa de oportunidades.

–¿Conoces a Victor? –preguntó Dominik.

–Por supuesto. Es un... Cómo decirte... Un viejo amigo –dijo.

–Creía que os había conocido, a ti y a los demás músicos que tocasteis aquel día, a través de un anuncio en el tablón de la facultad.

–No –confesó Lauralynn–. Victor me informó del carácter singular del concierto y eligió el lugar. ¿No lo sabías?

Dominik blasfemó en voz baja. Se empezó a formar un nubarrón en su mente y se le contrajo el pecho.

¿Victor, el tortuoso libertino y Summer, ambos en Nueva York? No podía ser una coincidencia.

Se sintió más determinado si cabe.

–¿Lauralynn? ¿Por casualidad no sabrás cómo podría ponerme en contacto con él aquí, en Nueva York?

–Por supuesto.

–Maravilloso. –Apuntó la dirección que le dio la chica.

–Antes has mencionado a Summer. ¿Tu viaje a Nueva York tiene algo que ver con ella? Es simple curiosidad –dijo Lauralynn.

–Pues sí –dijo Dominik, y colgó.

Se puso la americana y decidió pasear por el parque cercano para aclarar y poner en orden sus ideas antes de llamar a Victor. Pasó junto al parque infantil, después el pipican, observando al ejército de ardillas que corrían sobre la hierba y entre los árboles. Encontró un banco y se sentó.

Cynthia se levantó, me ayudó a salir de la bañera y me envolvió en una toalla enorme. El agua se había enfriado. Yo no me di cuenta.

Victor me tomó de la mano y me llevó a otra habitación. ¿Aquel lugar no se acababa nunca? Un salón de tatuajes improvisado. Antes de marcharme de Nueva Zelanda, me había planteado hacerme uno. Al final decidí no hacerlo, sencillamente porque era incapaz de pensar en una imagen que me gustaría tener grabada en la piel para siempre. Tal vez esto resolvería mi problema. Me harían un tatuaje, pero le correspondería a otro elegir la imagen.

Me eché en el banco que me indicó Victor, todavía completamente desnuda. Me apretó la mano, la única señal de ternura que me había mostrado jamás.

Cerré los ojos. Tenía razón. Parecía que no iba a darme la opción de elegir un *piercing*.

Mi mente entró en un agradable nirvana casi sin proponérmelo, preparándose para el dolor de la aguja, que esperaba que empezara en cualquier momento. El sonido sofocado del tráfico de la calle se redujo a un zumbido. Las personas que había en la habitación, que estaba segura que estaban allí para observar, se volvieron inconsistentes, apenas unas sombras al fondo. Pensé en mi violín, en los deliciosos viajes que me proporcionaba. El sexo, y someterme al poder de otros, me daba una sensación de paz, de calma, pero no era comparable a las visiones que se desplegaban ante mí cuando tocaba el Bailly.

Recordé cómo había tocado para Dominik Vivaldi, la primera vez, aunque no era consciente de su presencia, y la segunda en el parque. Las dos veces había presenciado mi ensueño como si le complaciera ver el efecto que ejercía en mí la música.

Dominik. Casi había olvidado el *sms* que le había mandado. ¿Estaría zumbando silenciosamente mi móvil en el armario? ¿Había intentado volver a hablar conmigo?

Una mano pasó sobre mi ombligo, después sobre mi pubis depilado, se entretuvo conmigo un momento, quizá revisando mi paisaje, eligiendo el mejor lugar donde marcarme. ¿Me haría el tatuaje Victor personalmente?

–Esclava Elena –dijo, en un tono grave y formal–, el momento de ser marcada ha llegado.

Respiró hondo y calló un momento como si estuviera a punto de dar un discurso. ¿Había preparado unos votos, como en una boda? Qué estrafalario.

–Ahora debes abandonar tu antigua vida y prometer que me servirás a mí, Victor, en todo lo que te pida, hasta que decida liberarte del servicio. ¿Aceptas someterte a mí, esclava, y entregarme tu voluntad para siempre?

Estaba en el borde del precipicio, en uno de esos momentos en los que el curso de tu vida da un giro repentino, una elección más fugaz de lo que se tarda en inspirar, pero que puede alterar tu camino para siempre.

–No –contesté.

–¿No? –susurró Victor, con incredulidad.

–No –repetí–. No elijo someterme a ti.

Abrí los ojos y me senté, consciente de repente de mi desnudez. Intenté hacer acopio de toda la autoridad que pude en aquel estado. Al menos, con Dominik lo había practicado a menudo.

Victor parecía consternado, pero solo era un pobre hombre. ¿Cómo podía haberme doblegado a la voluntad de ese tipo? Lo que hacía no era más que una actuación, como todos los demás.

Me abrí camino entre la gente, entre personas que me miraban con una mezcla de asombro, vergüenza y preocupación. Algunas murmuraban entre ellas que aquello debía formar parte de la representación de Victor.

Saqué el vestido del armario, me lo pasé por la cabeza, recogí el bolso y el móvil y fui hacia la puerta. No estaba cerrada.

Victor puso el pie en el umbral cuando estaba a punto de cerrarla.

–Te arrepentirás, esclava Elena.

–No lo creo. Me llamo Summer. Y no soy tu esclava.

–Nunca serás más que una esclava. Lo llevas dentro. Tarde o temprano te rendirás. No puedes evitarlo. Mírate, ¿acaso no te has visto? Te pusiste húmeda en cuanto te quitaste la ropa, mojada. Tu mente puede luchar contra ello, pero tu cuerpo siempre te delatará como una esclava.

–No me llames nunca más. Si lo haces te denunciaré a la Policía.

–¿Y qué les dirás? –se burló–. ¿Piensas que van a creer a una puta como tú?

Me volví y salí de la habitación, con la cabeza alta, aunque sus palabras resonaban en mis oídos. Solo quería irme a casa. Irme a casa y tocar el violín.

Subí por la calle Gansevoort y llamé a un taxi, toqueteando el móvil desde el momento en que subí para que el conductor no intentara hablar conmigo o interrogarme sobre mi estado de agitación. En Nueva York los taxistas son una especie curiosa, algunos son silenciosos como marmotas y otros tan charlatanes que no hay forma de que se callen. Llamé al número del buzón de voz y me acomodé para escuchar el mensaje de Dominik.

Me había echado de menos. Antes nunca había dicho algo así. Yo también lo había echado de menos, muchísimo.

Miré por la ventana al barullo de tráfico, a las vistas de la ciudad que me habían parecido tan emocionantes cuando llegué, y ahora me resultaban extrañas, me recordaban que no estaba en casa, que ya no tenía casa.

Empezaba a anochecer cuando pasamos por Washington Square, y los árboles proyectaban oscuras sombras sobre la hierba como brazos y manos largos, un coro de verdor. Tardaría en ser totalmente de noche. Todavía quedaba tiempo para tocar.

Había prometido a Dominik que no sacaría el Bailly en público, que no tocaría en la calle, que era demasiado peligroso con un instrumento tan valioso, pero creía que por esta vez lo comprendería.

El taxi me dejó en el portal de mi casa. Di una buena propina al taxista para agradecerle que hubiera estado callado todo el trayecto.

Subí las escaleras de dos en dos y tiré el vestido negro al suelo en cuanto entré. No creía que me apeteciera volver a ponérmelo. Quizá me comprara uno nuevo para los conciertos, uno que no me trajera tantos recuerdos. Me puse ropa normal, para no llamar la atención más de lo necesario, recogí el Bailly y me fui al parque.

El Washington Square Arch era el sitio que había elegido para tocar. Me recordaba al Arco de Triunfo de París, y a lugares que quería conocer, a las fotos que me había enseñado Dominik de su viaje a Roma.

Me situé junto a la fuente principal, mirando al arco, y me coloqué el Bailly en la barbilla, agarré el cuello con firmeza y pasé el arco por las cuerdas. En cuanto a qué pieza tocaría, mi cuerpo tomó esa decisión antes de que mi mente tuviera tiempo de pensar.

Cerré los ojos y me concentré en el primer movimiento, el *allegro* de «La primavera» de *Las cuatro estaciones* de Vivaldi.

Pasó el tiempo, los minutos de mi interpretación, sin que me diera cuenta hasta que llegué a la última sección, al final; abrí los ojos y me di cuenta de que era casi de noche.

Entonces oí que alguien aplaudía. No eran los aplausos ruidosos de todo un público, sino los aplausos individuales de una sola persona.

Me volví, con el Bailly protegido a mi lado, por si a algún psicópata se le ocurría lanzarse sobre mí y huir con mi instrumento.

Era Dominik. Había venido a buscarme.

Dominik abrió los ojos.

Era la hora de las brujas y solo la luz del Washington Square Arch se filtraba por la ventana de su habitación de hotel. El aire acondicionado siseaba apaciblemente por la habitación como un viento fresco y acogedor.

A su lado dormía Summer. El sonido tranquilo de su respiración, que subía y bajaba a la vez que el latido de su corazón; el hombro destapado, solo un atisbo de la parte inferior del pecho en la ventana de visión creada por su brazo doblado, que descansaba entre la barbilla y la almohada.

Contuvo la respiración.

Recordó el tacto de sus labios alrededor de él al tomarlo por primera vez dentro de su boca, las caricias aterciopeladas y la forma delicada con que su lengua se había enrollado alrededor de su pene, casi jugando con él, saboreándolo, explorando su textura, centímetro a centímetro, recorriendo su piel y su valle de venas y minúsculos promontorios.

No se lo había pedido, no le había ordenado que lo hiciera. Había sucedido naturalmente, como si fuera lo más normal del mundo en aquel momento en que los dos habían bajado sus defensas y expuesto plenamente al otro, olvidándose del pasado, de los errores, de los caminos tomados por equivocación y ahora lamentados.

Los ecos del deseo que sentía por Summer todavía discurrían por todo su ser y Dominik lamentaba todos los días que había desperdiciado. Antes de ella, después de ella. Esos días que nunca recuperaría.

La miró mientras dormía.

Suspiró.

De felicidad y de tristeza.

Por la ventana, se oían voces animadas, de personas que salían de los bares de Bleecker y MacDougal y subían hacia el centro. Por un instante, Dominik se sintió realmente feliz de haber encontrado a Summer de nuevo.

El momento que habían compartido aquella noche había sido natural, no había formado parte de ningún juego.

Se durmió, mecido por la presencia de Summer a su lado, la calidez que irradiaba su cuerpo desnudo cuando se pegaba a él como un bálsamo.

Se despertó cuando el amanecer todavía era un hilo de luz en el horizonte de Manhattan. Summer también estaba despierta, con los ojos fijos en él, la mirada curiosa y llena de afecto.

–Buenos días –dijo.

–Buenos días, Summer.

Y entonces, silencio de nuevo, como si se hubieran quedado enseguida sin cosas que decirse.

–Descubrirás que soy también un hombre de silencios –dijo Dominik, excusándose por su falta de palabras.

–Me parece estupendo –contestó Summer–. Las palabras no son tan importantes. Están muy sobrevaloradas, creo.

Dominik sonrió.

Podía ser que al final lo suyo funcionara, que fuera más allá de la cama y el sexo y la oscuridad que él sabía que ambos ocultaban en lo más hondo de sus almas. Podía ser.

Alargó su mano hacia él, se incorporó un poco, haciendo emerger un pecho atrevido fuera de la sábana. Sus dedos se posaron en su mentón.

–Tienes la barba dura. Te toca afeitarte –comentó, acariciándolo.

–Sí –confirmó Dominik–. Al menos hace dos días que no lo hago –añadió.

–No todas las marcas me gustan –dijo Summer con una sonrisa.

–Las marcas no serán siempre necesarias –apuntó Dominik.

–No, claro que no –dijo ella–. Seguro que encontraremos el equilibrio.

Dominik sonrió y le tocó el pecho destapado con toda la delicadeza de que fue capaz.

–Significa eso que podemos ser...

–Amigos –interrumpió Summer–. Puede que no.

–Más que amigos –añadió él.

–Eso sí –dijo Summer.

–No será fácil.

–Ya.

Dominik apartó las sábanas con delicadeza, desnudando el cuerpo de Summer hasta los pálidos muslos.

–Veo que todavía estás depilada –comentó.

–Sí –dijo Summer–. Cuando comenzó a crecer estaba muy feo y ha empezado a gustarme así. –No le contó a Dominik que Victor le había ordenado que lo mantuviera despejado, aunque era cierto que había empezado a disfrutar de la vulnerabilidad de la tersura que le evocaba en su corazón y mente, y la pura sensualidad de sentirse tan desnuda allí abajo cuando se tocaba.

–Y si te lo pidiera, ¿aceptarías dejártelo así o dejarte crecer el vello otra vez? –preguntó Dominik–. Por mi capricho o porque te lo ordenara.

–Tendría que pensármelo –respondió Summer.

–¿Y si te ordenara que tocaras el violín para mí, volverías a hacerlo?

Le brillaban los ojos a la luz mortecina de la mañana.

–Lo haría –contestó–. Cuando fuera, en cualquier lugar, con ropa o sin ropa, cualquier música, cualquier melodía... –sonrió.

–¿Un regalo para mí?

–Una sumisión. A mi manera –dijo Summer.

La mano de Dominik fue hacia su vulva, se entretuvo en los labios, los separó y metió un dedo dentro con lentitud deliberada.

Summer gimió bajito.

Siempre le había gustado hacer el amor por la mañana, justo después de salir de los brazos del sueño.

Retiró el dedo, movió el cuerpo, bajó por la cama y acercó sus labios a ella. Summer le enredó los dedos en los cabellos despeinados para mantenerlo sujeto y controlar su placer.

Abrí la puerta de mi piso, dejé el estuche del violín con cuidado en el suelo y fui a mi armario. Había vuelto a casa a recoger algo de ropa. Dominik pasaría una noche más en Nueva York, y me invitaba a cenar y a un musical de Broadway para celebrarlo.

Sería una extraña celebración. Agridulce. Nuestra última noche juntos hasta un punto desconocido en el futuro, un tiempo que pasaríamos en continentes separados.

¿Funcionaría?, me pregunté, mientras sacaba el vestido negro corto del armario, el que me había puesto para él, aunque fuera poco tiempo, para uno de nuestros primeros recitales.

Creía que sí. Éramos dos mitades de un mismo todo, Dominik y yo. Ni un océano podía mantenernos separados de manera indefinida.

Guardé algunas cosas en una bolsa junto con el vestido que me pondría por la noche, di un último vistazo al Bailly y salí por la puerta.

Dominik todavía no había estado en mi casa.

La próxima vez quizá lo invitara.

# Agradecimientos

Quisiéramos dar las gracias a todas las personas que han hecho que escribir la trilogía *Ochenta melodías* no solo fuera posible, sino también un placer: a Sarah Such de la agencia literaria Sarah Such, a Jemima Forrester y John Wood de Orion, por creer en nosotros, y a Matt Christie por su fotografía.

Un agradecimiento muy especial a todos los que nos han ayudado por el camino con su labor de investigación, apoyo y clases de violín; al Groucho Club y los restaurantes de Chinatown por acoger nuestras perversas especulaciones. Y a nuestras respectivas parejas por estar a nuestro lado a todas horas, noche y día, mientras escribíamos frenéticamente sin prestarles atención.

Una de las partes de Vina Jackson quisiera dar las gracias a sus jefes por su apoyo extraordinario, su comprensión y su mente abierta.

Y, finalmente, muchas gracias a los trenes de First Great Western por dar alas al destino a través del azar de las reservas por Internet que hizo que nos conociéramos.


**Vina Jackson** es el seudónimo de dos autores ya consolidados en Gran Bretaña que colaboran por primera vez en este proyecto. Él ha publicado nueve novelas, ha trabajado en el mundo editorial y es especialista en novela erótica. También ella ha publicado varios libros, aunque trabaja en la *City* londinense, y es una figura popular en el mundillo y los clubes fetichistas de Londres.

Vina Jackson

# Ochenta melodías de pasión en azul

Te adelantamos las primeras páginas del segundo título de la adictiva trilogía de Vina Jackson

# Ochenta melodías de pasión en azul

## 1

### *Una comida a base de ostras*

En plena Grand Central Station, me besó.

Fue un beso de amante: breve, suave y cariñoso, cargado de los recuerdos aún palpitantes de un día vivido en una nube, y también un recordatorio de que esta sería nuestra última noche juntos en Nueva York. No habíamos hablado del futuro ni del pasado. No nos atrevimos. Como si aquellos pocos días con sus noches fuesen una especie de paréntesis entre esos dos imponentes espectros, que era mejor olvidar hasta que tuviéramos que mirarlos de frente a la fuerza, por el inevitable paso del tiempo.

Durante las veinticuatro horas siguientes seríamos amantes, una pareja normal y corriente, como cualquier otra.

Una noche más y un día más en Nueva York. El futuro podía esperar.

Parecía buena idea pasar uno de nuestros últimos momentos juntos en la Grand Central, uno de mis sitios preferidos de la ciudad. Allí confluyen pasado y futuro, se entremezclan todos los fragmentos dispares que conforman Nueva York: los ricos, los pobres, los punkis, las niñas y los niños de Wall Street, los turistas y los pasajeros de cada día, andando camino de su vida particular, distinta, reunidos fugazmente por unos cuantos momentos de pasos presurosos; todos ellos compartiendo una misma experiencia: la de subirse a un tren.

Estábamos en el vestíbulo principal, bajo el famoso reloj de cuatro caras. Después del beso, miré hacia arriba y a mi alrededor, como hacía siempre cuando me encontraba allí. Me gustaba contemplar los pilares de mármol y los arcos abovedados que sostenían un cielo mediterráneo invertido, la vista del zodíaco que los cartógrafos antiguos imaginaron que tendrían los ángeles o formas alienígenas de vida al divisar la Tierra desde el cielo.

El edificio me recordaba una iglesia. Como siempre había albergado sentimientos ambivalentes sobre la religión, me infundía más respeto el poder del ferrocarril, prueba del eterno deseo del hombre de ir a alguna parte. Chris, mi mejor amigo de Londres, siempre decía que nunca conocías una ciudad hasta que probabas su transporte público, y en ningún sitio era más cierto que en Nueva York. La Grand Central Station era un compendio de todas las cosas que me gustaban de Manhattan: todo era posible y vibrante, con aquella energía de la gente corriendo de un lado para otro; un verdadero crisol de personas en movimiento. Para quien pasara por allí sin nada más que una moneda de diez centavos en el bolsillo, la opulencia y la grandiosidad de las viejas lámparas de araña que pendían del techo eran la promesa de que arriba, en algún lugar, les esperaba una oportunidad.

En Nueva York suceden cosas buenas, ese era el mensaje de la Grand Central Station. Si trabajabas duro, si apostabas por tus sueños, un día la suerte te sonreiría y la ciudad te brindaría una oportunidad.

Dominik me dio la mano y tiró de mi entre la multitud hasta la rampa que bajaba a la Galería de los susurros. Tampoco había estado en la Galería de los susurros de la Catedral de San Pablo de Londres; eran dos de las cosas que tenía en mi interminable lista de asuntos pendientes: lugares por visitar y cosas por ver.

Me llevó a una esquina, de cara a uno de los pilares que unían los arcos rebajados, y se fue corriendo al otro extremo.

–Summer –dijo, y su voz baja me llegó a través del pilar con la nitidez de una campanilla, como si me hablara la pared. Sabía que se trataba de un fenómeno arquitectónico –las ondas sónicas viajan desde un pilar hasta su contrario, por el techo abovedado; un poco de magia acústica, nada más–, pero no dejaba de resultar estremecedor. Él estaba en la otra punta, de espaldas a mí, y aun así era como si me hubiese susurrado directamente al oído.

–¿Sí? –murmuré hacia la pared.

–Pienso hacerte el amor otra vez, después.

Me reí y me volví para mirarlo. Me sonrió con picardía desde la otra punta.

Volvió a mi lado y me tomó de la mano de nuevo, para tirar de mi cuerpo y envolverme en su abrazo. Su torso tenía una agradable firmeza. Me sacaba más de un palmo, por lo que podía apoyar mi cabeza en su hombro incluso llevando tacones. Dominik no estaba cachas –no iba al gimnasio, o al menos yo no tenía constancia–, pero era de complexión esbelta, atlética, y se movía con la desenvoltura de quien está a gusto con su cuerpo. Ese día había hecho calor, estábamos a finales del verano neoyorquino, y el sol calentaba de manera tan intensa y abrasadora que se podía freír un huevo encima del asfalto.

Seguía haciendo bochorno, y aunque nos habíamos duchado antes de salir del hotel, podía percibir el calor que desprendía la piel de Dominik a través de su camisa. Cuando me abrazaba era como si me envolvieran en una nube tibia.

—Pero antes —susurró, esta vez a mi oído—, vámonos a cenar.

Estábamos justo delante del Oyster Bar. No recordaba haberle hablado de mi pasión por el pescado crudo —otra de mis rarezas que él había adivinado—. Estuve a punto de decir que las ostras me daban aprensión, solo para que le quedase claro que no siempre acertaría con mis gustos, pero la verdad era que desde que llegué a Nueva York estaba deseando ir al Oyster Bar y no iba a desaprovechar la ocasión. Además, la gente a la que no le gustan las ostras me da mala espina, y quizá a él le pasara lo mismo. Preferí no contarle una mentira que pudiera volverse contra mí.

El Oyster Bar es un sitio muy concurrido y me sorprendió que consiguiera una mesa con tan poca antelación, pero conociendo a Dominik probablemente había reservado con tiempo. Aun así, tuvimos que esperar veinte minutos a que nos sentaran, aunque luego el camarero trajo la carta inmediatamente y esperó para tomar nota de lo que íbamos a beber.

—¿Champán? preguntó Dominik, y pidió una pepsi para él.

—Para mí una botella de Asahi, por favor —le dije al camarero, viendo que los labios de Dominik se contraían en un amago de sonrisa al obviar su sugerencia.

—Aquí la carta es realmente abrumadora —comentó—. ¿Compartimos unas ostras para empezar?

—¿Pretendes atiborrarme a afrodisíacos?

—Si alguna vez ha habido una mujer que no necesite un afrodisíaco, Summer, eres tú.

—Me lo tomaré como un cumplido.

—Bien. Esa era mi intención. ¿Hay alguna variedad de ostra que te guste más?

El camarero había traído las bebidas. Rechacé con la mano la copa que me ofrecía: la cerveza está hecha para beberla de la botella. Di un sorbo, estaba fría, y eché un vistazo a la carta.

Tenían incluso ostras de Nueva Zelanda, cultivadas en el golfo de Hauraki, cerca de mi ciudad natal. Noté una sensación fugaz de dolor, una punzada pasajera de nostalgia, la maldición del viajero fatigado. No importaba lo mucho que me gustara la nueva ciudad en la que me hallara, de tanto en tanto me asaltaban los recuerdos de Nueva Zelanda. El marisco es una de esas cosas que me recuerdan mi tierra natal, los días cálidos y las noches frescas de cuando iba a la playa, la sensación de los talones hundiéndose en la arena blanda y húmeda cuando baja la marea para ir a coger tuatua y pipis, los moluscos que moran en aguas poco profundas de las playas de arena o los viernes por la noche en la tienda del pueblo especializada en pescado con patatas fritas, cuando pedía media docena de ostras fritas, que te servían en una bolsa blanca de papel cubiertas de sal y acompañadas de una rodaja enorme de limón.

Pedí media docena de cualquier variedad autóctona, la que el camarero considerara buena, y Dominik pidió lo mismo. Con nostalgia o sin ella, no había venido hasta Nueva York desde tan lejos para comer marisco del golfo de Hauraki.

El camarero se fue hacia la cocina y Dominik tendió el brazo por encima de la mesa para poner su mano sobre la mía. Su tacto era más frío de lo habitual, teniendo en cuenta el calor de su cuerpo. Sorprendida, sentí un escalofrío involuntario. Me di cuenta de que había tenido en esa mano la copa, debía de estar fría y eso que siempre pedía la pepsi con poco hielo.

–¿La echas de menos? ¿Nueva Zelanda?

–Sí. No a todas horas, pero sí cuando algo, una palabra, un olor o una imagen, me recuerda mi hogar. No me pasa con mis amigos ni con mi familia, porque hablo con ellos por teléfono o nos escribimos correos, pero echo de menos la tierra, el océano. Me costó acostumbrarme a Londres por lo llano que es. No es tan llano como algunas zonas de Australia en las que he vivido, pero es muy plano. Nueva Zelanda está llena de montañas.

–Tu cara es un libro abierto. Delatas más de lo que tú piensas. No todo lo sacas cuando estás tocando, ¿sabes?

Se llevó un chasco al ver que me había dejado el violín en mi piso antes de regresar a su hotel, a solo un par de calles de mi casa. Le prometí que iría a buscarlo y que tocaría para él antes de que se marchara. Había sacado billete para un vuelo nocturno y al día siguiente hacia las cuatro de la mañana estaría montándose en un taxi al aeropuerto, de vuelta a Londres, a sus obligaciones en la universidad y a su casa repleta de libros cerca de Hampstead Heath. Mi inesperada semana libre tocaba a su fin. Volvería a la orquesta y retomaría los ensayos para el siguiente concierto, el próximo lunes.

No habíamos hablado de qué pasaría después. En Londres, justo antes de que me trasladase a Nueva York, nos lo habíamos montado con mucha flexibilidad, como si tuviésemos una especie de relación pero sin definir nada. Me dijo que yo era libre de explorar, siempre y cuando luego le contara todos los detalles, una condición que me había gustado. Me excitaba contarle en qué había andado metida, y algunas veces hacía determinadas cosas o las evitaba solo por la confesión que llegaría después. A Dominik nunca le comenté nada. Era como el sacerdote que nunca había tenido. Mis aventuras parecían divertirle o excitarle, hasta la noche en que me vio con Jasper, la noche en que todo fue tan desastrosamente mal.

Tampoco le dije nada de Victor, el hombre con el que me había liado en Nueva York. No estaba del todo segura de cómo sacar el tema. Los juegos con Victor habían sido mucho más perversos que los gustos de Dominik. Victor llegó a venderme, me ofreció a sus conocidos para que me usaran como les placiera. Yo había estado de acuerdo con todo y lo había pasado bien, casi siempre. ¿Se lo iba a contar a Dominik? No estaba segura. Habían pasado solo cuarenta y ocho horas desde que me marché de la fiesta de Victor, porque pretendía marcarme para siempre como su esclava, como algo de su propiedad, y yo me negué. La idea de una marca imborrable había rebasado mis límites. Ahora me daba la impresión de que había pasado una eternidad desde aquello. Estar con Dominik había hecho desaparecer el resquemor hacia Victor, al menos de momento. Además, estaba segura de que Dominik y Victor se conocían de Londres, con lo que la situación era aún más embarazosa.

–¿Qué tal Londres? –pregunté, cambiando de tema.

El entrante llegó enseguida, y eso que las críticas gastronómicas decían que tardaban en servir. En una gran fuente blanca habían colocado en abanico, como si fuesen joyas, una docena de ostras, con un limón en el centro cortado en dos mitades; cada mitad iba envuelta en una muselina blanca, atada en el extremo, para aprisionar en su interior las pepitas, como si pudieran echar a perder todo el plato si alguno de ellos conseguía escapar de la pulpa.

Dominik se encogió de hombros.

–Pues no te has perdido gran cosa. Yo no he parado de trabajar: dar clase, preparar artículos en mis ratos libres, he escrito un montón. –Levantó la mirada hacia mí, fijó sus ojos en los míos, vaciló un instante y a continuación prosiguió–. Te he echado de menos. Han pasado algunas cosas de las que deberíamos hablar, a su debido tiempo, pero por ahora disfrutemos de esta noche. Cómete tus ostras.

Dominik se llevó una ostra a la boca, dejando la concha en la palma de la mano al tiempo que se metía en la boca su carnoso contenido con ayuda del delicado tenedor de plata que había traído el camarero. Su manera de extraer el jugo del limón había sido un tanto salvaje; lo hizo con tal firmeza que podría decirse que, más que exprimirlo, lo había espachurrado. Entonces, casi como si fuera el siguiente paso de un ritual muchas veces practicado, esparció pimienta negra sobre la fuente con dos contundentes giros del molinillo. Ensartó el marisco limpiamente, con gran habilidad, sin dejar que un pedacito suelto o una sola gota de limón se desviara de su trayectoria en dirección a su lengua.

Yo preferí obviar el tenedor y succioné la ostra directamente de la concha, disfrutando de su tacto resbaladizo, del impacto de la carne húmeda contra mi lengua sin la mella de utensilio alguno, y de que su jugo salado empapase mis labios.

Al levantar la cabeza vi que Dominik estaba observándome.

–Comes como una criatura salvaje.

–No es lo único que hago como una criatura salvaje –dije, con un intento de sonrisa pícara.

–Eso no lo puedo negar. Es una de las cosas que me gustan de ti. Te abandonas a tus apetitos, sean los que sean.

–En Nueva Zelanda pensarían que es una forma refinada de comer marisco. En mi tierra he visto a gente arrancarles de un bocado la lengua a las pipis, las almejas que viven en aguas poco profundas cerca de la orilla. Sacan la lengua de la concha cuando están fuera del agua y los locos que se pirran por ellas se la arrancan de un bocado, y se las comen directamente, vivas.

Dominik sonrió.

–¿Tú eras una de ellos y te comías vivas esas criaturas marinas?

–No, nunca tuve estómago para eso. Me parecía una crueldad.

–Pero admirabas a los otros por hacerlo, ¿a que sí?

–Sí. La verdad es que sí.

Supongo que es lo que tiene ser una persona a la que por naturaleza le gusta llevar la contraria, ser una especie de rebelde. Aún así, cuantas más probabilidades hay de que un salón lleno de gente pueda escindirse entre defensores y detractores de una comida concreta, lo más probable es que yo me decante o por lo menos que admire a los defensores.

–¿Te apetece dar un paseo? –preguntó Dominik, y fue dando las gracias al personal mientras salíamos.

Ellos respondían con un afectuoso «buenas noches». Dominik era de los que dejan propinas generosas. En alguna parte leí que había que fijarse en cómo tratan los hombres a los animales, a su madre y a los camareros, de modo que archivé ese dato concreto en su columna de cosas positivas, que iba actualizando.